图书在版编目（CIP）数据

永远的红树林 / 何建明著. -- 北京 : 新世界出版社, 2018.3

（何建明文集 ; 28）

ISBN 978-7-5104-6314-3

Ⅰ. ①永… Ⅱ. ①何… Ⅲ. ①报告文学—作品集—中国—当代 Ⅳ. ①I25

中国版本图书馆CIP数据核字(2017)第133334号

永远的红树林

作　　者：何建明
特邀丛书编辑：韩小群
责任编辑：房　阳
责任校对：宣　慧
责任印制：王宝根　苏爱玲
出版发行：新世界出版社
社　　址：北京西城区百万庄大街 24 号（100037）
发 行 部：（010）6899 5968　（010）6899 8705（传真）
总 编 室：（010）6899 5424　（010）6832 6679（传真）
http://www.nwp.cn
http://www.nwp.com.cn
版 权 部：+8610 6899 6306
版权部电子信箱：nwpcd@sina.com
印　　刷：北京京华虎彩印刷有限公司
经　　销：新华书店
开　　本：710mm × 1000mm　1/16
字　　数：380 千字　　印　　张：30.75
版　　次：2018 年 3 月第 1 版　2018 年 3 月第 1 次印刷
书　　号：ISBN 978-7-5104-6314-3
定　　价：76.00 元

1978年——中国改革开放启幕

1978年——我的文学生涯开始

庆幸，我的命运与时代、与祖国同行。还有一份安慰：当我离开这个世界时，有人可以从我的文字里触摸到中国今天的脉搏是如何跳动的……

何建明

重要创作历程及个人成就

1978 年	创作第一篇中篇散文《湘西探险记》
1980 年	发表第一篇报告文学《腾飞吧，苍龙》
1982 年	创作第一部军事题材小说《第二道战壕》
1986 年	出版第一部报告文学作品集《缉私大王》
1988 年	出版第一部长篇小说《东方毒蛇》
1989 年	由同名作品改编的电影剧本《西行囚车》被搬上银幕，此片获珠江电影制片厂优秀故事片奖
1990 年	第一次获中华宝石文学奖
1993 年	任文学杂志《新生界》主编
1993 年	发表第一部长篇报告文学《野性的黑潮》
1994 年	第一次成为《青年文学》封面人物
1995 年	《共和国告急》出版，此后获第一届鲁迅文学奖
1995 年	《科学大师的名利场》发表
1998 年	《落泪是金》发表，此后获第二届鲁迅文学奖、第一届徐迟报告文学奖、中国改革开放优秀报告文学奖
2000 年	《中国高考报告》出版，此后获第一届正泰杯全国报告文学奖
2001 年	《中国高考报告》被日本、澳大利亚翻译出版
2002 年	《根本利益》发表，此后获第二届徐迟报告文学奖、人民文学奖特等奖、第六届国家图书奖提名奖、第二届正泰杯全国报告文学奖，入选中宣部推荐的党的十五大献礼书目
2002 年	《国家行动：三峡大移民》出版，此后获中宣部第九届“五个一工程”奖，入选中宣部推荐的党的十六大献礼书目

2003 年　《北京保卫战》发表，获《文汇报》优秀作品奖

2003 年　完成电影剧本《廊桥悠悠》创作（此为与谢晋导演合作项目）

2004 年　由《根本利益》改编的电影《信天游》上映

2004 年　《永远的红树林》发表，此后获第四届正泰杯全国报告文学奖

2005 年　《李琬若：从中国留学生到美国市长》出版，并被美国翻译出版

2005 年　获国务院授予的“全国劳动模范”称号

2005 年　任《中国作家》杂志主编

2006 年　《男人的美丽男人的梦》出版

2007 年　散文《父亲的体温》入选中学课本及教辅资料

2007 年　《部长与国家》获第四届鲁迅文学奖、第三届徐迟报告文学奖荣誉奖

2008 年　《生命第一——5·12 大地震现场纪实》出版，此后获第二届“中华优秀出版物”奖、第四届徐迟报告文学奖

2008 年　任作家出版社社长

2008 年　荣获“全国新闻出版行业领军人才”称号

2008 年　根据《国家行动》改编的同名电视连续剧在央视播出

2009 年　任中国作家协会党组成员、书记处书记，中国作家出版集团党委书记、管委会主任

2009 年　《国家行动》电视连续剧获中宣部第十一届“五个一工程”奖

2009 年　《我的天堂》出版，获中宣部第十一届“五个一工程”奖

2009 年　《永远的红树林》获新中国六十年优秀中短篇报告文学奖

2009 年	获中华全国总工会“时代领跑者——新中国成立以来最具影响的劳动模范”评选活动提名奖
2010 年	根据《部长与国家》改编的电视连续剧《奠基者》在央视黄金时段播出，此后获中宣部第十二届“五个一工程”奖
2010 年	《忠诚与背叛：告诉你一个真实的红岩》出版，此后获中宣部第十二届“五个一工程”奖、第三届中国出版政府奖，入选“2013 年全国青少年推荐阅读的优秀书目”
2010 年	任中国作家协会副主席至今
2011 年	《国家——2011・中国外交史上的空前行动》出版，后获人民文学奖特等奖，入选“2012 年中国报告文学优秀作品排行榜”、中宣部推荐的党的十八大献礼书目
2012 年	《三牛风波》出版，荣登北京图书大厦畅销书排行榜
2012 年	任中华文学基金会理事长至今
2012 年	当选中国报告文学学会理事长至今
2014 年	《南京大屠杀全纪实》出版，此后获第四届中国出版政府奖、人民文学奖特等奖
2015 年	获亚洲品牌协会“中国文化品牌新领军人物”荣誉
2015 年	《真假之间》发表
2016 年	《爆炸现场》出版，获中国出版集团优秀销售奖，入选“2016 年中国报告文学优秀作品排行榜”
2017 年	《死亡征战》出版，被英国、法国翻译出版
2017 年	《那山，那水》发表

（截至 2017 年 9 月）

目　录

永远的红树林

——一个青年社会科学理论工作者的探索

一

1890年，法国的一位厌倦了现代文明的画家，跑到南太平洋的塔希提岛。岛上那旖旎的自然风光和原始质朴的土著民情，使这位画家找到了精神慰藉和创作灵感，他借助画笔和色彩纵情地表达心底深处的那份渴望的情感和追求，创作了一幅幅象征主义的作品。这其中有画家的一幅经典之作，那是他用梦幻的记忆方式，将观赏者引入似真非真的时空延续中。在长达四米半的巨型画面上，从左到右意味着一个生命到死亡的历程。树木、花草、果实，一切植物象征着时间的飞逝和人的生命的消失。这幅画有一个与众不同的标题，实际上是三个震撼人心的心灵发问：我们从何而来？我们活着为什么？我们的生命将向何处？这个画家叫保罗·高更。画家的这幅画和他三个发人深省的发问，使其在国际艺术史上留下了自己不朽的声名。因为无论哲学家还是自然科学家普遍公认，高更提出了人类最基本、最有意义和最值得研究的问题。

人类的现代文明在18、19世纪乃至20世纪的多数时间里都属于西方世界。高更这幅“三问”画诞生的一百年后，人类现代化进程的快速列车开到了东方，开到了东方古国的中华大地上。

就在这个时候（1993年）一位年轻的学者走到了我国著名的经济理论学家苏星教授的身边，成了苏教授的博士生。关于苏星教授，在中国的理论界是个无人不晓的顶级大师，他在20世纪50年代就曾与另一位著名经济理论学家于光远一起主编了《政治经济学》（资本主义部分），影响和教育过几代中国理论界的学者们。苏教授这一年的门下收录的这位博士生姓梁名言顺，山东泰安人，是刚从辽宁大学毕业一年的日本经济研究专业硕士生。

“导师，你说我该选择什么样的研究方向呀？我搜索了中外经济学界的研究课题，好像几乎所有的课题都有人在研究了。”学生问导师。

苏教授举起右手，摸了摸他那颗光头，一副笑眯眯的样儿看着自己的学生，说：“真的啊？都有人研究了？那我们就吃闲饭吧！”苏教授的话听如自问，却又如向年轻学者的头上重重挥去了一鞭。

是啊，如果世界上的问题都被人研究完了，那这世界该是完美无缺的呀！可现实并非如此……学生长久地愣在原地，很是有些无地自容。苏教授又突然回到屋子，说：“海南省的党校同志邀我去他们那儿讲一课，你跟着一起去吧。”

梁言顺就这样随苏教授一起到了海口。不是沾先生的光，梁言顺既是苏教授的博士生，还兼任了苏教授的秘书，因为苏教授还是中共中央党校的副校长，部级领导。但苏教授更是学者，他身边的那只装满讲稿和笔记的小皮包总爱自己拎着。梁言顺和其他学兄学弟跟教授在一起，能做的只有两件事：吸取营养，交流心得。

到海口后，苏教授干他该干的事，而对自己的学生说：“你就跟着他们到海边转转，看看跟你家那边的海有什么不同。”

梁言顺这回更愣了，因为他的博士论文研究题目还没出来呢，着急啊！别以为在大学者名下当学生那么简单，要不弄出点真东西来想要蒙混过关了？天真！别看苏教授现在笑眯眯的，到时候还不知怎么蹿火和发雷霆呢！他的那颗光头里包含的能量大着呢！

大海美丽又壮观。主人热情盛邀观赏“天涯海角”之景和品尝美味海鲜，可梁言顺心不在焉。“我想到海边走走。”他独自徘徊在大海与地岸之间的那片海滩。

海浪时起时伏，从天而来，又与大地拥抱亲吻。一次次的拥抱和亲吻，是那样洒脱和惬意，仿佛在挑逗面前的这位青年学者：拿出你的能耐吧，朝前看，大海的我连天接地，壮观无比，一切哲人和诗人都已将最美好动听的词汇刻在我的浪尖与波澜之间，你还能谱出什么歌谣来打动我的心？向后看，那是我的大地情人，她有万顷楼宇组成的丰腴胸怀和铁道与高速公路沿伸出的长长四肢，艺术家和科学家们早早将经典的乐谱和勾股定律铸造在教科书里……你还能做什么，年轻的学者？

真的没事做了？真的只能重复别人？真的理论已经走进了死胡同？真的我们只能跟着快速列车飞奔而前，或者只有去捧接旁人栽种的果实？不，不不！高速发展中的中国成绩辉煌而巨大的同时，又出现太多太多的问题，比如说城市的马路宽了，绿地却少了；比如说高楼多了，有阳光的晴朗天空却少了；土地承包给了农民，农民却抛荒到了城里，粮食和棉花反倒紧缺起来……再比如说锦绣江南水乡的GDP已经达到或接近了中等发达国家水平，可那儿喝水吃鱼却要靠进口；更比如说一百个富翁刚刚诞生，而在富翁身后成千上万的穷人却跟在后面乞讨要饭……

这是怎么回事？难道我们助力经济发展有什么错？没有，发展让中国强大了，让人民有了饭吃、有了房住，也有了电视机和手提电话，但……为什么越发展问题就越多起来？梁言顺的思绪纷乱万分，一掬海水扑面而来，溅入他的嘴里：哇，好苦涩啊！

难道……难道我们祖国的发展和建设，就像这大海一样，它看上去壮观无比，激情澎湃，而掬入口中，细细品味时又有几分苦涩？

这又是为什么？我们就不能让大海既美丽壮观，又甘甜清澈？

做不到？不，不应该做不到。这里面肯定有个问题我们不曾关注，或者关注远远不够。那么它是什么问题呢？

梁言顺扬起眉睫，向远方望去——

那是什么？远处的一条江河的入海处，生长着一片半人高的小树林，郁郁葱葱，生机盎然。

“这是红树林。你折一根看看它们的心，红的吧！它因此得名叫红树林。别的地方不会有的，红树林只能生长在海陆交界处、海岸低潮线和高潮线之间的潮间带，只有淡水和海水的交汇处才能生长红树林。可别小看了这其貌不扬的红树林，它对保持大陆架免受海水侵袭的作用可不一般呐！”海南的同志告诉梁言顺。

噢？原来汹涌的大海与郁葱的大陆之间能够保持如此的和谐与平衡，竟然都是因为这红树林的功劳啊！“边缘地带”的学科为什么总能推动我们这个星球往前的奥妙，又一次让梁言顺在不经意的观海中发现了。

年轻学者的思维机器在飞旋：是啊是啊，当今现代文明社会里，为什么人们只会选择两种不是左便是右的思维方式或生存方式呢？尤其是对待如何推进社会发展的问题上，要么无比乐观，乐观得似乎人类始终是一个永不迷失的舵手，他总是在主宰着社会发展的航帆，想让它驶向何方就能驶向何方；要么只有悲观，悲观得像一个沙漠里行走的牧人，看不到方向，方向仿佛就是死亡的同义词。难道就不能选择一种既可以往前又永不迷失的中间方式（或者说中间地带）？

有人不是提出了“可持续发展”的观点吗？是的，可持续(sustainable）一词，最早始于生态学。20 世纪 80 年代以前，国外的林业和渔业等学科中已经出现可持续一词。如由于砍伐、火灾、虫害等因素产生的森林蓄积量减少不能超过森林的自然生长量，在生态学上称为可持续管理，又被翻译为可持续经营。1980年，国际自然保护联盟在《世界自然保护大纲》中，从自然保护和资源永续利用角度第一次正式使用了“可持续发展”一词。而真正让“可持续发展”一词光芒四射的时刻是由挪威的女首相布伦特兰 1987 年在世界环境与发展大会上提出的“以后人不骂我们为前提的发展国家的经济和社会福利”——后来成立的世界环境与发展委员会为表彰挪威女首相对“可持续发展”观所下的“发展就是经济和社会循序渐进的变革”定义而亦称“布伦特兰委员会”。两年后，联合国环境计划署举行第十五次理事会，会上发表《关于可持续发展的宣言》，正式把可持续发展的目标定为：既要使人类的各种需要得到满足，又要保护资源和生态环境，并不对后代人的生存和发展构成威胁。这其实就是规范地宣扬了布伦特兰女士对可持续发展观的定义，它因此被国际社会广泛认同。

可持续发展理论随即在中国也被广泛运用。毫无疑问，“可持续发展”一词本身并无缺陷。有缺陷的是怎么来解释和实现这“可持续发展”。同样道理，也没有人进而准确地有效地回答“什么是可持续发展”？它的操作性在哪儿？尤其是像中国这样一个发展中国家，不把当代人面临的问题解决好，不让当代人有个大的经济发展和物质财富的创造机会，何谈怎么对待后人的问题。正如有人说“老子已是穷光蛋一个，还能当不掘祖坟的孝子”？不能。中国人落后了几百年，再不想落在别人后面了。有人一生出来就期盼能够坐上汽车，住上别墅。他们恨不得让 GDP 每一天往上翻一番！

悬空的列车飞奔起来真的快得极致，就像脱离了地球引力的航天器。可惜悬空的列车不是航空器，它最后飞奔不了多久就坠毁在山谷里。

“好兄弟，求你救救我的孩子，救救我的村庄吧！”这是梁言顺的一位挚友在临终前向自己的朋友发出的最后呼救。那挚友是苏南地区颇有名气的年轻实业家，为了改变家乡落后的面貌，他用毕生的精力在自己的家乡引资建起了一座颇具规模的现代化化工企业，父老乡亲也很快因此而富裕了起来。但很快问题来了，村上接二连三的人不明不白地得上了一种怪病而死去，甚至就连吃奶没几个月大的孩子也没能逃脱厄运。后来发现，是化工厂导致了周围的水和环境的严重污染，人们在一边点钞票的同时也在吮吸着毒质。乡亲们开始把存款提出来改造湖泊与河江，但存款用光了，疾病仍然如魔地袭击着他们的生命。乡亲们愤怒了，终于有一天举起锄头和刚刚用“分红”买回的摩托，将家园边的那座化工厂一扫而平。当他们回首再想拾起锄头回到地头种植活命的稻粱时，却发现那地、那河早已飘荡不出江南原有的稻谷香了。他们折身找到铁门高楼里的厂主，不想厂主的家里正在为13岁的独生子举行葬礼，而那个厂主自己也得了与儿子同样的不治之症，他在床头痛心疾首地喊着：“你们杀了我吧！别让我受折磨了，啊，快杀了我吧！杀了我吧……”乡亲们看着这一景，不由全体恸哭，哭得江河跟着呜咽。

挚友的声声绝望呼救，变成了叠叠海浪。滴滴咸味的海水如挚友的声声乞求，如铁钩般扎在梁言顺的心头。他感到彻骨入髓的痛。

海天与陆地之间，梁言顺的思绪随潮汛起伏激荡。

“啊喔，啊喔——”一群海鸥在头顶飞翔而过，发出阵阵叫声。

“代价！代价！——”一个名词在梁言顺的脑海里蹦出。挚友无可挽回的惨痛例证和眼前红树林的生长现象，让梁言顺迷乱的心空仿佛豁然晴朗：代价，这不正是我要研究的课题吗？

“老师，我的博士论文题出来了！”梁言顺飞步来到导师身边。

苏星教授仍然笑眯眯地等待学生的话：“噢？你想研究……？”

“发展经济是中国的国策，也是13亿人民走向富强的必然选择。不发展就是死路。但我们不能因为高速发展而使民族和国家走向绝境。”梁言顺激动地说。

“放慢步子？放到什么速度才算合适？你的意思是……？”

“不。必要的发展速度也是历史赋予我们这一代人的必然要求。我是想，中国不能再走英国或美国式的西方工业化发展道路了。”

苏教授的眼睛纹丝不动地盯着自己的学生：“那你想提出什么观点？”

梁言顺脱口而出：“中国必须走低代价的经济增长道路。我的博士论文就研究这个，您看行吗？”

“有什么不行？好题目！”苏教授的眼睛发亮，随即又笑眯眯地谦逊说：“不过，这方面我可不太懂。只能送你一句话：要注重研究历史，注重研究现实。历史可以从现实中得到验证，现实也可以从历史中得到答案。”

“可现在都在说发展、大发展，我有点担心自己的理论研究会让人感觉不合时宜。”

“怕什么？不解决实践问题的理论有什么用？对了，我还给你一个提醒：许多研究经济的人往往不注意从统计材料中寻找问题所在，而只是用若干事例来证明某些现象妄下结论，这很危险。希望你多多作些掌握第一手材料的调查研究。”教授说完，又笑眯眯地走了。

梁言顺的心里这回点起了一把火炬。

这是十年前的事。

十年后的2004年。春节刚过，中国共产党的最高学府——中共中央党校来了一批高级干部，他们是来参加一个特殊的学习研讨班的。近180位学员全是各省市和部委的主要领导，其中包括了四位兼任省市一把手的中共中央政治局委员。如此规格，在中央党校的历史上并不常见。此次学习研讨会的主题是：树立和落实科学发展观。温家宝、曾庆红和曾培炎等亲自来学习研讨班上作报告。科学发展观，是以胡锦涛为总书记的新一代中央领导集体在十六届三中全会上提出的一个具有划时代意义的科学理论。而中共中央最高层下决心将几乎所有省市部委的主要高层集中起来学习研究，足见其"科学发展观"理论问题的重要性了。研讨班上，有件事很意外：中央党校的领导向这些中国高级执政者提供了一本学习参考书，说是中央党校原副校长苏星教授的一位博士生写的，名为《低代价经济增长论》，希望大家学一学。

"《低代价经济增长论》？十年前就有人写这样的书了？"

"是谁写的？快找书来看看。"

几乎都是清一色的中共中央委员、中共中央候补委员的学员们流露出几分好奇和迫不及待之情。

"梁言顺。梁言顺是谁？这么年轻啊！他在哪儿？有机会真想跟他聊聊。"

"总书记和温总理也讲了，科学发展观的根本点，就是过去我们的发展存在不科学，其核心的问题是经济增长不科学，内涵就是代价问题嘛！"

"是啊，这么重要的经济发展的理论和实践问题，人家青年学者已经在十年前就提出来了。这同志不简单。"

"可不，老兄你我这些年不都整天盯着 GDP 嘛！再说前几年谁敢对发展提出代价问题？哎，咱们一起找找这个梁言顺怎么样？"

"哪儿找去呀？"

其实，我们这些担任要职的学员们万不曾想到这梁言顺就在他们的眼皮子底下。作为中央党校省部级领导学习研讨班领导小组办公室的"快报组"副组长，梁言顺也算是位"老资格"的笔杆子了。他的这个“快报组”任务，就是将每天省部级领导学员在白天学习研讨中的发言稿连夜整理、编辑、审核和印制好后，于次日早七点前送达中南海供中央最高领导参阅。身为中央党校研究室主任的他，过去一直是与同事们在中央高级领导干部学习研讨班上做着默默无闻的服务性工作，而唯独这期“树立和落实科学发展观”的研讨班上，他被推到了前台……

人们对他刮目相看。

二

Hello Liang:

…Could you say a few more words particularly about "lower tolls economic growth"? It is a new term to me… Thanks for the help.

Mike Spence

梁，你好：

……你能否用几句比较简单的语言定义“低代价经济增长”？对我来说，这是个新词……感谢你的帮助。

麦克尔·思朋斯

麦克尔·思朋斯是谁？他怎么对梁言顺的“低代价经济增长”理论那么感兴趣？

2001 年度诺贝尔经济学奖获得者、美国斯坦福大学教授、世界著名经济学家——麦克尔·思朋斯的名字和简历可以从联合国的网站中找到，足见其知名度。一个如此重量级的人物，屈尊着想与中国的一位年轻学者“见面”和“求教”，这是为什么？

这也是我在认识梁言顺的“低代价经济增长论”之前所迷惑

的。有人约请我为梁言顺这一重要理论的“发明权”写一篇报告文学时，介绍说这比陈景润的“哥德巴赫猜想”研究成果“还要伟大”并“更富有现实意义和长远意义”。初始我有怀疑。但很快证实这并非“骇人听闻”。

伟大革命导师恩格斯说过这样的话：“在马克思看来，科学是一种在历史上起推动作用的、革命的力量。任何一门理论科学中的每一个新发现——它的实际应用也许还根本无法预见——都使马克思感到无比的喜悦。”马克思如此重视哲学社会科学理论的贡献，是因为哲学社会科学理论是“时代精神的精髓，人类发展的圣火”。它的每一个重大发现和发展，都给人类进步和历史前进带来革命性的作用。党的十六届三中全会上以胡锦涛为总书记的中央领导集体提出的“科学发展观”理论，是根据马克思主义的辩证唯物主义和历史唯物主义，深刻总结了中国国内外在发展问题上的经验教训。吸收人类文明进步的新成果，站在历史的、时代的高度，所提出的在新世纪新阶段中我国现代化建设的发展道路、发展模式和发展战略的总方针，是与毛泽东、邓小平和江泽民同志的发展思想一脉相承的当代马克思主义发展观。

在人类进程的伟大历史中，有一种科学——来自思想领域的科学总是被人称为“圣火”，这是因为它的点燃不仅具有任何自然科学伟大发明所带来的生产力的巨变，更重要的是它使人类在完善自我生存与发展的方向上照亮道路、指明捷径。

年轻的博士点燃了圣火，擎起了火炬，以勇敢者的无畏精神踏上了报国之路。他哼着郭小川的那首“在青春的世界里，沙粒要变成真珠，石头要化做黄金……青春的魅力，应当叫枯枝长出鲜果，沙漠布满森林……这才是青春的美，青春的快乐，青春的本分”之诗，开始了一场追求真理的马拉松长跑……而这样的马拉松长跑是与飞速奔驰的国家 GDP 快速列车在比赛，当然是比方向，也比实速。有人嘲笑年轻博士的这场与国家GDP快速列车的比赛是新一出“龟兔比赛”。

梁言顺并不在乎别人将自己比作“龟”，他的在读小学的儿子告诉过他：“爸，龟很帅噢，他一点儿不气馁，最后竟然赢了。”

“不一定喔，兔子如果不骄傲，稍稍警惕些，绝对可以取胜的。”梁言顺摸摸独生子的头，说。而这丝毫没有减少他的这场“龟兔比赛”所给他带来的精神和心灵上的巨大压力。

在中央党校工作，喜欢交朋友的梁言顺有着得天独厚的“人力资源”。他的那些学员朋友，个个都是意气风发、斗志昂扬的中国社会的擎天之柱。是国家GDP快速列车的司机和火车头。梁言顺完全可以轻松地与这些“司机”和“火车头”顺势而行，或者搭上一程去共同高唱“胜利凯歌”。但梁言顺没有，他在深入地思考着、探索着。

那一年，一位赫赫有名的市长正在中央党校的讲台上慷慨激昂地介绍着他的城市如何连续十几年以两位数的GDP增长速度向前的经验时，梁言顺正巧从一份国外资料上看到了这个市长的所在城市已经被列上了从卫星照片上确认的中国五大“雾都”之一。西方世界很幽默，其实是在挖苦我们，他们把中国污染特别严重的几个城市列在了“影响世界环境”的黑名单上，还说是可同英国伦敦相比的“雾都”呢!

“好啊，人家将我的城市与英国伦敦相比，我高兴还来不及了！”当梁言顺将这一消息告诉这位市长时，那市长一副不以为耻、反以为荣的表情。

“老兄，你以为这个‘雾都’光荣称号给了你真的是很光荣啊？错，大错特错！”性格斯文的梁言顺难得发火。他说：“你知道‘雾都伦敦’的景象吗？”

“我到那儿考察过。伦敦的雾确实很浓，像披上了一层神秘的面纱似的，很美，也很壮观。”市长说。

“那并不是美，更不是什么壮观。是抹不去的灾难！”梁言顺动情地给这位市长讲述了“雾都劫难”的故事——

素有世界“雾都”之称的英国伦敦，每当春秋之交，经常被浓雾所笼罩。据统计，伦敦的雾天，每年可高达七八十次，平均5天之中就有一个“雾日”。英国著名的日记体作家约翰·伊夫林就曾写道：“绝大部分伦敦人所呼吸的别无他物，老是一些又浓又浊的烟雾，外加一种又脏又臭的气体直入肺腑，使得全伦敦患黏膜炎、哮喘、肺结核的人比全世界患这些病的总人数还要多。”

然而谁曾想到，在不知不觉间，伦敦的茫茫大雾竟成为杀害众生的刽子手：1952年12月4日，连续的浓雾将近一周不散，工厂和住户排出的烟尘和气体大量在低空聚积，整个城市为浓雾所笼罩，陷入一片灰暗之中。其间，有4700多人因呼吸道病而死亡；雾散以后又有8000多人死于非命。这就是震惊世界的“雾都劫难”。

1952年12月3日清晨，伦敦气象台报告说，一个冷锋将在夜间通过，中午气温可达到6摄氏度，相对湿度约为70%。对于本地来说，这是个难得的好日子，一个可爱的冬日。

这一天，从北海吹来一股风，吹遍了整个英格兰，将英国中部的工厂和城市居民住户中烟囱内冒出来的团团浓烟吹到了九霄云外，因而空气变得十分清新怡人。然而，谁也不会想到灾难正悄悄地来临。傍晚时分，伦敦正处于一股巨大的高气压气旋的东南边缘，较强劲的北风围绕着这个反气旋顺时针吹着。第二天，即12月4日，这个气旋中心已到了伦敦以西几百公里处，沿着通常的路径向东南方向移动。上午风速变小。云层几乎遮蔽了整个天空。时至中午，乌云把太阳全部遮住。伦敦上空阴霾弥漫，气象台温度表的读数为3.3摄氏度，相对湿度上升到82%。12月5

日，一个异常的情况出现了。伦敦气象台的风速表测出了一个非常奇怪的量度——风速表读数为零。据当时专家的估计，此时风速不超过每小时 3 公里。整个伦敦处于无风状态，到处都是雾，站在泰晤士河桥上四面望去，恍如置身在白茫茫的云端。浓雾中，多家店铺白天都掌着灯，马路上只有少数有经验的司机开着车灯在行驶。飞机航班已被取消，火车只能缓缓移动，只有地铁仍在快速移动。一些地方能见度在 1 米之内，人们刚走几步便迷失方向。一位医生要出诊，甚至雇用盲人做向导。美国卫生教育部大气防染局局长普兰特博士这样描述到："当我们乘坐的飞机抵达伦敦时，因为伦敦机场浓雾弥漫，所以飞机只得在伦敦南 32 公里的多意奇机场着陆。在机场，刚一推开机舱门，一股硫黄和煤烟的气味扑面而来。下了飞机，听人说夜里在伦敦街道上散步，口中似乎有金属的味道。鼻子、咽喉及眼睛受到了辛辣的刺激，很像剥洋葱时的感觉。傍晚，从旅馆的窗户往下望去，经过的人群中大约有三分之二的人用围巾、口罩、手套等捂着鼻子。"

烟雾穿门入室，加速了支气管和心脏病人的死亡，数以千计的居民感到胸口窒闷，并伴有咳嗽、喉痛、心慌、恶心等症状发生。从烟雾发生的第一天起，受烟雾毒害的病人接连不断地被送进病房，哮喘和咳嗽声充塞着整个医院，危重病人临终时的痛苦情况难于言表，尸体不断地被拉走……直至 2 个月后，恐怖气氛仍然笼罩着伦敦。

大雾一直持续到 12 月 10 日方才散去，强劲的西风带来了北大西洋清冷的空气，吹散了伦敦上空阴霾，也拂去了人们脸上阴云。灾难过后，科学家们用了近 10 年的努力，终于弄清楚烟雾毒害的原因。原来煤炭燃烧时释放出的烟尘中含有一种三氧化二铁的粉尘，它使空气中的二氧化硫转化成硫酸液滴附在烟尘或雾滴上，一旦被人体吸入，就会产生胸窒闷、咳嗽、喉痛、呕吐等症状，使支气管炎、肺炎、肺癌等呼吸道疾病的发病率、死亡率成倍增加。“雾都劫难”就是这样造成的。

“天！我的城市本来就是个‘煤城’，这么说来弄不好也有一天会惨遭伦敦式的大劫难啊！”市长惊恐起来。

“你以为呢！千万记住：经济建设要快速，可得注意全面协调的发展，光讲发展，不讲成本，那样的GDP再高也是虚的！”梁言顺直言相告。

市长听后开始有些焦虑不安，但很快又显得理直气壮：“兄弟，你可不知。我们干具体工作的，现在是啥时候？一个城市跟一个城市，一个地区跟一个地区在咬着劲在比GDP呢！你GDP硬了，啥也都硬了！明白吗？这是中国的现实！知道吗，我这么年轻当上市长，而且在位子上待得住，靠啥？就靠这每年两位数的GDP，没它，能出了我这个市长吗？”

“可我也听说老百姓骂你的也不少啊！”梁言顺说。

市长坦言：“他们骂无关紧要，只要上面的人笑就行了。”

“这样的局面早晚要改变。”梁言顺无法苟同，并坚信自己的观点。

市长朋友拍拍博士兄弟的肩膀，友善地笑笑：“好吧，理论问题就留给你们这些坐办公室的笔杆子吧！”

梁言顺的内心一阵痛楚：中国发展社会主义市场经济，是一项前无古人的伟大实践活动，没有科学理论的指导必然会付出惨重的代价。

代价？要发展自然要付出代价！干什么都要代价嘛！有人公然这样说，似乎还很有道理。

但这样的认识是极其浅层的。它在某种程度上与只管发展不讲代价的行为如出一辙。经济的科学发展所研究的对象和内容是缜密的，它的理论作用在于可以指导实践活动，不走或少走弯路。

假设一个人想通过假期好好调整调整自己的情绪和身体，他搭上了一辆豪华旅行车想上黄山观光休息，可豪华的旅行车半途翻在沟里，幸好有人相救才免于一死。最后车子总算将这个人送到了黄山，可这位老兄已遍体鳞伤，连走路的力气都没有。设想这个人虽然人到了黄山，但他的整个旅行还有什么意义呢？

曾经有一段时期，中国的快速发展似乎与英国 19 世纪初叶诞生蒸汽机时代颇为接近。那时英国由于大量的蒸汽机取代了水力驱动，一些自以为很聪明和很前卫的厂商甚至在信笺上都加盖了“蒸汽企业”的字样，而且还印上了冒着滚滚浓烟的大烟囱。这在当时的英国是一种十分享有盛誉的标志呢！就在人们陶醉于工业革命成就之中时，谁也不曾想到“对于每一次这样的胜利，自然界都报复了我们”（恩格斯语。转引自《中国环境年鉴 1995》第 388 页）。而伦敦的“雾都”丑名其实正是那个时候开始形成的。曼彻斯特作为当时世界上第一个工厂城市的中心，其环境污染之严重更是触目惊心。恩格斯对此曾感慨万千地说：曼彻斯特地区有那么多的残疾人，以致那里的人们好像个个都是刚从战场上撤下来的士兵一样，溃不成军。

借“发展是硬道理”而漠视发展本身必须重视科学性的大有人在。他们搬出的“理论依据”乍一看似乎也很有道理，常常听到有人这样说，既然我们在走市场经济，那么我追求的就是效率和速度；因为效率和速度才是我被人看得见摸得着和可以承认并叫人折服的“政绩”。呵，这也正是许多执政者内心的那一份“真诚”吧。然而他们没有想到的是这种貌似很伟大的政绩观，其实跟马克思经典作家早已揭示的资本主义经济条件下的“资本恶魔”的伦理没有多大的本质区别。

资本是什么？是妖孽还是美女？它既是妖孽又是美女，在不同的社会形态下扮演着不同角色。然后有一个时候它是不变的。

“它害怕没有利润或利润太少，就像自然界害怕真空一样。一旦有适当的利润，资本就胆大起来。如果有10%的利润，它就保证到处被利用；有20%的利润，它就活跃起来；有50%的利润，它就铤而走险；为了100%的利润，它就敢践踏一切人间法律；有300%的利润，它就敢犯任何罪行，甚至冒绞首的危险。如果动乱和纷争能带来利润，它就会鼓励动乱和纷争。”

这就是资本的全部伦理本性。如果一个执政者把GDP和自己的“政绩”紧紧套在一起，而无视人民的切身利益和民族与国家的长远利益，那么他的执政伦理与资本这个妖孽或美女的伦理本质又有多少差异呢？

显而易见，那种引借“发展是硬道理”而漠视发展科学性的当政者的理论是站不住脚的。但令梁言顺更觉得悲哀的是被人们奉为圣经的当代西方经济学发展理论对经济发展本身所产生的误导。

从亚当·斯密到李嘉图主张的“多因素决定论”，到法国重农学派鼻祖弗朗斯瓦·魁奈的“资本决定论”；从新剑桥派琼·罗宾逊到卡多尔及帕森奈蒂的“收入分配决定论”，到索洛和阿布拉莫维茨的“技术进步决定论”，到德国历史学派先驱弗里德里希·李斯特的“知识和人力资本决定论”，这些西方经济学家的经典之作中，都在剖析经济增长理论时有意无意地遵循了如下假定——这是年轻博士梁言顺在研究西方经济学理论中的一个重大发现——这些假定是：(1) 凡是产出的都是有益的，即都计入收益；(2) 生产除了消耗成本外，不付出任何代价。这就是说，要素投入效果都是正向的。上述理论影响着19世纪的大半时间并几乎占据了20世纪的整个时代。在改革开放后的中国经济发展中，这种理论同样影响着中国的理论界尤其是经济应运中的实际工作。

“事实上，影响经济增长的诸要素如劳动、土地、资本、技术进步、人力资本以及寓意宽泛的知识因素，对经济增长的作用都不是单向的。它们既能增加物质财富，促进经济增长，又会产生负面效应，如浪费资源，破坏生态环境，造成大量的不良品损失、人为事故以及诸多社会问题等等。”梁言顺说。

毫无疑问，任何理论的前提假定的片面，必然导致理论本身的片面性。梁言顺研究的结果是：如果把要素投入效果的二重性性引进增长理论中，那么几乎所有西方经济增长理论的结论“都需要重新推敲和修正”。

这可是个比获取十个诺贝尔经济学奖还要艰辛的重量级课题啊！

“只求增长不顾代价，只计眼前利益不为未来着想的经济政策，必定会造成经济增长与沉重代价并存的局面，这已为近现代经济增长的历史事实所证实。”梁言顺在证实西方经济理论的缺陷时，也在证实自己的观点的正确性。

“资源、生态、环境等问题，是发展经济学的研究对象，经济增长理论不应该涉及这些问题。”权威人士反驳梁言顺。

“不对。”梁言顺用自己的研究成果立即给予回击：“这种观点是站不住脚的。因为一方面经济增长的本义就是国民生产总值或国民收入或说是国民财富的增加，而经济增长的代价（仅就代价的经济意义看），表现为国民生产总值或国民收入或说国民财富的浪费与减少。人类追求的经济增长应该是扣除了代价以后的纯净的经济增长——请注意，在这里经济增长与减少代价具有同等重要的经济学含义。因此把一个问题的两个方面人为地割裂开来是没有道理而且是违反经济学规律的。另一方面，西方经济学界长期以来形成一种认识极其有害，似乎只有不发达国家或者是发展中国家才存在着资源浪费、环境污染、生态破坏等一系列问题，于是乎这些代价问题自然而然地成为发展经济学的研究对象了。

其实造成全球资源浪费和环境污染及生态破坏严重的国家正是那些发达国家。像美国、日本的事实还不够说明吗？”

美国和日本的事实当然最能说明。世界第一强国的美国，从20世纪20年代到70年代，它的发展速度超过任何一个国家而成为第一“超级大国”。它的工业化程度和信息化文明够可以的吧，但美国无法摆脱它是目前世界上“环境污染大户”这顶黑帽子。据联合国环境计划署提供的数据表明，美国仅占全球5%的人口所排放的二氧化碳却占了全世界的24%！人们肯定都记得一份为限制二氧化碳排放而通过的《京都议定书》，别的国家都签了字，唯独美国不干。为什么？因为它做不到。它要真做到了，它的经济增长会倒退十年、二十年，过惯好日子的美国人怎能干嘛！再看看美国人为何起劲地在中东那儿时不时地发动战争，谁都看得到，中东那儿有取之不尽的石油呗！

日本的教训不在其下。日本最大的化工厂“千素公司”，因为把甲汞释放到了周边的水俣湾中，致使2248名居民被证明患上了“水俣病”，其中1004人已经死亡。这个厂所排出的甲汞如果不加控制，厂方每年要向居民支付的损失费高达9700万美元，等于每年要从利润中拿出近三成的钱来作赔偿。而这仍然不能扑灭周围居民想“砸烂工厂”的愤怒之火。

世界就是如此不公平，越是发达的国家，越是给全球资源和环境造成浪费与破坏的人，越是在指手画脚地指责那些为了生存而发展的落后国家。

同样的逻辑，在中国的一些人眼里也存在。早些年北京被一次又一次的沙尘暴刮得走路抬不起头。于是京城的那些穿着高档羊毛衫制品的“绅士们”听说造成沙尘暴的罪魁祸首是一种吃草的山羊所致，竟然磨刀霍霍地要发动一场“杀掉山羊，保卫北京”之战。

其实从经济学分析，需求决定供给，制造环境问题和污染问题的绝对不是贫困的乡村和山民，恰恰正是那些吃得好、穿得好、开着汽车、吹着空调的城里人！

在南方某市发生过一个故事：一个住着别墅的百万富翁，每天下班后大门口总有一个衣衫破碎的乞丐在伸手向他要吃的。这位自认为是有善心的富翁便记着让自己的家人拿点干净的剩菜剩饭给乞丐吃。后来富翁的钱越赚越多，于是给门口乞丐的东西也好了些，甚至在逢年过节的时候还给上十块二十块的钱。可他发现那个乞丐从来没有谢过他。于是这位富翁有一次非常生气地责问乞丐：“我给了你那么多东西吃，你为什么连声谢都没有啊？”那乞丐一脸愤怒地回答道：“我为什么要谢你？是你占了我家的土地。如果这儿没有你的这座别墅，我用得着在自家的门口讨饭吃吗？”那富翁惊愕得半天没说出话：他发现原来是他该向别人致谢啊！

物质文明正在颠覆世界的一切已有规则。而想拉住人类发展的列车往后退，那是不可能也是不理性的。社会向前发展是一种不可逆转的自然规律，前进的时代列车在永不停歇地奔腾着。我们所能做的事情就是为其选择最佳的速度和最节约的能量。

“老师，我的计算公式出来了！”一天，梁言顺兴冲冲地抱着一叠稿子和书籍来到导师苏星教授的办公室。然后在桌子上展开一页白纸，上面是一道公式。苏教授摘下眼镜细细地看着上面的这道题，然后抬头笑眯眯地问学生：“怎么，想要考倒我这个老头子啊？”

梁言顺忙说道：“哪儿能啊。是学生花了几个白天黑夜刚刚弄出来的，想求教老师。”

苏教授举目看着两瞳充血的学生，不无爱怜地说：“学问得慢慢做，别把身体折腾坏了。”

兴奋中的梁言顺“哎”了一声后，指着公式，俯下身子给老师讲道：“您看老师——我们要解决经济发展中的代价问题，那么不光是简单的一个提法，它需要扎实而不可攻破的理论基础。西方的经济学家之所以能够成为诺贝尔奖的获得者，是他们不仅提出了一个可以令人信服的理论观点，而且更重要的是建立了这种理论的实践基础和操作体系。我们中国要发展经济，不能再走西方发达国家曾经付出巨大代价的那些弯路，我们应当选择一条适合中国国情又能便于操作的低代价成本之路。看，这是西方著名的卢卡斯模式和罗默模式……”

“卢卡斯和罗默的模式，一个以人力资本见长，一个以知识资本见长，他们都是西方发达国家奉为经典的经济发展理论的巅峰人物，其理论更是被多数发达国家的权威部门用于指导国民经济生产的发展过程。你认为他们的模式存在的问题在何处？而你自己的低成本发展模式理论与其相比又见长在何处？”苏教授的发问细声细语，可对梁言顺来说，绝不亚于当年进高考考场的气氛。

但梁言顺从不惧考。1979 年，年仅 16 岁的他，以全省突出的考分进了山东理工大学。据说那年山东省的数学考题特难，能考到四五十分的便能进入高校，而梁言顺考了 85 分，为此山东理工大学那位负责招生的女教师骄傲了好一阵。大学本科时的梁言顺轻松自如，精力过剩，为此他在当时的“哥德巴赫猜想”热下，也研攻过这道“世界级难题”。老师知道后，特意找他谈了一次话，说梁言顺啊，你的专业是工科，应当在工科上有所成就才对。梁言顺这才回头，把精力放在他所感兴趣的汽车专业上。“玩车”成了他以后的一门独特专业和造诣很高的手艺了，他告诉我，至今只要上路看到有人开的车响声不对，他还常常一厢情愿地上前叫住人家帮其听诊修理。大学毕业后，作为全校应届毕业生中唯一的留校生干起了政治辅导员和共青团工作。动手修车和演算模糊数学是他业余的两大爱好。1989 年，他得到学校同意考上了辽宁大学日本经济研究的硕士研究生。这期间，梁言顺对日本经济的研究入迷，但很快他发现这种研究与自己的抱负有距离：日本的经济已近成熟，中国的现代化经济建设才刚刚起步，有那么多问题需要有人去研究，何必舍近求远？就是在这种思想支配下，梁言顺毅然放弃留学日本的机会，只身来到北京，报考到著名经济理论家苏星门下。而这中间还有一段有趣的故事：梁言顺第一次从辽宁大学到北京报考苏星教授的博士研究生时，因为中途在火车上光顾着看书而换乘错了车，结果到中央党校招待所住宿时人家告诉他已经没有床位。无奈梁言顺与看守森严的哨兵隔墙对立了一夜。后来苏教授知道自己的学生还有这桩奇事，便问他："你干吗不到我家里来？"梁言顺说："我连党校的门都进不来，哪能找得到您老的家呀？"苏教授听后哈哈大笑，说："古有程门立雪，今有苏门立雪啊！"

"老师，您提的问题，正是我要向您报告的。"梁言顺从一叠稿子中抽出一张草稿，在上面"唰唰唰"地写下两道英文公式，"老师您是知道的，卢卡斯和罗默的经济发展理论自五六十年代开始就风靡全球，尤其是到了 80 年代中期，他们的理论有了长足的发展，到 90 年代，已经被人奉为最有影响力的新经济增长理论经典。但如果让我必须选择的话，那么我会选择新古典经济增长理论的代表人物 R. 索洛……"

"噢？你崇拜那个在 1957 年就发表《技术变化与总生产函数》的美国人？"苏教授有些意外。

"对。就是这个获诺贝尔经济学奖的索洛。"学生回答。"因为卢卡斯与罗默的知识积累和人力资本决定论被人奉为经典，但在我看来至少存在这样两个局限：一是因为知识因素难以度量，故在实践上缺乏可操作性；二是仅用劳动、有形资本、知识（包括技术水平和人力资本）三个要素解释经济增长，肯定是片面的。因此他们的理论模型不能用作有条件的经济增长理论的基础分析。与之相反，索洛的余值概念包含了多种因素共同作用的结果，加之劳动、资本等要素，索洛的经济增长模型至少可以在数值上保全经济增长的完整性。再请看我将代价纳入索洛模型后所作出的推导——”

$$Y(t)=AK(t)\alpha L\beta(t)P(-1)-\gamma(t)e^{\lambda t} \quad (1)$$

式中，A 仍为常数，λ 为余值。将（1）式两边取对数，得

(dY/dt）/Y= α (dK/dt)/K+ β (dL/dt)/L— γ (dP(−1)/dt)/P(−1)+ λ

上式中，(dY/dt）/Y 即是经济增长率 GY ；(dK/dt)/K 是资本投入增长率 GK ；(dP(−1)/dt)/P(−1) 是代价增长率 GP。

于是得出 ：

$$GY=\alpha GK+\beta GL-\gamma GP+\lambda \quad (2)$$

推导无瑕可击。那颗光头在彻夜的长明灯下，时而晃动时而静寂。

年轻人一边用笔在纸上“唰唰唰”地写着繁杂的推导公式，一边不停解释着 ：“……我需要说明两点 ：一是经济增长必须要受一定的政治制度和政治行为等的影响，也就是我们常说的政府行为。二是索洛和罗默都把‘余值’归结为一种因素的作用，即技术或知识层面的因素。公式（2）正是考虑了上面两个问题，因此可以说，在对索洛余值赋予新内涵后，这一新古典经济增长理论不仅涵盖了资本决定论和收入分配决定论，还包括了知识决定论——姑且这么叫吧。也就是说，经过修正后的新古典经济增长理论对知识经济形态也是适用的。同样，在此基础上建立起来的低代价经济增长理论，也不会因为知识经济时代的到来而失去生命力！”

苏教授依旧笑眯眯地说着："好，我同意你这一推导，也赞成你刚才的一番论述。记住：任何经得起考验的理论，都来自于实践的证明。把中国这些年来发展中所付出的代价找出来，这是最有力的理论根基。明白吗？"

"明白。"梁言顺重重地点点头。

苏星教授："最近我这边没什么大事，你有时间就忙你的课题，如果有机会也可以出去走走。"说完，又笑眯眯地走了，可这回苏教授的笑要比平时灿烂得多。

堂堂大学者，又是中共最高学府的领导，真的闲得没事让自己的秘书和学生做吗？非也。2004 年 6 月初的一天，笔者为了揭开这个谜底，走进苏星教授的家，这位退居二线的大师在将他的巨著《新中国经济史》送我之后，笑呵呵地说：哪会没事嘛？我是想让他多腾出些空余时间，不要因为我的一些日常琐事影响了他的学术研究。

梁言顺自己说，他的学术成绩就是在苏教授和中央党校诸多领导与同事的这种宽松和理解与支持下取得的。

而一直期待想与梁言顺商榷交流的诺贝尔经济学奖获得者思朋斯在几历周折后，于 2004 年 5 月的最后一天，在北京终于与中国青年学者梁言顺相见了。

那天，在北京西郊的友谊宾馆贵宾楼里，思朋斯非常激动和兴奋地与梁言顺见面后，迫不及待地说："梁，也许你自己都不知道，你的'低代价经济增长'理论对世界经济学界有多大的影响？是你以自己的勇气和胆识，第一个指出了包括许多获得诺贝尔奖的经济学家都一向遵循的西方经济增长理论所共同存在的缺陷，即：忽视了影响经济增长的要素投入效果的二重性，以及由此引起的经济增长的代价。"

未等梁言顺开口，这位世界经济学理论中的信息不对称理论莫基人又提高语调说："梁，中国经济飞速发展，在世界经济中的地位越来越重要，而你在中国经济高速发展中首先发现了'代价问题'，其意义不仅对中国，对世界经济学界也是个重大贡献。"

梁言顺听后不能不激动，这是因为他的"代价理论"发现本身就充满了代价的真实含义和代价之外的代价……

三

《现代汉语词典》上有关"代价"的条目上这样说：代价，泛指为达到某种目的所耗费的物质或精力。梁言顺研究经济增长的"代价问题"所耗费的又何止是简单的物质与精力。

自改革开放以来，中国的经济用"蒸蒸日上、一日千里"来形容毫不夸张。可是梁言顺现在要做的是"会诊"中国经济发展所付出的代价，这好比时下要给正在"火箭队"热得发烫的姚明诊断这个"小超人"是不是因为多投了几个篮而会缩短几年寿命一样，不遭骂才怪！更何况，年轻的博士现在是在给日新月异的共和国的发展着的并举世都在公认的强壮肌体会诊，在政治的、经济的、文化的和民心的等各方面都有巨大压力。

"压力自然很大，但我没有怕。我一直遵循着导师苏教授的话，他说要想做好经济理论的文章，就必须要从实际出发，而不要从原理到原理。正如毛泽东说过的，调查就像'十月怀胎'，不怀胎，何由分娩？而分娩的过程总是充满阵痛。苏教授是过来人，经历过建国后几十年的政治风云，他经常教导我，追求真理确实不容易。有些搞马克思主义的人为什么也会动摇？原因有二，一是信念不十分坚定，二是有私心，明知不对，或者明知是对的，却由于经受不起各种压力而改变航向，最后迷失了自己应该走的路。我选择低代价经济理论研究，目的非常清楚，是想警示我们快速发展着的时代列车在奔腾向前时，要十分注意计算是不是该用那么多油？是不是该开得平稳些？是不是注意到了列车行进时的安全性？这里没有半点私心。所以顶再大的风险和压力我也要把自己的理论研究做下去。”梁言顺说。

追求真理的人总是浑身长着傲骨。

这一年，梁言顺利用开会之机，来到了南国春城昆明，顺便对滇池进行小范围的考察。从小伴着泰山长大的梁言顺很早时候就期待着到昆明、到滇池看一看，因为在小时候他就被一段赞美滇池的优美文字所吸引：“……站在滇池旁的西山顶上，眺望滇池，波光浩渺，苍苍茫茫，俨如高原上镶嵌的一颗璀璨晶莹的明珠，以其卓绝的风姿著称于世。”滇池这颗明珠的风韵和美景近距离欣赏，是梁言顺一个少时留存的梦。

说来也巧，这次到昆明开会，梁言顺他们就住在滇池岸边，他住的房间傍着湖畔。梁言顺一进房间就迫不及待地推开房间的窗户，他想多看一眼滇池这颗“明珠”的风采。哪知窗子刚刚推开，扑面而来的不是清澈飘香的湖风惬意，而是一股难闻至极的奇臭！再下楼近看湖水，黑乎乎的，像口巨大无比的油缸，上面漂满了各种污垢的杂草和垃圾……这就是滇池？这就是南国的“明珠”？梁言顺站在湖边，叩问苍天。

苍天明白无误地告诉他：明珠当年确实风姿婀娜，可如今早已默然无光。

梁言顺的心很痛，几天开会他都寡言少语。后来会议组织者特意带他们到了与滇池一箭之遥的翠湖一游，梁言顺听到一则动人的传奇故事，更叫人思绪万千——

美丽的翠湖畔的那个故事这样说，自 20 世纪 80 年代中国进入改革开放年代后，这里的人们非常注意家园的环境保护，因而每年冬天的早晨，车水马龙的翠湖边，总有一位孤独的老人在徘徊。原来，这位老人在十年里，节衣缩食，用他微薄的退休金，喂养着像他女儿一样的在湖面上飞来飞去的海鸥，生怕行人伤害了这些小精灵。1995年，当这群西伯利亚的白色小精灵再次飞临昆明的翠湖时，守护海鸥的老人不幸病逝了。邻居说，在老人家里，没有一样值钱的东西，只有几个鸡蛋是老人生前唯一留的全部“财产”，而这也是老人准备用来蒸好鸡蛋馍给海鸥喂食的。

老人的故事感动了春城。《山茶》杂志社和云南人与自然基金会为此在老人常去喂海鸥的翠湖边发了个讣告，告知人，也告知鸟：“海鸥老人于1995年12月20日病逝，终年71岁，为昆明化工厂退休工人……老人虽逝，却望海鸥常飞，愿老人之愿与海鸥同在。”讣告和老人最后一次喂海鸥的那张照片就放在老人常去喂海鸥的湖边，许多行人见后都在老人的照片上签字，他们中有母亲和孩子，也有与“海鸥老人”同样年龄的老者和背着小书包的儿童。人们把签满名的老人遗照放在草坪上，准备撒食，以代表老人再一次喂海鸥。哪知刚放好老人的遗照，未及撒食，竟有意想不到的事发生了——一群海鸥突然飞至，围着老人的遗照一次次盘旋飞翔，连连鸣叫，那叫声和飞翔的姿势与平时完全不一样，像知道发生了什么事似的。

再细看这群鸟儿，它们时而急速地扇动着翅膀，轮流定在老人遗像前的空中鸣叫，时而俯身掠过老人的遗照，轻轻用展开的翅膀抚摸着照片，又在空中盘旋鸣啼……在场观看这一情景的人无不落泪，人们感慨万千地喃喃着：鸟儿有灵性，好人得好报啊！

这个故事令梁言顺感动，他特意让人领他到老人常去喂海鸥的地方凭吊。

站在逝人已去的地方，梁言顺想到了满是污垢的滇池，也想到了干涸的黄河和泛滥成灾的长江……他的心在流血，在哀痛。

“我要数据。必须是正确无误的。”

“对，最好是实例，一丝不差的实例。”

“不行，简单的数据不能说明问题，你们最好给我提供年度统计表。”

“对对，我要的就是经过精确计算后的资料。政府正式公布的当然好嘛！”

“……”

梁言顺以独立的个人行为开始了繁杂而庞大的收集与统计相关资料的工作。那些日子里，同事们看到办公室里的梁言顺，只要一停手头的工作，就抓起电话，四方联系。而有时为了一个数据，他要打几十遍电话，翻阅如山一样的资料……

但打电话翻阅资料毕竟简单些，而上门向人索取资料、核实数据可就困难和复杂多了。梁言顺虽然有在中央党校工作这块“金牌子”，但求人家的事则要烦琐和复杂得多。有几次梁言顺抽着中午时间赶到一个部委，说好的是几点几分上那儿等人，可当人一到那儿根本找不着人。满头大汗的他只好待在传达室一小时一小时地等啊等。有一回他等了近三小时还不见约见的人影，刚要折身回走，有人突然拉住他的胳膊，大呼小叫地说着：“哎呀梁博士，实在对不住对不住，我中午来了个客人，一喝酒把你这事给忘了！快快上楼吧，资料在我办公室呢！”这样的事，梁言顺时常会碰到。费了心思，耗了时间，最后还得向人家好言道谢。

有一门学科叫统计学。在市场经济越加完美的社会里，统计学显得特别的重要。中国因此每年、每季度向国内外发布各种国民经济生产和流通的数据，它是中国社会发展的“气象预报员”。在北京西城区的三里河，有座气势磅礴的大楼，它就是国家统计局办公的地方。每省每市甚至每县都有大小不同的楼宇，它们组成了中国庞大的统计大军，用现代化的计算机网络，将触角伸到每一个与经济相关的部门和行业，进行着繁杂而庞大的统计工作。

而梁言顺现在所进行的国家经济发展“代价”统计，就他一个人，可想而知他的工作量了。当然可以借助很多现成的资料与数据，但梁言顺发现，在中国政府发布的统计数字中，“收入”和“增长”几乎一项不缺，相反反映损失和代价的几乎是一张白纸。以1995年《中国统计年鉴》为例，在其所列的19类546个指标中，负向指标不足10个，而反映经济损失和代价的指标仅有3个——试想一下，中国现存的经济发展思维模式中根本就没有多少人在讲“代价问题”，连最起码的基本统计都如此残缺，更不用说谁在重视了！

这种起码的失误，不仅在责任，更重要的是思维模式和对经济学认识上的致命缺陷。

梁言顺以其个人的行为，以其一个学者的身份，想为国家和民族弥补这种缺陷，谈何容易！他在作补天，而补天必须高举圣火。

圣火因此在他精神世界里升腾与燃烧，熊熊地燃烧，气壮山河地升腾！

当他把千辛万苦收集来的资料和数据进行综合评估和论述，那时的痛苦与为国焦虑的心境，旁人更无法体会。

是的，一个科学理论的诞生过程，就是一次火山爆发、一次冰川活动、一次岩层形成的过程。裂变和挣扎，毁灭后再获新生，否定之后又否定，几经轮回，无数颠覆，最后才能定型立质，抛光亮颜。

而真正的科学理论不是空洞无物之文，它有着实实在在看得见摸得着的东西。只有铁铸的事实面前，真理才会被普遍地接受和认识。

在饱尝了胜利之果后，人们越来越富裕和自在之时，什么警告和忠言，都不容易听进耳里，只有两样东西是可以直观的，那便是空气和水。

梁言顺的代价论，最先获得的资料和第一手“铁证”来自那个非常配合的环境保护部门，因为空气污染、水质变坏、土地流失和沙尘暴的频繁出现，人们感到了生活质量的下降，于是这种变化容易直感出来。而梁言顺要统计和获取的数据其实是个复杂而庞杂的“系统工程”。仅环境污染和自然生态资源这一个大项的建设损失代价，就需要从废水排污、大气污染、固体废物排放、噪声污染、环境污染以及森林破坏、草地破坏、人为行为造成的自然灾害、物种丧失、土地沙化与减少、水资源的浪费、矿产资源的浪费和不良品损失等方面来计量。每一项都必须包括，一个项目都不落、一个指标都不能漏，而那些是与非、非与是之间的中性指标、项目也必须分别剥离后才能算完事。中国是一个十三亿人口的大国，正如温家宝总理常说的，什么事情只要乘上十三亿这个数就不是小数了，同样道理，再大的总量只要除以十三亿就小得可怜。国家代价，差一分钱的计算就会多出或少出几百万几千万甚至几个亿几十个亿的代价。

呵，谁受过这样的罪？陈景润当年演算哥德巴赫猜想所做的题，也不可能有梁言顺包罗和统计的数据多！好在梁言顺的数学底子在上大学前就已经具备。但即使如此，他的探索之路依然艰巨困苦。走进当时他的论文写作工作室，我看到的各种电话记录、学习笔记和他自己收集来的各种资料以及别人给他寄来的材料，毫不夸张地可以用“山”来形容——而且是连绵叠起的崇山！

随便翻一翻他所进行的一个“代价”统计：

噢，就说“废水排放造成的直接经济损失”一个单支吧。仅这里面就包括了四大组成部分，它们分别是水污染危及人体健康而造成的经济损失、水污染造成的工业经济损失、水污染造成的农作物损失和水污染对畜牧业与渔业造成的损失。再看看数据，天，真的一项都不能缺不能少啊！

一个数据是24.1亿元；一个数据是192.8亿元；一个数据是137亿元；一个数据是13.8亿元！而这仅仅是1992年一年废水排污造成的直接经济损失中的水污染危及人体健康而造成的一个支项的损失数字：367.7亿元！

如此统计。如此计算。如此结论。

一项项，一块块，一个个相关分支，然后是横面的统计，再进行立体的整合……最后终于走上塔尖。

梁言顺的额上汗淋如雨。

那是辛劳的汗珠。不，那更多的是被巨大的数据所震骇而撞击的“枪林弹雨”——

1992年，中国经济增长的总代价是5551.41亿元！这一年国家统计局公布的全年国内生产总值（GDP）总量为12735亿元。如果把总量除去总代价，实际国家全年创造的有效价值仅有7183.59亿元，也就是说，原先说的比上年增长9.2%的GDP速度，其实“水分”巨大！

梁言顺的额上能不汗雨淋淋？能没有仿佛被枪林弹雨袭击下的那种惊心动魄、心惊肉跳的感觉？

怕出差错，又不能有错。

再算！将中国经济走上正轨后所有年份的经济增长代价全部算出来！只有这样才有说服力！国家需要这样的数据，国人需要知道自己干了那么多事后到底付出了多少代价，即使不可避免的代价也应该心里有数嘛！一个只有收入，没有成本代价的商人，就不是好商人；一个国家一个民族的发展史上如果没有一本可知的支付代价，怎么可能是完善的市场经济和一部完美的经济发展史呢？中国的社会主义市场经济更需要这样的账目。这既是对当代人付出的劳动和智慧的回应，更是对后人和历史的必要交代。

博士继续埋头在数据和资料的海洋中……他的经济增长低代价模型计算公式就像一台不知疲惫的巨型计算机，日夜不停地飞旋着……

呵，星光在轮复，日月在交替；沉静与寂寞在伴随，激情和焦虑在厮守；点点滴滴，滴滴点点；惊涛骇浪，骇浪惊涛；如雨扑洒，草木变清；如云散落，岩崖露廓；如虹纷飞，彩霞四射……欣喜的，激动的，悲愤的，痛苦的……梁言顺心潮起伏，情绪万千。每一个数据在考验着他的理性，论证着他的观点，撞击着他的那颗赤子心弦。

他知道，要发展必需的代价无法避免。但有人把化工厂建在老百姓的家门前，却任意排放有毒的污水，致使人畜患病、草木不长，这难道是该有的代价吗？

他知道，要发展必需的建楼需要水泥和钢筋。但有人把好端端的国有富矿乱采乱挖，一个百年富矿仅几年之内消尽殆绝，矿老板因为不愿多买几百块钱的安全设施，一声瓦斯爆炸，几十条生命顷刻间就此逝去，这难道不该谴责吗？

他知道，要发展必须建起纵横交叉的公路和立交桥。但建路后还必须迅速建立相应的交通管理体系。有人根本漠视这样的工作，一路唱着动听的赞歌，却不知那光芒闪闪的高速公路上闪耀的不是幸福，而是车祸留下的一具具尸体淌出的鲜血……再掏钱吧，这样的赔偿难道不该计入代价？

还有新筑的马路，一年几回“剖膛开肚”；还有闲着没多少用的楼堂馆所，还有重复建设而占有大量土地的工矿企业，还有……还有黄赌毒的泛滥，青少年思想品德的沦丧，制假贩假，湖南会泽县一次假酒事件致死36条人命！“八五”期间，全国光破获毒品案件就达23万多件，涉案人数32万多，国家投入的公安和治安经费就是几十亿元！还有为了捣毁非法光盘和“打非扫黄”的专项经费！更有人为造成的泥石流、滑坡、耕地沙化、江湖污染……那可是几百亿、几千亿的代价啊！

什么叫触目惊心？数据便是。

什么叫经济代价？看看数据便知——

（梁论文中的《我国经济增长的总代价表》略）

结论已出！

中国经济增长中所付出的全部代价为GDP的42.2%！也就是说，我们每取得的100元经济增长中，就要付出42.2元的代价！

这就是触目惊心！这就是国家代价！这就是为什么“科学发展观”如此受到注目和意义重大！

一个不计成本和代价的经济模式肯定是个不科学和不完善的经济模式。一个不懂得计算成本和代价的经济理论肯定是一个存在巨大缺陷的非科学理论。一个民族和国家如果不明白和不明细自己在发展中曾经或正在付出的巨大代价那就不是一个成熟的民族和国家。

唯物主义者认为，我们欢呼自己伟大事业的成就时，冷静地看到其成就背后所付出的那些不必要的甚至是必要的代价，其意义本身并不比欢呼伟大事业的成就和激励人们推进历史的小。

建国50多年，我们的GDP增长了10倍，但我们是建立在消耗了矿产资源40倍的基础上实现这种增长的。2003年，中国在经历了非典疫情袭击后仍然实现了9.1%的GDP增长速度，人均国内生产总值达到1000美元。这样伟大的成就无可比拟，值得欢呼。但我们应当清醒地认识到一个事实：国家每增加1亿元的GDP，所需的固定资产投入是4.99亿元，近五倍！2003年，国家9.1%的GDP增长靠的是26.7%的投资增长在支撑着。这一年我们消耗的煤、石油和铁矿石，占全世界总消耗量的30%以上。我们还创造了几个“世界第一”——工业和生活废水排放量453

亿吨，其中化学需氧量世界第一、二氧化硫排放量世界第一、二氧化碳排放量仅次于美国居世界第二……约有一亿以上的人口每天呼吸不到新鲜空气，而因空气污染导致每年有 1500 万人患上支气管炎等疾病。

我们许多人曾经羡慕石油之国的科威特人过着富得流油的富裕生活。而科威特人则睁着恐惧的眼睛看着我们东方巨龙发呆：每年中国要吃掉科威特全年产出的 10000 亿桶原油！

呵，电在吃紧。现在你去看繁华的温州大街上，会发现遍地都在响着那种小发电机，隆隆作响的城市将购物的悠闲挥之殆尽。

煤在吃紧。而《新闻联播》里隔三岔五地播报着“矿难死亡”事故，并且一件比一件可怕。

充满爱情的大学校园也变得不那么温情。马加爵一连杀掉同室学友，根本毫无道理……

这是怎么啦？

“强本而节用，则天不能贫兮！”远远的历史长河边，一个叫荀子的人在向我们朗读他的《天论》……

梁言顺接过先哲的话，回应道：天苍苍，地茫茫，现代化文明古国的发展车轮势不可当。强本自有节用之论。天不能贫也不会贫，重要的是要觅出不贫之道。

四

1996 年盛夏的一个日子里，梁言顺刚刚获得一份公安交通部门统计出的前一年全国公路交通事故所造成的经济损失（其损失达近 200 亿元）时，在太平洋彼岸的美利坚合众国弗吉尼亚州的一个叫蓝岭山区的浅水滩村，出现了一件让生活在都市财富世界里的美国人都感到震惊的奇迹：全村约 80 户人家，250 人，他们在这一天集体宣布拒绝电缆进入社区，“我们将从此退出现代化城市的生活方式。”那些“满身是钱”的村民们如此说。而且他们竟然乐滋滋地说：“我们终于因为这儿没有一根光缆线而使电视机收视效果不良而可以走出家门，一起走到山顶的树荫下聊天谈家常了。”其中一个村民说：“多少年来，我烦透了全家人你争我夺地抢看几十个频道的生活了。一场足球比赛，竟然会有十三个频道同时转播。那样的生活，比起我现在连一个电视频道都模糊的闲情逸致不知要苦恼多少倍！现在电视不看了，我可以去钓鱼，这才叫人的生活。”

浅水滩村的生活方式成了当今美国人的一种时尚，耐人寻味。

当“烧开水都快成为消失的艺术”的时候，人们期待生活能够恢复到过去那种平静而又自在的与大自然和谐相处的日子。

中国人的生活与发达的美国人的生活还有巨大差异。中国人因此努力地向往和追求着未来。但我们实在不用等所有生活和工作用的光缆全部铺到家门前再像浅水滩村的村民们愤怒地毁掉它而去刻意寻求那种原始古朴的生活。我们可以提前意识，提前行动。

梁言顺在完成中国经济增长中的代价损失寻访后，他的目光转向了如何实现“低代价经济增长”的研究课题上。

过度的乐观之后，是过度的悲观，是中国经济乃至整个世界经济发展历程中时现时闪的一种普遍潮汐。

“照你的理论，我们在创造100元的财富时付出了40多元的巨大代价，这种发展还有多少意义嘛？干脆，让GDP见鬼去吧！”有人这样对梁言顺说。

“错。大错特错。”梁言顺绝对不同意这种观点。“中国如果没有必要的GDP快速增长，社会主义现代化和全面建设小康社会的目标就会落空。提出代价问题，并不等于GDP就一文不值了，更不是刻意地制造人为因素去拖国民经济的快速列车前进步伐。其根本点是我们在追求 GDP 指标的同时，必须考虑经济增长中的成本因素，实现一种以人为本的低代价经济增长模式。”

“有这样的模式吗？”

“当然有。”梁言顺所说的“有”，便是他在研究“可持续发展”理论概念时独立完成的“循环三增长”理论。梁言顺认为，可持续发展作为一种新的理念，已经深入人心，但至今并未形成一种科学的理论，尤其在可持续发展的标准和实现途径方面的研究更不够。因而他提出：在发展的前提下，不论整个地球，还是哪个国家，哪个民族，或者哪个地区，既要实现满足当代人的需要，又不对后代构成危害的基本条件只有两个：一是自然资源的循环使用和循环替代，二是生态环境的循环净化。至于可持续发展的实现途径，梁言顺概括为“三增长模式”：经济低代价增长；自然资源总量和环境容量扩大增长和人口适度的零增长。

理论有时显得异常枯燥，但理论的价值常常能产生无可比拟的能量。

当梁言顺在全国一片“GDP 大合唱”时，他勇敢地提出了“必须重视经济增长中的代价”概念，而当人们一遍遍慷慨激昂地说着“可持续发展”其实又不知“可持续发展”为何物及如何采取实现这种“可持续发展”的途径时，他的“两循环三发展”理论，让学术界和广大实践者眼前为之一亮。极其推崇梁博士理论的中国工程院院士、中国生态学会理事长李文华每每谈起此事，都会喜形于色：“‘两循环’思想，这种在复杂的事物和多种矛盾中，突出主要矛盾的做法，反映了发明者抓纲带目的哲学思想在分析可持续发展问题中的具体应用。”而另一位中国工程院院士、东北林业大学的马建章教授则认为梁言顺的“三增长”理论“不仅具有重要的学术价值，而且具有重要的实践价值”。

1997 年，梁言顺的《低代价经济增长论》理论专著作为博士

『花王』杨铁顺的故事

“今年我们‘大顺’的花卉销量肯定是全国第一了，而且国际市场也有些供不应求。”

11 月 13 日，党的十八届三中全会闭幕第二天，天津滨海国际花卉科技园区股份有限公司董事长杨铁顺给我打电话。杨铁顺人称“铁顺”，是中国花卉界响当当的“花王”。

终日与花为伴的铁顺长得憨憨的，总是话未出，人先笑，一副纯朴实在的样儿，但在花卉界，他却是呼风唤雨的人物。他的“家庭工厂”——30 万平方米的单体花卉温室，面积为世界最大，不仅气势磅礴，且全自动化的设备令人叹为观止：从调光到控温，从摆花到施肥，从育种到培植，从空间到地面，一切皆由智能控制。第一次踏进铁顺的超级“花房”，深深吸引我的，除了数百种姹紫嫣红的鲜花外，还有从花盆下潮涌而起、又随声而落的潮汐浇灌法，以及让花儿们“听”音乐的一幕幕情形，叫人如入仙境。

铁顺告诉我，这里的高科技、名贵花卉、管理模式，都是他铁顺自己“弄”出来的，“我们公司在花卉界拥有两个‘全国第一’：单体温室种植量第一，公司独立销售量第一”。

你能相信这是一个技校毕业的普通中国花农所创造的奇迹吗？它就发生在我们身边。铁顺依傍着自己要干一番事业的不屈信仰和要为中国人争口气的一个梦想，勤劳、肯干、智慧加创新，用了不足十年时间，硬是笑眯眯地从荷兰“世界花王”的手中把中国市场稳稳地拿过来，成为名副其实的“中国花王”。

我对铁顺有个担心：“‘八项规定’出台后，影响到你的业务了吗？”

“没有，”铁顺轻松地说，“我的花是专为普通百姓家庭准备的：便宜、好养、省水、开花时间长。”

“能说说今年的市场情况吗？”

“公司今年为上市准备的 400 万盆鲜花，原计划从十月份开始一直销售到春节前后，哪知最近供不应求，预计到元旦就销售一空了……”

铁顺的自信和自豪，让我强烈地感受到中国梦在一个普通花农身上绽放出的绚丽光芒——

> 他毕业于技工学校，但他不信中国出不了荷兰尼克式的“世界花王”。迎着改革开放的春风，他走出校门后淘的“第一桶金”着实让单位致富了一回……他明白了一个道理：干什么事，都得敢，还得实，更要巧。

一个硬汉的名字，在少年时就因为爱花多了一份柔性。“花能给人喜气。”铁顺现在还常说这样的话。

爱花之心人皆有，爱花之人爱做梦。

铁顺第一次听尼克的故事就在内心藏下了一个梦想：有一天我也要像荷兰人一样做“世界花王”。

尼克是世界花卉界无人不晓、声名远播的一个传奇。年轻时为博得一位姑娘的好感，尼克送出了人生中的第一束郁金香，于是他收获了爱情，后来又拥有了一个温馨的家庭，这让尼克坚定地相信花的魅力。“花可以改变世界”“花可以美丽人心”成了尼克的信条。40 年前他起名为“安祖”的培育花卉的公司正式成立，并由他与妻子一起经营。安祖公司专业从事的是育种和幼苗生产，当时公司只有尼克和妻子两个人。时间不长，尼克的“夫妻店”成了荷兰最大的花卉育种、育苗公司，到 20 世纪 80 年代，已经成为世界上最大的花卉公司，是拥有 160 多名雇员和 13.6 公顷温室的大型企业。热带兰和凤梨品种是其主产花，切花用安祖花品种是公司的强项。它供应荷兰生产的切花用安祖花品种有 115 个，在荷兰市场所占份额超过 85%。而荷兰向世界供应的花卉种苗中尼克的安祖花占了98%。荷兰因尼克的安祖花卉而成为举世闻名的鲜花王国——在库肯霍夫，有艳丽无比的郁金香公园；在阿斯米尔，有世界最大的拍卖中心；在阿姆斯特丹，有长年放满鲜花的辛格花街……北部花田小镇每年5月第一个周六之后的一周是这里的“鲜花马赛克”，人们组成鲜花的簇锦图案马赛克，吸引着世界各地的游客。

这就是尼克和他的安祖公司的传奇！

2001年，荷兰王储威廉与阿根廷姑娘玛克希玛订婚前夕，安祖公司及时推出了玛克希玛品种，受到整个荷兰社会的热捧。这也是安祖为什么成为世界花王的奥秘，因为它能及时推出新品种。在尼克的安祖温室里，可以种植许多品种的花卉，且寿命都很长，甚至有十年的花卉在此仍然郁郁葱葱，鲜艳芬芳。尼克的团队利用高科技，成功实现了无土植培鲜花，他们制作插花所用的花泥是最好的栽培介质，一方面鲜花寿命长，保证长时间花不腐烂。安祖的花泥成分是塑料的，洁净且不会传播病虫害。再者，价格又低廉。尼克的安祖花卉王国就是这样建立和名扬天下的。

尼克第一次到中国是1991年。那时在这位“世界花王”的眼里，中国的花农大部分都种植康乃馨、菊花和月季等一些传统花种，培育技术水平低，设施也很简陋，说白了就是一些塑料暖棚。

1996年，尼克参与中国第一个安祖花生产项目时，发现中国变化已经很快了。但尼克在那个时候并没有感到压力，相反他依靠自己公司的先进培育技术和优良品种，从渐渐富裕起来的中国人手中赚足了钱。尼克甚至笑言：安祖公司只要在中国一个国家站住脚，就可以装满钱袋。然而尼克没有想到，在他去世后不到两年，他的安祖公司在中国被迫收缩战场，且几乎全线缴械，因为他们遇到了一个无法与之竞争的强大对手，此人就是铁顺——天津城郊的一位花农。

今年初，荷兰花卉业的权威杂志 *HORTI BIZ* 的一位记者不远万里来到中国，探访铁顺的育花基地，回去后写了一篇评述文章，称“世界花王”的移位是必然的，因为中国的育花技术和育花规模就像崛起的中国经济一样，无人可挡，并称铁顺的“大顺”花卉基地规模，堪比“上帝的手笔”。

我向铁顺谈及此事，他那张憨厚的脸上顿时泛起灿烂的笑容：“得从我做花梦开始说起。”

铁顺的家在海河边的天津东丽。从小随父母下放来到这片盐碱地后，铁顺的命运便发生了质的改变，他甚至不知道自己人生的去处。1979 年，他乘着改革开放的春风考进天津市市政工程技工学校园林班，1981 年园林班并入天津市园林学校。在跨进校门前，虽说铁顺喜欢花，但在花卉知识上却是一张白纸。“要学那泰山顶上一青松”的铁顺偏偏学了园林专业。花，从此将他引向另一条人生道路。

“那个时候我们眼里的花卉就是装点一下周围环境的树木而已，其他就啥都不知道了。”铁顺回忆起“与花为伴”的最初往事，憨厚的脸上露出腼腆的笑容。“我作为天津园林界分来的首届毕业生，到了市园林局花卉处。说是花卉处，其实连基本的花卉苗圃都没有，咱天津是北方地区，所谓的花卉也就是几样树木。改革开放后，随着城市和一些单位开始有了美化环境的需要，我们就开始有事儿干了。那年因为我们单位的一位领导要参加一个文凭考试，让我辅导他数学，于是给了我跟他到南方出差买花卉的机会。就是这次出差，我与花卉结下了终身之缘。”

铁顺的“花缘”从此开始。出差的目的地是福建，园林局所购的花种是铁树。不知什么时候，铁树成了人们心目中的富贵树——铁树开花，象征着非同寻常的大吉大利。“谈好的，一株直径三厘米的铁树苗，2 块 5 毛钱。到了提货时间，对方天天请我们吃饭，就是不给看苗，最后才知道他们根本就没有货。逼急了，他们才领我去看货。一看我就惊了：哪是树苗呀，全是参差不齐的野树，大的几米高，小的也有碗口大。卖家对我说：‘你看着办吧，就是这些树，都是从山上挖出来的，你要就运走，不要的话你就回天津。如果非要小树苗，那得等我们的苗圃建成后可能就有了。’我一听傻眼了。不过看了这么多大大小小的铁树，眼睛顿时一亮：如果运回去，不就立马发财了嘛！铁树在北方可是稀罕物呵。我这么想，嘴边的话也就吐了出去：‘这些树我都要，你们咋个卖？论吨可以吗？’对方一听，喜出望外，连声说可以。最后谈成2500元一吨。我高兴得心都要跳出来啦！因为我知道在咱天津，一棵碗口大的铁树，如果弄好了，能卖几万元哩！”

“我全要！”铁顺第一次出差，就为局里做了这个主。他不傻，为了给单位省点钱，自个儿抡起铁铲，着实苦干三天，将那些铁树根上的泥团团削了个溜光，然后将对方所有的铁树全部运到火车上，整整装了两车皮。

运到天津。园林局领导一看，眼珠子瞪得比牛眼还大：“铁顺，你疯啦？买这么多‘光杆铁树’干吗？是不是吃了回扣？”

铁顺还是一副憨厚的笑相：“哪儿吃回扣？你们不知道我给局里可是捡了个大便宜呀！2500元一吨，哪儿去买？回头我们转手卖它几棵，就把所有本钱弄回，剩下的尽是赚的了！至于‘光杆’有啥怕的，我是学园艺的，铁树只要有根就能活。如果你们不信，就把这事交我来完成。”铁顺看着铁树，心里好像吃了铁秤砣。

没辙。事到这份儿上，领导们只能顺他而去。

铁顺开始折腾铁树，将园林局的60亩花圃地全部占了。“好嘛，我们的花苗圃成了铁树园！你铁顺真是了不得嘛！”无可奈何的领导见状直摇头。

“嘿嘿，过些日子再看嘛！”铁顺还是一副憨笑。

一个多月后，铁树的叶子泛青。“真活了呀！铁顺这小子有两下！”

“哎，能不能给我们弄两棵铁树来？价钱你们开！”一时间，许多人纷纷跑到园林局来“走后门”。目的只有一个：买铁树。

“无论如何，你们也得返一车皮过来！”供货的福建方面这时也跟着与铁顺嚷嚷要返货。一打听，原来南方那边的铁树价格暴涨，碗口粗的一棵，可以卖到四五万元。

“嘿嘿，抱歉了，我们的树已经全部被人订走了。”铁顺还是一副憨厚的样子回答对方。

铁树，让他为单位着着实实“致富”了一回。之后，铁顺又为单位做了三年铁树生意。

“这第一桶金，没有用上花卉培育方面的实践经验，仅凭自己在学校学到的一点儿知识以及当时的机遇。”铁顺说。

第二回南下是订购米兰花苗。当时广州的米兰苗一株两毛钱，运回到天津一转手就能卖 5 元钱。轻轻松松赚大钱，铁顺的脸上还是憨厚的笑，唯一的变化是当别人问他赚钱窍门时他会用夹着津味的“港话”回答你：小意思啦！

玩花玩出名堂来，铁顺成了园林局的摇钱树。“这小子，看着憨，干事还特活泛！”同事们喜欢他。

铁顺的心眼儿跟他名字一样，特别实在，但也有人觉得既然他能为单位轻轻松松赚那么多钱，自个儿还不知发成啥样了！

心如明镜的铁顺受不了这种猜疑，一赌气，离开了园林局，调到了离家很近的一家制药厂当绿化员。熟门熟路，那几年铁顺把心思全花在厂子的环境绿化上。为了给厂子里省钱又装缀得美丽，铁顺没少往广西、福建等南边跑，回来又自己开辟地方搞种植培育树苗花卉。几年下来，制药厂变成花园式工厂，市里参观的人络绎不绝。但传出来的话也不少：“绿化绿化，花上点钱谁不

紫茄子似的丈夫，心疼地痛哭了一场。

铁顺一边抚摸着妻子的秀发，一边还是憨厚地笑着说："没事，习惯了就好。"就是在这无法想象的恶劣环境下，他靠一锹一箕和一身身汗水，把垃圾地平整成一块块可以养花的苗圃地。这其中，还有搭桥、铺路、填坑的重体力活儿，铁顺硬是一个人全给撑了过来。

春节喜庆，花开富贵。铁顺想着往年津门各家各户买花送花装点室内室外的节日景象，便赶着时儿，东凑西借了几千元钱，从浙江宁波进了1000株杜鹃，准备在春节时大卖一场。十月运回花苗，北方天气已见凉意，铁顺便搭了一片塑料简易暖棚，将苗放入，以为可以静候发财。哪知南方的杜鹃在北方水土不服，加之塑料棚温度时热时冷，春节未到，花儿已经盛开。"瞧这花多艳，便宜，买一送一。"花儿开得急，铁顺卖花更急——但那些真要花的人告诉他：再等上个把月，节日里我兴许买上几盆。铁顺一听，憨厚的脸立即耷拉下来。一个月后，当人们真要花时，他铁顺的杜鹃早已花败叶落……

血本无归。有人嘲讽他在北方养花种花，等于做虚无缥缈的花梦。

"但我总结教训后得出结论：地域不是关键，根本的是要选好花期和改进养育设备。"铁顺从失败中找出原因，那张憨厚的脸上多了一份刚毅。第二年，他依旧看好杜鹃，并且着手改进暖棚设备，结果临近春节，1000株杜鹃，争芳斗艳，卖了个精光！

"10万元就这么轻松赚了回来！"铁顺不曾想自己的"人生目标"竟如此快地实现了。

心花怒放。铁顺的脸上恢复了憨厚的笑容。这回他认认真真地重新定下新的人生目标：终身与花为伍，让一生的事业像花一样绚丽光彩。

这一年春节刚过，铁顺购了一辆双排座货客两用车，正月初六就从天津出发，一路南下，到山东、江苏、浙江、福建等地，向那里的花农学习经营花苗、花圃的经验，并将何处有好花的信息一一记在小本上。此程让铁顺不仅大开眼界，且更加迷恋上了花卉。

“3 · 12”是各地的植树节，天津也不例外。铁顺看准时机，牛拉车运，接连进货。这一年津门植树节轰轰烈烈，铁顺源源不断供应的树苗让津门大地的植树节搞得热火朝天。紧接着，铁顺又听说市里为了美化城市，要在五月里搞“月季花节”，于是他马不停蹄，提前进苗、备足货源，又精心育养……正当市里的“月季花节”如火如荼地开展却又找不到月季花时，铁顺说：“我这儿有，你们要多少我有多少！”于是乎，他的苗圃前车水马龙、人流如潮。

“花王铁顺”的名儿就此在津门传开。那张憨厚的脸上泛出了涂金的光。

花卉王国有安祖，我古老中国乃花卉之乡，当仁不让，我们也应该有个响当当的花卉企业名字。起什么名呢？就叫“大顺”吧！铁顺解释：大，就是越做越大；顺，一个中国平民百姓的梦想，顺顺当当。

其实“大顺”还是铁顺的乳名。当铁顺举起“大顺”的旗帜驰骋花卉业后，它又成了中国花卉人向世界花卉业进军的绚丽多彩的东方梦想。

铁顺扛着“大顺”的旗帜，依旧一脸憨厚。这是 1999 年春天的事。往日的垃圾山已经变成了京津闻名的花卉基地，那儿再也闻不到一缕臭气，一年四季鲜花飘香；那儿再也没有了蚊蝇飞舞，只有蜜蜂蝴蝶往来穿梭。此时的铁顺，大有“凭君莫厌临风看，占断春光是此花”之势，在国内花卉业独占鳌头。尤其是几年之后，他在杭州举办的全国花卉产品交易会上推出的“宝莲灯”花卉，以其观感、色泽、花期、品种等多样指标一举夺得“花冠”而名扬九州，并且打破了中国不能培育名贵花卉和北方地区不宜养殖宜居名花的禁区，让爱花养花的国人好不扬眉吐气!

2004年，铁顺第一次以中国花卉界人士的身份应邀到荷兰参加国际花卉销售展。“我是一个农民，没有想到：当主办者将‘中国大顺’的胸牌给我别上后，现场的许多人竟然将我团团围住，后来才知道原来我们的‘大顺’已经在国外有了知名度——我们已经是“花卉王国”荷兰的世界第一大客户。这次展会上，我印象最深的是，国际花卉业的先进水平远比我们想象得要高，其次是他们的商业信息快捷发达，而我们与之差距最大的还是在种植、档次和对花的理解上……”铁顺那张憨厚的脸上第一次凝重起来。

为什么？怎么办？难道我们中国人就只会帮外国人卖花？难道我们就会观花而不知花情花意花思？

花真有灵性、真有语言？

从花卉王国回来的很长时间里，铁顺的嘴里总在喃喃地念叨：不信我中国人就比别人差!

铁顺的憨厚笑容后面憋着一股劲：得从“世界花王”手中把中国市场夺回来！成功之后，他又做着另一个梦：让全国百姓家家都能养上几盆美丽的鲜花，而且应该是他“大顺”产的又便宜、又好看、存活时间又长的花卉。现在，铁顺又在做着更大的一个梦：要让全世界的人都来买咱中国人培育的好花、名花。

朋友们戏言铁顺，说他当了中国花卉界“老大”后，总爱嘴里喃喃地说着别人听不懂的“花语”。铁顺笑道：我就是在说花语。

世上真有花语？花语为何物？

有人说这是个外来词，然而在号称“诗国”的中国，千百年前就已经有了琳琅满目、美不胜收的题咏花卉的精美诗作，如“除此断肠千树雪，别无春恨诉东风”等名篇佳句。

花语其实是人们用花表达人的语言，表达人的情感与愿望，在一定历史条件下所形成的约定，为一定范围内的人群所公认的信息交流形式。有道是：花语虽无声，无声胜有声。

以养花、卖花为生的铁顺一直在想一件事：具有古老养花传统的祖国，在富裕了的今天，却没有自己培育和养殖名贵花卉的技术和能力，还要千里迢迢、付出昂贵的代价从欧洲等地引进名贵花卉。他尤其听不得有人说中国的土壤尤其是像他家乡的北方土壤不能培种名贵花卉之说。

考察荷兰之后，铁顺明白了许多事。

“花卉王国”荷兰，恰恰就是利用了不适于耕种的土地来发展花卉产业的。该国现有1.1亿平方米温室种植鲜花，并把它输送到了世界各地，占国际花卉市场40% ~ 50%。郁金香是荷兰国花，可据考证，此花最早在我国的西藏发现，2000多年前才传到中亚和西亚一带，到16世纪时荷兰航海家才将其带回自己的国家。荷兰人酷爱这“美丽的头巾”，家家栽种，代代相传，郁金香就像一个上帝赐给人间绝色美貌的神秘女子。400多年来，无数追求者前赴后继地沉醉于它的诱惑之中。它又象征着勇敢神秘洒脱，代表着爱情幻想浪漫。荷兰人把郁金香不仅看作是美艳与梦想，更将它作为一个极具魔力的金矿挖掘，并实现了点花成金的国际效应。全国大约有600多个花卉出口商，把70亿个鲜花球茎运往世界120个国家。80%的欧洲人见到“球茎花卉”的字样就会首先想到郁金香，其次才是水仙、剑兰、百合与番红花。世界上有8100多种郁金香，“国王之血”“黑寡妇”等被花迷们视为稀世珍宝。荷兰人变法子推出新品种，通常专家用 12 ～ 15 年才能培育出一个新品种，荷兰人则能几年时间内就培育出来。荷兰靠拍卖制度来进行花卉贸易，阿什米尔拍卖行是世界最大的花卉拍卖行，全世界 80% 的花卉产品的拍卖在此举行，这里拍卖花卉的商业大楼也是全世界最大的建筑物之一，占地 100 万平方米。每天从这里拍卖 2000 万朵鲜花和 200 万株盆栽植物。梵高曾写信给弟弟说：“离开荷兰以前，我一直不晓得世界上有样东西叫太阳。”

“花卉王国”如此魅力，叫人好不羡慕！而号称花卉之乡的我美丽中国，为何就不能成为一个自种自植各种花卉而造福万家的国度呢？当外国花卉巨头们频频向他这位“中国花王”献媚时，铁顺虽笑不语，心头却热浪翻滚、难以平静：外国人能办到的事，我们中国人为什么就不能？我不服输！

回国时，铁顺一下订购了 5000 株被国际花卉界誉为“骄傲的欧洲公主”、后来被中国人称为“宝莲灯”的一种名贵花种苗。中国土农民要娶“洋公主”回家，惹得国际花卉界一片惊诧。

任凭你如何花言巧语，没有全自动化的温室条件和百般精心的伺候，“洋公主”绝对当不了中国媳妇！外国花卉人士这样断言。别看铁顺脸上总是一片憨厚微笑，心底却格外倔强。没有全自动温室，他用心血浇灌与呵护；没有流水线施肥送氧，他靠土法蒸汽换光……一年后，曾跟着铁顺一起娶“洋媳妇”的一家上市公司的几千株“骄傲的欧洲公主”全军覆没，铁顺的 5000 株“洋媳妇”则娇艳无比地在春节前闪亮登场，他以 500 元一盆批发上市，零售市场一路狂飙，成都有一名花商竟然卖出每盆 8000 元的价格。这就是铁顺一手引进自培的中国媳妇“宝莲灯”。此花之所以名贵，一则花艳少有可比，二则盛开之时一束束花瓣如成串的小红灯笼，形状煞是好看，三则花期长达 6 个月之久，家有一株“宝莲灯”，艳丽喜庆，非常符合中国人追求的吉祥如意的心境，故而成为时下最受欢迎的家室名贵花卉。

正当外国花商惊诧之余又热切期待铁顺这位“中国花王”再度大批引进他们的“洋公主”种苗时，却迟迟不见来自东方的订单。怎么回事？问到铁顺，他坦言：我们已经可以自己育苗了！

外商无奈哀叹，心头又不禁敬佩。

铁顺乐，心语：我是花卉专业出身，扦插技术并不是一件高不可攀的学问。他用了半年时间，成功培育出妖艳的混血儿花卉——“宝莲灯”。

但铁顺又有心语：人家安祖公司一个5万平方米的温室，只用7个人，而且连老板在内，而我8万平方米的温室，150个工人竟然忙得不可开交。人家几乎不费力气，花种的成活率可达百分之百，而我们呕心沥血、全力以赴才求个70%的种苗成活率！

差距何在？自然有设备和技术上的问题，更有养花人对花的理解和付出的心血程度上的差异。

自然界里的花物千种万类，然而花性却是平等的，无论它身处熙熙攘攘的街市，还是在人迹罕至的深山；无论面对的是贫富贵贱，还是胖瘦美丑，它总是真诚地奉献上自己全部的美艳。君不见，白玉堂上的牡丹，与朱雀桥边的野花，绽放得同样的舒展与芳香；君不见，不管是宫廷华灯下排列怒放的丹尼斯，还是雪花飘舞下情人手中的郁金香，它们同样尽情绽放，这种平等奉献，优雅和无私，就是花的品质。难道种花人不需要这种品质吗？

花，有追求个性的生命，无论山有多高、海有多深、路有多长，只要它生长在那里，它都会在阳光雨露下实现自己的生命目标——绽放一次灿烂和光艳。铁树千年开花，与牡丹年年争艳，没有本质上的区别，但它们都在为实现自己的生命价值而不懈拼搏。生根、长叶、含苞、怒放……直至静默无声地干枯和死去。

这是它们同样的生命追求：光艳一次自己，装缀整个自然界。

铁顺从花的生命中寻求到了自己的生命价值：为了国家的荣誉，为了千家万户的幸福和美，他需要像花一样茁壮和绽放：赶超世界花卉最高水平。

2009 年底，位于天津滨海新区的一座投资 13 亿余元的世界最大的单体全自动智能温室拔地而起，它像一艘银光闪闪的玻璃航母，南北长 600 米、东西宽 500 米，高 6 米，总面积达 30 万平方米。这是铁顺在当地政府支持下，独立投资的“大顺”花卉新基地第一期工程。仅此，其面积和设施为荷兰安祖公司温室的两倍之巨，为世界之首。

更令人不可思议的是，当你走进这座超大型“中国花卉航母”内部时，竟然看不到几个技术人员在工作，数十种竞相争艳的名贵花卉，按不同的生长期被排列在一块块方形区室，它们的上方是随白昼黑夜和季节与不同气候变化而设置的全自动开遮“天幕”，那“天幕”或可成“黑夜”，或可成“白昼”，或可成多云天景，或可成细雨春色，只需自动调控室的值班姑娘轻触按钮。神奇的是，浇灌花儿们的水流无须经过复杂难看的管道，而全暗藏于地面的空隙与密启的机关内。灌溉是潮汐式的，照样是控制室的电钮一按，花盆底下的水流如潮汐一样，或泛起，或退干，需要多少时间就是多少时间。施肥与加料则都在潮起潮落的灌水时全部完成，所有指数与指标同样由技术人员测定之后的总控室掌握着。庞大的温室内，每一株花卉、每一块花圃的生长情况和虫害程度皆在计算机快速的统计中获得精确的数字和分析的结论。趣味无穷的是，温室里不时能听到那些熟悉的中外名曲。总控室的姑娘小伙告诉我，花儿是有灵性的生命，它们也有听力，而且播放什么样的音乐就会对它们的生长产生什么样的影响。怒放期，激越的乐曲适合它们；发育催春期，最好给它们听些悠扬的名曲……哈，真是奇妙有味！

在如此美妙的环境里，如果你忘了欣赏一下眼前的这些名贵而多彩的鲜花则是更大的遗憾：看，这里有我们熟悉的米兰、郁金香、比利时杜鹃，更有独领风骚的欧洲名花竹芋、凤梨、红掌，还有铁顺亲自培育的"宝莲灯"、黄火鸟、平头紫、萨林娜斯……可谓美不胜收，舒心释怀！

铁顺告诉我，花与人一样，在原始状态下的花，风吹雨打，生死由天，而进入文明与现代化条件下的花卉，它的生长与开花也需要科学的"生活"规律，尤其是那些日后走进千家万户、装缀人们幸福和美环境的观赏性花卉，更需要百般的精心培育与科学成分的灌输。"大顺"全自动智能温室吸收和引进了世界最先进的设备和技术，"其中我们自行完成的创新专利就达230多项。"铁顺介绍说，仅地下潮汐式灌溉一项，他同国内科研专业部门合作，共同开发的管通装置和控制技术就有20多项专利。

那天他引我进入地下管道层参观，让我看到了仿佛如同千台巨型计算机组合在一起的那般错综密布、交叉重叠的线路王国……"全是你们自己干的？"我不由惊叹地问。

"全是。"铁顺肯定地回答，这第一期工程建设安装完毕后，第二期工程实施时，包括自动化控制设备在内的所有技术我们全部可以实现国产化。"能省下三分之一的投资。"他又憨厚地笑了。

"我们的优势还在于利用了本地的地热资源。'大顺'花卉基地的温室水源有六口深井，其水取自1800多米深的丰富地热水。由于实现了对水温的自动控制和循环利用，我们每平方米的花卉养殖成本就比国外发达国家的成本降低了至少百分之三十，加之地面上的所有操作全部实现了智能化，这就使得我们在价格上有了足够的竞争力。另外，我们目前的花种与培养数量上也具有绝对优势，所以国际花卉的定价权其实已经掌握在我们中国人手上。”铁顺骄傲地说。

这在几年前还是不可想象的事，现在却被一位中国农民办到了。难怪，近年来一直垄断国际花卉市场的安祖公司节节退出中国和东南亚市场。

现在铁顺的“大顺”花卉基地已经改名为“天津滨海国际花卉科技园区”，规划建设占地3400亩，并被列入天津市政府督办的区县重点项目。该园区以高科技为支撑，计划在五年内建成。它将凸显人与自然的高度和谐统一，打造成“中国第一、世界一流”的高档花卉产业集群基地和交易中心，重点打造高档花卉生产、技术推广、生态休闲三大产业体系。届时，预计可实现年产中国驰名花卉品牌——“大顺”花卉种苗3900万株、高档盆花2400万株、草花3000万株。年创利税15亿元左右。这些数字能说明什么？铁顺心语：它能让中国许多家庭拥有一盆名贵而低价的中国花观赏。再有三至五个“克隆”基地的诞生，我们就可以让世界五大洲一半以上的养花者分享到中国花的芬芳与美丽了！

这是铁顺的心语，也是他发誓实现的毕生之梦。为什么不呢？花既然能给人们带来享受和愉悦，又是美丽与爱的象征，我们就该用全部的心诚和心血，将这个美丽的梦想变成明天的现实。

铁顺的这个心语，是片似花如锦的梦境，我们有信心期待这位憨厚、善良、勤劳和智慧的中国农民能够实现它。

北方大港

渤海湾的诱人之处

眼前的那片港湾很美、很壮观……旭日升起时，高高的吊车伸展着雄健的臂膀，总在多情地拥抱每一轮新的希望和新的沸腾；晚霞落海时，这里又是一个机欢船歌的不夜城，叫你热血沸腾，流连忘返。

我如此相信：京唐港，这个位于渤海湾上的港口很快会被所有的世人铭记，因为它必将是中国乃至世界上令人瞩目的大港。

在地图前，与京唐港股份有限公司董事长刘卫民站在一起回顾昨天和畅想明天的这个港口时，我们都有一种难以抑制的冲动，这种冲动对主人而言，是奋斗和创业征程上的一种气势磅礴的斗志与胸有成竹的信心；对我这样的旁观者而言，那是一种民族的自豪感与光荣感。

渤海湾上的中国北方大港，从无到有，从 100 万吨吞吐量，到 1000 万吨……1 亿吨吞吐量，大约只用了 20 年的时间，这样的奇迹在世界港口史上也是罕见的。而依然在飞速崛起的京唐港的今天与明天，更加令人惊叹和振奋！

为这，谁能不激动？如果你也站在那片大海边上……

第一章　百年圆梦

所有这个港口的建设者们告诉我，在他们心目中都有一个美好的梦想，那便是要在渤海湾上亲眼看着从自己手上建起一座与百年名港的天津塘沽和秦皇岛港一样的大港，甚至要超过它们。然而，在以刘卫民为董事长的这一班领航人之前，谁也不敢这么想过。因为在十几年前，此处还是一片杳无人烟、杂草丛生的盐碱地和秃裸的原始海岸线。

刘卫民说，他想过，但这个梦想是在他近几年的不断奋斗和思考中渐渐形成的，并且也是受着革命先驱孙中山先生在百年前的宏愿所激励的——

孙中山的伟大不仅仅是他作为一个旧中国时代的资产阶级民主革命的先驱者而存在的，他在一百年前为了拯救苦难的中华民族而曾不辞辛劳，用数年时间考察各地，写出了那部《建国方略》大著。其中在“北方大港”一节中他从政治、经济和军事的国情角度，以满腔的爱国赤诚之情，极其详尽地描述了建设中国北方大港的地理优势以及远景规划。他指出：“兹拟建筑不封冻之深水大港于直隶湾中……兹所计划之港，为大沽口、秦皇岛两地之中途，清河、滦河两口之间，沿大沽口、秦皇岛间海岸岬角上”，并提出“将欲于有限时期中，发达此港，使与纽约等大”，建成“不淤不冻”“为世界贸易之通路的北方大港”。

有一幅意外获得的中国旧地图，让刘卫民格外珍藏着。那幅中国地图上，“北方大港”“使与纽约等大”！百年前的孙中山用其指点江山的手杖，在上面清晰地画了“南方大港”“东方大港”和

“北方大港”三个振兴中华民族复兴大业的海港。其后的峥嵘岁月里，“南方大港”和“东方大港”早在广州和宁波建起，并称雄世界港业界。唯地处“大沽口、秦皇岛两地之中途，清河、滦河两口之间”的“北方大港”，始终在涛声不绝的渤海湾内哼吟着企盼的催生曲……

“北方大港”“使与纽约等大”。这是何等的气魄，何等的蓝图！

然而，先人的遗愿，终因风雨的无度变幻，贻误在无数的踌躇与贫穷之中。倒是近邻的天津塘沽和秦皇岛两港迅速崛起并成一代名港而风流至今日，而具“地势居水陆要冲”“深水与岸头相近”“终年无封冻之虞”，又“港湾能容多数船只停泊”四大优势的天然良港的“北方大港”，则在左右双雄的夹击下始终没有出世。中华民族的版图上也因此少了一个金色的亮点。

唐山人感到一种遗憾，一种无法平静的遗憾。孙中山画出的“北方大港”，就在唐山隶属的乐亭王滩海岸线上。这里是李大钊的故乡，忙于播撒推翻“三座大山”革命火种的无产阶级革命先驱者，没有来得及拾起孙中山的《建国方略》细细品味故乡土地上建起一座通商大港的那种惬意，便热血洒尽在敌人的刀把下……唐山人失去了一代拥有乡情的伟人的呵护，也就失去了一段漫长而珍贵的兴邦之旅。这期间，渤海湾没有平静过，各路港口纷纷崛起，紧随其后的是大片腹地的乡村和城市的大发展。唐山人感到了一种失落和紧迫。尤其是在新中国的社会主义建设大潮中，特别是改革开放后一波高过一波的涌天巨澜下，深埋在唐山人心目的那个梦想，被一次次的搅动和唤醒……

唐山是谁？唐山是中国近代工业的摇篮！

这里诞生了中国第一座现代化煤矿，第一条工业铁路，第一台蒸汽机，第一袋水泥和第一件卫生陶瓷……唐山在某种意义上是中国近现代工业史的起始点与代名词。这里的煤炭、钢铁、水泥、纯碱和陶瓷，从始至终称雄于中国工业界，即便是进入21世纪的今天，这种格局仍然没有多少改变。

这是唐山人的骄傲。然而，正是这种依靠智慧和独特的资源优势锻铸出的骄傲，让唐山人感到了另一种无法忍受的屈耻与不甘，那就是“有海无港之痛”！

“上善若水。水善利万物而不争，处众人之所恶，故几于道。居善地、心善渊、与善仁、言善信、政善治、事善能、动善时。夫唯不争，故无尤。”我相信，能熟诵老子这段《道德经》的唐山人不止今日执掌“北方大港”航舵的刘卫民一人。“上善若水，利民者兴”，以水利于万物而不争的美德，在发展自己的同时也发展他人，在发展他人同时又促进自己前进的理念，正是刘卫民这样的唐山人的宽阔胸襟和处世立业的坐标，决定了他们的历史抉择。

唐山的发展何止是唐山人自己的事，唐山的崛起波及的是整个渤海湾经济圈和京津唐及至中国版图上的北部和西部的无垠疆域，那正是中华民族的发祥地之一——黄河流域的广阔天地。

百年前的孙中山先生之所以在渤海湾偏偏钟情于在唐山地域的海疆上建一座定名“北方大港”的港埠，是“此地西南为直隶山西两省，与夫黄河流域，人口之众约一万万；西北为热河特别区域及蒙古游牧之原，土旷人稀，亟待开发。夫以直隶生齿之繁，山西矿源之富，必赖此港为其唯一输出之途。倘将来多伦诺尔、库伦间铁路完成，以与西伯利亚铁路联络，则中央西伯利亚一带，皆视此为最近之海港……穷其究竟，必成将来欧亚路线之确实终点，而两大陆于以连成一气。”中山先生因此认为，“中国该部地方，必需如是海港，自不待论”。

伟人的目光总是犀利的，并能一针见血，明察秋毫，言及本质。

“北方大港”，不建是一种国威的丧失，民族的遗漏。晚建同样是一种浪费和迟钝。唐山无法再等待了，只争朝夕是好汉。早在共和国成立之后，唐山人的建港之想就无时不在牵动着每一根神经。“以钢为纲”的岁月里，“北方大港”的建设问题随着唐山钢铁基地的建立而一直在酝酿之中。这一构想即便在1976年几乎彻底毁灭了这座钢铁城市的“唐山大地震”中，也从来没有被泯灭过。

唐山人的建港信仰如同珍视生命一样毫不动摇。

有一段历史和有一批人是永远不能忘却的：那是中国改革开放的号角吹响之后的1979年至1984年间，国家计委提出了京津唐地区国土开发和生产力布局要向滨海地带推进和重点开发冀东地区的战略。“北方大港”的所在地王滩海滨一下骚动起来，一项由600名专家组成的调研工作如火如荼的全面铺开了……“钢铁基地和海滨大港”必须同时考虑！专家们的建议让参与这一伟大战略构思的副市长王大名和市计委负责人魏振江兴奋不已。1984年，一位在“北方大港”建设史上必须提到的重要人物到唐山市任职，他就是新任市委书记岳岐峰同志。这位后来又出任河北省省长的建港热心人，以非凡的远见，组织决策了建设唐山港的宏伟规划，并在筹措资金上不遗余力。就在他离开唐山到石家庄就任省长时仍不忘用冀东水泥厂所交省政府的能源建设基金里每年留下5000万元作为唐山建港启动资金，这笔钱决定了“北方大港”从纸上谈兵到具体实施的历史性转折。

1988年，唐山市建港指挥部正式成立。“8”字从此与这个港口的命运紧密地联系在一起，之后的港口许多重要日子几乎都连着吉祥的“8”字。

谋划建港初始，当时的市长陈立友作出唐山港“要建就建万吨级泊位”的决策，使日后的王滩海滨向真正的“北方大港”迈进，留下了精彩的伏笔。

“砸锅卖铁也要把港口建起来！”唐山人的热血为建港的宏伟蓝图沸腾着，一支支建设大军开始向那个只有烟波、没有人影的盐碱荒滩进发……“那时我们听说要在自己的家乡建设大港口，简直不敢相信。这一年我刚好从部队转业回到家乡，一听说这事，连夜跑到县里去打听消息，后来又去找资料。当知道要建的港口就是当年孙中山先生规划的‘北方大港’时，我毫不犹豫地决定去王滩建港！”当年，刚刚脱下军装的刘卫民在唐山港打下第一根桩的两个月后，与一群大学生和工程技术人员先后来到了建港工程指挥部报到。

“波高浪涌涛声紧，建港大军枕海岸。烈日当空酷暑炎，洒下汗珠融碱地……”唐山港的建设从一开始就接受了艰苦创业和工程技术及市场经济的三重历练。

建港初始，王滩海滨的条件十分艰苦，这里是真正意义上的“上无一片瓦，下无一棵树”的不毛之地。按照港口建设惯例，建设一座万吨港口，一般至少需要5年乃至10年以上。然而唐山人知道：自己的港口建设已经被历史原因和条件限制耽搁了太久，现在留给他们的唯有只争朝夕、迎头赶上。早日在蓝色海岸线上托起自己的理想，是所有参与建设唐山港人的全部追求。他们为此展开了与时间争速度的卓绝战斗——盛夏的海滩上，烈日炎炎，无遮无挡，周围的水洼里衍长着漫天飞舞的大嘴毒蚊，张着血口，肆虐地向施工人员袭来，即便穿着厚厚的帆布衣也常常被咬得浑身疙瘩；冬日里，刺骨的寒风，漫天的风沙，吹得睁不开眼……唐山人拿出当年的“抗震精神”，迎难而上。没有道路，在荒滩上踩出一条条盐碱堤；没有住处，在杂草丛中竖起一座座简易帐篷；没有淡水，便从十几里外的地方去拉运。甚至开个党员大会和业务培训，竟然也只能在通勤车上……建港者们说：祖国处处都在大发展，我们唐山人没有理由再言一声苦和累，唯有迎头赶上，才能对得起孙中山先生当年建设“北方大港”的遗愿。

“笑拓亘荒成旧事，壮哉重觅新缘中。”建港者的精神，再一次向世人证明了唐山是座英雄组成的城市。唐山人的不朽，在于他们的热血里涌动着不甘落后的骨气。

“兹港所在，距深水至近，去大河至远，而无河流滞淤，填积港口，有如黄河口、扬江口时需浚渫之患，自然之障碍，于焉可免。又为干燥平原，居民极鲜，人为障碍，丝毫不存，建筑工事，尽堪如我所欲。”这是孙中山先生当年巡视王滩海域后，面对大海，在《建国方略》中对“北方大港”良好海域地理所作的欣然描述。唐山王滩海域水深岸陡，即由海岸线向海洋每推进5公里，自然水深就达10米，基本上是每500米海域水深1米这样一个极具建设深水港口的天然良址。技术人员在这一海域建港工程时采取的是“挖入式”造港，即在陆地上人工开挖形成港池，好处在于投资少、见效快，港内泊稳条件好，一次投资、长久受益。渤海湾的王滩海域属于粉沙质海岸，在这样的地方要建设停泊万吨级船只的“挖入式”港口码头，当时在国内是首创。更让建设者们感到自豪的是，在建设这一“挖入式”万吨级大港时，他们还有一项“世界首创”技术，即依靠地下连墙作为码头主体结构的工程技术在建港中发挥了巨大的效应。由于这两项技术在港口建设中发挥了超乎想象的成功，使得建设者们实现了两年完成4个1.5万吨级码头工程建设的世界建港奇迹，而且工程投资节约20%。

“可以说，我们在港口工程建设中运用‘挖入式’和‘地连墙’技术，成功地实现了在粉沙质海岸线上建设港口的创举，为日后的京唐港能够向世界级大港口发展奠定了不可动摇的基础。”一直参与工程建设的现京唐港股份有限公司的副董事长董文才，谈起这一话题时，神采飞扬，难以抑压内心的激动。

1991 年 8 月 28 日，渤海湾的王滩海岸上出现了一次有史以来从未有过的盛况：数以万计的人群，如海潮一般从四面八方涌向刚刚建好的简易港口，翘首仰望从远海驰来一艘“海龙”号巨轮……“来啦！大轮船来啦！”那一天，长长的王滩海岸线沉浸在沸腾之中。有趣的是，无论是唐山市委领导，还是祖祖辈辈居住在海边的渔民百姓，他们都被第一次驻足至眼前的巨轮所惊喜、所震撼、所激动……“别看唐山有几百里黄金海岸线，别看王滩盐碱荒地有 600 年人迹，但我们都是头一回见得如此巨轮，那个高兴劲甭说了。‘海龙号’停泊的那些日子里，天天吸引了几万的围观群众，他们有的是祖孙三代、有的是从几百里外的唐山市区和北京城里赶来的，当然最兴高采烈的要算我们这些建港人。”现任京唐港公司党委副书记的李贵琢，是位在建设祖国重点工程战线上转战南北、又见过大世面的老“铁道兵”，但谈起京唐港开埠的那一幕时，同样显得很兴奋。

“啊，我的港湾／你是水手温柔的摇篮／你是游子梦中的唐山……”也许唐山人太渴望早日“张开热情的双臂去拥抱远方驶来的风帆”，当第一艘巨轮来到自己跟前时，他们甚至还没有准备好与之相配套的吊车和自动输运带——其实我知道是他们“囊中羞涩”。于是，第一船的几千吨货物，有一半以上是靠人拉肩扛的原始装运从码头搬到巨轮上的。干这活的领头人就是今天京唐港的掌舵人刘卫民。“那时我们就是凭着一股要在家乡的海岸线上建设一座北方大港的信念，靠肩膀和汗水托着万吨大港的码头……”当了十几年军校教官的刘卫民在学习一年多的专业知识后，回到自己的港口时被安排到生产一线的装运队当队长。谁都不会相信，这位文气十足、为人坦诚的军校教员出身的转业军人，竟然是铁骨铮铮的一条硬汉，200 多斤重一袋的原盐和粮食，“吭哟——”

一声落上肩膀后健步如飞，那些腰胖体壮的装运队员吐吐舌头，搬起麻袋，随之跟上……

唐山人就是靠着这样的信念与干劲，“还中山夙愿，绘渤海彩虹。”素有“神京之肘腋”的唐山有了自己的港口，从此使这块富庶而神圣的热土与海疆跃上了一个全新的发展平台。简易港通航不到一年后的唐山港在 1992 年 7 月 18 日，随着万吨巨轮“风采号”徐徐驶出港湾的那一刻，向世人宣布正式通航，从此之后的这片渤海湾的金色海面上，白日笛声阵阵，暮时高灯送夜。

1992 年，对改革开放的中国来说，是个让人们难以忘却的年份，邓小平的“南方谈话”，使神州大地处处洋溢着蓬勃生机。渤海湾的唐山港口同样进入了一个重要发展期。就在这时，一位当年在冀东抗日游击战争中浴血奋战的北京市老领导来到了唐山，他在烈士陵园为那些死去的老战友扫墓之后，应唐山市委同志的邀请，参观了正在不断建设中的港口，他兴致勃勃道：“北方大港”不只属于唐山，北京也应该有份。何况北京现在正愁着找一个理想的出海口呢！说者无心，听者有意。正愁着寻找建港投资合作者的唐山人的心弦被这位北京市老领导重重地拨动了一下，于是试探性地提出：如果北京方面愿意与我们合作建港，我们举双手赞成。“好事嘛，我给你们撮合撮合！”这位老领导欣然应诺，并在之后的日子里多次穿梭在北京和唐山之间，为两家合作建港立下汗马功劳。

“北方大港”迎来又一个 7 月 18 日的重要日子。1993 年的这一天，由北京市政府和唐山市政府领导共同起草的更名为“京唐港”的文件签署的那一刻，正值万吨巨轮“洪茂海号”远洋货轮乘风破浪驶离港口，它示意了渤海湾上一个向国际通航的新港口诞生了！

“京唐港”从此成了“北方大港”的正式名字。

北京和唐山的合作，使孙中山先生近百年前梦想建成的“北方大港”真正插上了翅膀……京唐港人因此不会忘记为这一成功合作做出特殊贡献的北京市老市长焦若愚，英年早逝的北京市副市长、“好人”李润五，唐山市梁志忠、张士儒、张和及京唐港早期建设的组织者与领导者们的功绩。

逝者如碑，今人如旗。

京唐港从在渤海湾打下的第一根桩柱那一刻开始，就与众不同。这里的建港不是靠国家和政府的资金投入，市场经济的运作，是港口生命的全部血脉。与首都北京联手投资的股份制建港形式，谱写了我国第一个跨省市建港的精彩篇章；企业独资、合资建设业主码头则是京唐港在发展蓝图中出彩的又一创举。当你迈步在日夜沸腾的大港码头时，你会发现这里有开滦矿务局的煤炭专用泊位，有冀东水泥集团与新加坡外商联合投资的散装水泥筒仓设施；有中晨能源仓储公司的进口液化石油气泊位，还有山西晋煤等琳琅满目的国内外著名企业的专用码头……它们如一颗颗璀璨的繁星，烘托着京唐港这轮光照四方的明月。

刘卫民十分自豪地告诉我：京唐港用 10 多年的时间，跨入了别的港口需要用几十年时间才能完成的千万吨国际贸易大港的行列，靠的是按市场经济规律办事，靠的是运营机制的活力。如今，该港口包括码头建设、港口铁路等辅助设施在内的 50 多亿基础建设投资，几乎完全依靠的是社会资源和企业自身能力。难怪国家主席江泽民同志在听取京唐港建设的汇报后，动情地说：只要中国人民发扬勇于开拓、百折不挠的民族精神，任何愿望和理想都可以成为美好的现实。

京唐港人，把昨天伟大革命先驱孙中山的遗愿和今天中国人强国富民的愿望变成了活生生的现实。

第二章　英雄本色

唐山人可能自己没有意识到，在他们有历史记载的漫长岁月里，也许更多地把目光依恋在唐山的“山”上。唐山的“山”皆是宝，山确实让唐山人在世人面前自豪和风光。然而唐山的区域里也有宽阔无边的水，这水连着五湖四海。又是孙中山先生用这水拨亮了唐山人放眼世界的目光……

相信到港口之后，刘卫民才真正领悟到水的含义。

这之前，祖籍河北唐山乐亭的刘卫民，与其他唐山人一样，说起家乡的骄傲时，不是钢铁，就是“开滦”，绝对没有把“水”引以为自豪的内容。1976 年冬天，大地震后的唐山还处在一片废墟时，刘卫民应征入伍。因为表现突出，第二年他就被推荐进入军事院校学习。后来由于刻苦用功，功课优异，毕业时刘卫民留校当了教官，并且一干就是 10 年。1989 年，刘卫民转业回到家乡。本可以进党政机关工作的他，一听说自己的家乡要建“北方大港”，热血沸腾地报名上了当时极其荒凉的王滩盐碱地的港口建设工地……

“这辈子就留在这儿了！”刘卫民第一次以成人的心态，站在海边，面向一望无边的大洋时，他才真正开始认识水，认识水对自己、对家乡的未来是那么的重要和关联。他因此暗暗下定了这个决心。

“上善若水，利民者兴。”刘卫民是在建设港口的无数个日日夜夜里渐渐感悟出这水的精气神的。

建港初始，他当装卸队长，之后到港务局商务部从事业务工作。“京唐港？在哪儿？怎么没听说过？”一次上交通部联系业务，一位工作人员的一句反问，深深地扎伤了刘卫民的心。从那一天起，他知道：不把港口做大，就像缺了水的巷，越走越窄，无人问津。而要把“巷”变成“港”，必须依靠磅礴的“水”，大海的水。京唐港地处渤海湾，连着黄海，连着太平洋……近百年前，孙中山先生就预言，此港是可“与纽约等大”的中国“北方大港”。

“生而不为，为而不恃。”刘卫民对家乡土地上建设“北方大港”的认识和信仰，是先从认识“水”开始的，而他的性格里其实也融入了水的许多美德与质地——貌似文质柔弱，实能摧岸破石；平日涓涓细流，不惜百折千回，转眼江涛汹涌，浩渺不竭。聚时，可容百川之怀；行时，一泻千里不回头……“目标认准后，即使粉身碎骨也在所不惜。而工作中，要过细求实，这是我的作风。”刘卫民这样评价自己。

英雄显本色的时候到了。

1998 年 5 月，已经当了 3 年多京唐港港务局副局长的刘卫民，在北京办事期间碰到了时任唐山市市长的张和和分管组织工作的市委副书记陈满。当年带领建设大军在盐碱地浴血奋战的张和，如今是唐山一市之长，那天他把爱将刘卫民叫到一边，语气肯定而干脆地说：“卫民同志，告诉你一件事。组织上决定了，让你主持港务局全面工作。你有发表意见的权利，想好了，晚上 8 点钟给我回话。”

刘卫民一下子愣住了。

“说句实在话，当时我真的没有思想准备。”采访时，刘卫民说，“自己虽当了几年副手，可副职相对轻松。万一出了问题，前头还有一把手顶着。一把手如果干不好，就会成为众矢之的。一把手没有退路。关键是，当时京唐港已步入困境。大规模的拨款时期已经过去，工程建设还需要大量的资金投入，这笔钱从哪里来？1996年港口的吞吐量已达450万吨，1997年却只有435万吨。当时全国港口的吞吐量每年都在以20%以上的速度递增，京唐港却在下滑，这种局面怎么打破？由于生产经营效益不好，干部、工人的工资不能按时足额发放，只能发到60%～70%，拿什么稳定人心？还有更重要的是：谁都知道京唐港是省里、市里的重点工程、一号工程，连交通部、北京市都在盯着，那京唐港的名字不是白叫的，干不好就会给唐山600多万人民丢脸！”

可市长在晚上8点钟要等回话，这该如何是好？刘卫民坐立不宁，思想斗争异常激烈。

“可转而又想，”刘卫民说，“当年孙中山先生的遗愿，那么多人为之奋斗的北方大港之梦，还有自己的梦想，不就是要靠一代又一代人去奋斗、去实现吗？如果自己在关键时刻患得患失，不能勇敢地站出来担当大任，还算什么男子汉？！算什么党员和党的领导干部？！”

刘卫民自责自己的不敢作为。这个时候，他的脑海里闪出一个人物，这个人物在对他说：“怎么啦，‘刘港长’，难道这点勇气都没有了？好好干！我等着要去看你的‘北方大港’呢！它是中山先生名句中的大港，是我们全体唐山人的，也是我们全体北京人的，是你的，也是我的，更是我们子孙后代的！”

爱称刘卫民为“刘港长”的，只有一个人。他就是北京市老市长焦若愚同志。

焦老是河南人，抗日战争时期，他带领冀东游击队与日本鬼子殊死作战，对冀东这片洒满了烈士鲜血的土地有着极深的感情，京唐港有今天与焦若愚有着直接关系。自唐山与北京联合建港后，刘卫民曾作为京唐港北京办事处副主任一职数年常驻过北京，期间他与焦若愚老市长等北京方面的领导结下了深厚友谊。焦若愚则对刘卫民这位办事干练、为人正直的年轻人十分欣赏。早在刘卫民任京唐港港务局副局长时，焦老就半开玩笑半当真地称他为“刘港长”了。那些年里，焦老不顾年高体病，经常奔波于京唐两地，为唐山和港口建设及发展操劳。尤其是焦若愚每次到唐山都要上烈士墓为那些牺牲的战友扫墓，每每这个时候，这位老革命都会双腿跪下，在那些死去的战友墓碑前泪流满面地发誓要“以建设好新唐山的行动来告慰牺牲的战友”。

“焦老他们那一代人对唐山这片热土的感情，经常在激励我，激励我一定要把港口建设好。”傍晚，刘卫民如约去见市长，并接受了重任。

1998 年 5 月，当刘卫民走马上任“港长”时，京唐港是个什么样子呢？

“用溃不成军，快到了关门封港的地步来形容并不为过。”现在的京唐港人回忆起当年的情景时这样对我们坦言道。

“一般的港口，吞吐量年增长 10%属于正常情况，而我们当时的情况是负增长！职工的工资不能按月足额发放……”

“港口是个啥地方？是岸上的人期盼大船小船来来往往、进进出出热闹非凡的地方呀！可我们那个时候，岸上的人竟然都想卷起铺盖走人了！你说那时的港口是啥景况？”

刘卫民接的就是这个摊子——一个铺得很大、却没有了人气的港口。

京唐港处于历史的最低潮，加之“亚洲金融风暴”的影响，港口进出船只的减少，更加影响了港口人的工作信心。有几件事一直烙在刘卫民的心头——

灯泡见“鬼”的事件

办公楼楼道上方安有几盏灯，走廊里夜间照明用，因不是什么值钱的东西。办公楼的设计也很简单，就是一座筒子楼，因此也就没给那几盏楼道走廊上的灯泡安装防盗罩。可那阵子电灯泡总丢，往往管后勤的同志刚弄个新灯泡拧上去，一转眼就不见了；再拧上一个新的，转眼又不见了。后勤人员干生气没有招儿，向领导诉苦说：“我总不能搬个凳子坐在楼道里，一天一夜 24 小时去看着那几个灯泡吧，真是见了鬼了。”

领导说：“那你就 24 小时给我蹲在那儿看守嘛！”

后勤人员立即瞪圆了眼，说：“行呀，你要按时给我发满月工资，我就去蹲 24 小时！”

领导的嘴闭上了，不再吭一声，因为他不能保证给职工按时发满月的工资。

会“飞”的水龙头

港区自从通上了自来水，所有生产区、工作区、生活区，自然都要扯过去水管安装上几只水龙头，以方便全体员工的生产、工作和生活。可是那阵子，一度水龙头又总丢失。偷水龙头的人并不知道水闸在什么地方（其实知道闸在什么地方也不会去关了闸再偷水龙头，不然就不会去偷了），把水龙头拧跑了，水一个劲哗哗地淌，淌得叫人心疼。当领导批评管道工：“怎么搞的？”管道工说：“安装时又不是没拧结实，可安装上了它偏偏又‘飞’走了，你说咋整？”

领导又是无语，其实谁都知道怎么回事，但谁也似乎想不出招儿来。

其实，灯泡也没有见“鬼”，水龙头也不可能长出翅膀来飞掉，都是因为管理混乱职工穷，于是就有人要“损人利己”了，就有人要“损公利私”了。应该是“损公肥私”，笔者在这里没用“肥”字，是因为一个灯泡一个水龙头，怎么也“肥”不到哪里去。他们把公家的灯泡、水龙头拧下来拿回去拧到自己家的灯头上和水管上，就省得自己掏钱上街买了呗！能省一点就是一点，至于单位怎么办，那是领导的事。职工们当时就这样想的，因为他们看不到退潮裸滩的港口会带给自己什么光明与前景。

刘卫民上任伊始，面对的就是这样一个港口。

一千多职工，一千多双眼睛盯着他，看他有没有三头六臂，看他能不能长出三头六臂来？

“好，同志们，我希望你们把我刘卫民的一言一行，清清楚楚地看在眼里。但有一个理我想让大家明白：既然我们昨天一起能够在一片盐碱地上建起了港口，那么我们就应该能够管好这个港口，就能够把京唐港建设得更壮丽、更美好！京唐港是我们全体职工的京唐港，它发展了，有每个职工的一份贡献；它落后了，也有职工的一份责任。京唐港的美好明天需要我们所有人携起手来，共同创造和奋斗。因此，我号召大家行动起来，从我做起，从现在做起，争当先进，团结拼搏，创新进取，拿出劲儿头来，为我们心目中引以为自豪的‘北方大港’，尽每一个人的力量和智慧吧！”刘卫民的激情动员如火炬般点燃了京唐港人的一腔热血。

“那会儿，工作最要紧、最实际的还是解决职工的饭碗问题。员工们不能按时满额地拿到工资，就稳住不了大家的干好港口事业的心。当时以刘卫民为‘班长’的新班子面临的第一件事就是如何保证员工工资。”主抓职工思想政治工作的党委副书记李贵琢对港口的问题看到了实处。如果职工们的口袋是满当当的，还有谁去偷偷拧掉那些不值啥钱的灯泡和水龙头？

但就这一件事，也够难为当家人刘卫民的了。“当时唯一的办法，就是去找银行贷款。”刘卫民说。

求人难哪！过穷日子的要想获得贷款，也是现实中难上加难的事。刘卫民当“一把手”后出门的第一桩事就是带着一副虔诚的笑脸，毕恭毕敬地去见银行管贷款的业务人员。

“京唐港？你们也要贷款？你们不是跟北京合作了，怎么还要贷款呀？”

“我们现在遇到了一些困难……想贷点款，解决一下职工的工资。”

“工资都发不出来了？那——恐怕不行。”

凭刘卫民磨了半天嘴皮子，结果仍然是白跑一趟，人家银行不贷。再说白一点，人家银行不愿贷给你这样揭不开锅的单位。

刘卫民是条汉子，从银行回来后没有把这遭人小看的情节告诉港口的人，而是独自将苦水咽进自己的肚里。有首歌这样唱：大男人不好做／再辛苦也不说／躺下自己把忧伤抚摸……刘卫民心想，京唐港要拥抱大海，建设“与纽约等大”，不喝尽咸苦的海水几乎也是一种妄想。

天无绝人之路。

凭着他刘卫民平时良好的个人魅力，当听说港口急等筹集资金解决职工们的吃饭问题时，许多单位和友人向他伸出了友谊之手……唐山市委书记、市长亲自到京唐港召开现场办公会，又做出决定：市财政再困难，也要支持建港！

由于方方面面的大力支持，刘卫民和京唐港人度过了第一个难关。

“接下来当时想得最多的就是如何接揽生意。港口没有货船来，你还有活路吗？”刘卫民的目光里始终透着一股冷峻的睿智，而冷峻的背后是一团火焰般燃烧的激情。“港口要有活路，首先是你得有符合客户所需要的港口条件，再者是你的服务水平和态度。而当时，我们的港口建设遇到了前所未有的资金短缺。仅1997年全港拖欠工程款就达近2亿元，市财政款迟迟到不了位。怎么办？我们没有袖手等待，最后把办公楼也抵押了出去……那会儿有人给我开玩笑说：他刘卫民是卖了船出海！没有法子。不然京唐港就只能原地踏步。可我们是港口，是已经跨进了市场经济海潮的航船，原地踏步就意味着随时面临着被汹涌的海潮所淹没。但我们不甘心这样的命运，所以我们只能背水一战。”

“这一年全港上下干得很苦，但我们干出了几个‘历史最好水平’。”年底时，刘卫民的脸上有了第一次微笑：在资金极其困难的情况下，全年建港投资比计划超出近一倍；克服了外部市场环境十分不利的客观情况，实现总运量520万吨，首次突破500万大关；全港实现利润1200万元。这一串数字对今天的京唐港人来说，实在有些微不足道，可对1998年时的京唐港而言，却是起死回生的精彩一笔！

“港口不同于其他单位，它像一部庞大的机器，要使它发挥作用，就必须调配好每个环节，使之处于最佳状态。”时任“总调度”的李贵琢谈起当年事，格外来神。“那会儿我们在刘卫民的带领下，花了很大精力来调整内部机制，将原有的机构进行拆并分离，划分成综合管理、运营生产、生产辅助、建港和多种经营五大系统。这五大系统按港口的规范和计划统一运营，即充分享有自主的独立运转机制，做到配合有序，各显神通。”

“而所有一切，都是为了一个目标：调动各个环节中人的积极性和能动性。”比刘卫民早7年军龄的李贵琢对自己的年轻“上司”有一份格外的佩服之意：“这一方面，卫民他没有白当10年的军校教官。”

教官的本事在于什么？在于传授学员们在未来战场上作战

的本领。港口人的本领，第一位的当然是要学会揽货商务。然而要使揽货商务业务红红火火，你首先得夯实自己的港口基础，提升港口形象和港口服务水平。于是乎，这时的京唐港才有了热火朝天的“百名先进竞潮头”“一个党员一面旗帜”“我为港口添光彩”“京唐港人新形象”“客户满意是京唐港人的服务标准”等如火如荼的活动。

“京唐港的企业精神，其实是从艰苦创业过程中形成的。而从低谷走向辉煌的历程中，企业精神的灵魂更加闪耀着它的光芒和魅力。”党办主任马志刚总结了一句很到位的话。

企业精神是什么？其实就是企业的一种内在的文化，这种文化能够产生一种综合的力量，它可以使全体企业的员工在思想情感上、价值取向上、行为操守上都与企业的决策者制定的奋斗目标保持高度的一致。它是一种双向的力量，既是企业对员工的吸引力，更是员工对企业的向心力。它既蕴含着物质的力量，也蕴含着文化的力量。

“京唐港在刘卫民的领导下，很早就提出了坚持人本思想，建设和谐港口。我们之所以有这样的意识，也是被当时内部存在的问题给逼出来的。”马志刚说。

港口，在中国是个特殊的行业，所有的港口建设无一例外地是国家投资的，即使是市场经济条件下的港口经济，基本上沿袭了计划经济的诸多模式。分配大锅饭、工作“大爷作风”是这一行业的弊病所在。然而这样的毛病对于从一开始就依靠自筹资金、独立核算、自负盈亏的京唐港来说，是致命的。

分配大锅饭是造成当时京唐港经济效益下滑的一个重要原因。干多干少不能在职工的分配收入上体现出来，势必严重挫伤大多数人的工作积极性。

“必须解决分配不公的问题！”刘卫民看出了京唐港所存在问

题的症结：分配不公是必须要动“大手术”的症结之一，并且要快、要干脆，拖一天就使单位受一天损失。

于是，一个以岗位和贡献相结合的新的工资方案很快在全港形成，奖勤罚懒有了衡量的依据。

但是，刘卫民他们很快发现另一个问题：原有的港口编制在中层单位这一级，机构重叠、人浮于事的现象十分严重。有些单位“一张报纸一壶茶，闲来无事嗑嗑牙”，就把一天天的“好日子”给打发了。别看这些人把日子过得那么悠闲，那么舒坦自在，可人家是中层领导干部呀，照样享受职务补贴和岗位津贴，你有什么招儿？有些中层领导干部，水平低，能力差，没有一点儿“创造性开展工作”的意识。上级下达的目标任务，他不知道该怎样努力才能完成。如果一段时间里上级没向他布置（或下达）具体任务，就更成了他闲着的理由。

“必须精简机构，减员增效，这种工作效率低下、人浮于事的局面一定要彻底打破！”刘卫民和班子坚定地认为。

可是，拿掉谁呀？他刘卫民自 1989 年来到京唐港，当时已经 10 个年头了，大部分中层领导干部都和他一起共过事，甚至在一块儿摸爬滚打过。有些虽然水平低、能力差，但从个人关系个人感情上，都挺好。这时候，只要刘卫民的心稍微一软，就啥事也弄不成了，他所设想所决定要开展的“机构改革”“人事改革”（即用工、人事、分配三项改革），就将成为泡影。

“咋啦？你让他出去打听打听，哪个港口不是这样设置的？既然是港口，就得有像模像样的科室、部门！”

“改革？改谁？想改掉我们这些创业建港的‘元老’？哼，看他们能耐的！”

机构改革的风声传出，有人立即不屑一顾。

怎么办？关键时刻，刘卫民没有犹豫。他首先召开领导集体班子会，统一思想，研究方案，决定把原来的 32 个处室砍掉 10 个，对 40 多名科级以上干部采取竞争上岗，能者上，庸者下。此举一出，就有 16 个能力差、威信低、缺少工作干劲的干部落聘让位。其中还有 2 人被降职使用。与之形成另一种局面是：一批有知识、懂业务、观念新的年轻干部脱颖而出，原先的一些工作效率低下的部门出现生机勃勃、你追我赶的景象。

港口党委趁热打铁，在机构改革的一段时间后，自上而下进行了建港以来第一次规模最大的“评先进、学先进”活动。110 名个人、12 个集体在此次活动中被授予荣誉称号，大大激发了全港干部职工学先进、赶先进的革命热情。

白手起家建港难。然而刘卫民深知：建港之后要让港口充满生机和活力其实更难。

就说当时京唐港的管理混乱局面吧，这也不是一朝一夕形成的，也不完全是前任的所为。前任能不想把工作搞好吗？更何况他刘卫民就是前任领导集体中的一名副职。当然，有前任管理不善、要求不高的因素，但更是一些政策因素所造成的——而当时国家和地方出台的一些政策，其实也是根据当时的“大背景”，从实际出发而出台的，它的合理不合理在一定阶段很难用简单的是否去衡量。

比如机构改革之后，刘卫民又准备的另一个大运作：撤销京唐港一个由 300 多名职工家属或子女组成的“大扫帚队”，就碰上了大难题。

10 年前的京唐港年吞吐量也才几百万吨，在全国的港口中是“小弟弟”，可却有一个 300 多人组成的“大清洁队”，这真是一大笑话。但多少年来，谁也没有敢碰一碰这支“拿钱干不了多少活”的“娘子军”。何故？原来当初建港，由于条件太艰苦，为动员各方面人才积极参加港口建设，相关部门根据上级批复的文件精神，曾出台了一系列对参加港口建设者有吸引力的优惠政策。其中有一条政策的大意是：凡参加港口建设的干部职工，家属子女是农村户口的，可以农转非；家属子女是城市户口的，可以优先安排工作。

这一政策对建港人具有很大吸引力，并且确实稳定了相当一部分职工留在港口的心。

"农转非"的吸引力，使港口建设队伍迅速壮大，家属子女也随之入住港区。这些农转非的家属子女既然来到港区，就要吃饭，就要生存。原京唐港领导班子也是出于对自己职工的关爱和体贴，于是就把一些困难户家属子女组织起来，成立了一个清洁队，每人发一把大扫帚，让她们负责打扫港区内的卫生。开始当然没那么多人，可安排了张三，李四说他家的困难更大，渐渐清洁工队伍越来越大，最后竟达到了 302 人。一个 300 多人的大扫帚队，真够壮观的！可港区哪用得了那么多的清洁工！活儿少，她们每天打扫几下就将扫帚放下，织毛衣、抱小孩、生火做饭、洗衣服去了，要不就三三两两地自由结合说"张家长、李家短"去了。可到月底该拿多少钱还拿多少钱，一个子儿也少不得。

"我们在码头出力流汗，她们却拿钱不干活！"一线生产工人对此怨气冲天……

刘卫民和领导班子集体开过无数次会，研究撤销这个"大扫帚队"的事，却迟迟下不了决心。因为这是要砸那么大一群临时工家属子女饭碗的大事，弄不好就要出乱子。为了京唐港能尽快发展起来，兴旺起来，为了这些家属子女的长远利益，最后刘卫民他们还是决定一个不留地把"大扫帚队"给撤销了。

撤销"大扫帚队"之后的工作量有多大？阻力有多大？刘卫民的心里最清楚。

如今，在京唐港，一线的职工实行的是计件制和按劳取酬，多劳多得。机关和部门职工实行的是薪点工资制，即把每个岗位定为多少个薪点，按薪点拿工资。根据工作量，每个岗位的薪点数都不是固定的。专门有一个测定小组做这件事，并有监督机制。这种做法虽然也不可能保证绝对公平，却也相对合理。

企业要发展，要兴旺，归根到底要取决于企业员工的精神面貌、思想状态。而员工的精神面貌、思想状态是否振奋，是否蓬勃，是否像毛泽东所说“像那早晨八九点钟的太阳”，关键在于这个企业的领导者，能不能让他的员工看到光明，看到希望。

在这一点上，刘卫民和现任京唐港的领导班子的思路十分清晰。

“任何一个人，当他来到这个世上，都想有所发展，成就事业，实现自身价值。”采访中，刘卫民体味颇深地对我们说，“自从接任一把手，我就想，京唐港是一个年轻港口，参加港口建设的员工队伍，大多是年轻人，我有责任让他们在这里都能实现自己的价值，是个什么材料放个什么位置，让他们的智能和潜力发挥到极致！”

在竭尽全力让职工按月拿到工资之后，在大刀阔斧进行了分配制度改革、机构撤并改革和竞争上岗的领导岗位用人制度改革之后，刘卫民把对普通职工、一般干部的长效培养、使用机制的建立，摆到一个突出的重要位置。

刘卫民在大会小会上经常讲，京唐港常年开通两条通道，一条是“行政通道”，一条是“技术通道”。你有做行政领导工作的才干，就会有你做行政领导的岗位在等着你。你愿做一名专业技术人员，想当专家，只要你有真才实学，就决不会埋没你这个人才。在京唐港，人尽其才，才尽其用，人人都有大显身手的用武之地，人人都可以实现自己的人生价值。

人才战略计划，是刘卫民从接任“一把手”后的 1998 年 5 月便开始实施的一项战略工程。最早实施人才战略计划而引起员工震惊并让真正的人才都可以看到前程的一个重大举动，就是前面提到的那次 40 多名中层以上干部的竞争上岗。此后，这种人才战略计划，一年一年不停顿地在进行着，一旦发现了人才，就会马上启用。

对于人才战略的具体实施，总经理孙文仲的脱颖而出，应该说是董事长刘卫民的最得意一笔。

改制时，董事会委托刘董事长物色一位总经理人选，他把目光聚焦在当时几位副局长（改制前称港务局）中最年轻的孙文仲身上。孙文仲时年 38 岁，科班出身，又懂业务。利用一次去天津出差的机会，他们二人敞开了心扉。刘卫民说 ：“我推荐你担纲总经理一职，希望不要把它当官去做，要当事业去做。心里想事业，就能施展才华，增长才干。”孙文仲听了很受感动，对刘卫民说 ：“你董事长本身就是一位想事、干事、能干成事的人。我一定不负众望。”孙文仲受命上任后，在董事长及公司领导集体的大力支持下，大胆创新，对用工、人事、分配三项制度进行改革，开创了新局面。

每每谈及于此，刘卫民颇感兴奋，称这些年轻人就是善谋实干的新型人才，也是一批“拼命三郎”。

管理企业要着眼长远发展，培养和造就高素质人才则是确保企业长远发展的关键。刘卫民因此认为，人才资源是港口最宝贵的战略资源，是企业生存与发展的主体。企业的成长壮大，很大程度上取决于劳动者素质的提高。为此，京唐港树立起新型的知识经济、市场经济、国际化和多元化人才观念，按照港口企业持续发展的战略要求，建立人力资源开发与管理体系，以造就一支善谋实干的高素质人才队伍。

这方面的例子不乏其多。现任京唐港下属所有中层领导干部，几乎全是实施人才战略计划后优中选优地从各个方面吸引和选拔上来的热爱港口的优秀人才。

马志刚原为中共乐亭县委机要干部，调入京唐港后一直在公司机关工作。马志刚这人勤奋好学，干起工作来最讲“认真”二字，且会动脑子，想办法，也就是说他有“创造性地开展工作”的能力。这就是一种“才”，是一种很难得的“才”。公司领导集体发现了他的这种“才”。前几年公司投资亿元建设“京唐港大厦”，就把这一重大任务交给了他，让他负责组织实施来完成这一重大工程。在京唐港大厦建设的全过程中，马志刚真是全身心地投入到工程里去，没黑没明地干，操心劳神，生怕有一丁点儿疏忽。他在接受着锻炼，同时也在接受着考验。要知道，那是一项亿元工程，手脚稍有不净就会染上铜臭。马志刚同志是好样的，他经受住了锻炼，也经受住了金钱的诱惑和考验。如今，这座象征着京唐港恢宏气势的标志性建筑，以醒目的高度及新颖的结构、独特的色彩等诸多建筑美学的元素，成为京唐港壮观的一景。马志刚也因干起工作来最讲“认真”而且又有公认的“创造性地开展工作”的能力，非常自然地成了公司党委委员、党委工作部部长。

还有值得一说的，是一对小夫妻在京唐港的“浪漫成长”史。

陈晓军和丈夫赵秋玉，都不是唐山人，而是几百里之外的河北辛集市人。他俩分别毕业于河北理工大学和大连理工大学。1993 年，两人还没有结婚，赵秋玉先一步到了京唐港。是爱情的力量，使陈晓军也随之到了港口。

“说实话，如果不是爱情的力量，我是不会到京唐港来的。因为，当时的京唐港，连一棵树都看不见，茫茫无边的盐碱荒滩，下了车还要走很远的泥路才能到达港口……”采访时，陈晓军说，

“现在回想起来，还挺浪漫呢！”

可是，当他们落户京唐港后，渐渐从迷茫之中看到了希望。人尽其才，才尽其用，京唐港的用人机制，使许多像陈晓军一样的大学毕业生在这里激活了青春的生命活力。13 年过去了，如今，陈晓军成长为运营保障部主持工作的党支部副书记、高级经济师；赵秋玉成长为引航站站长、特级引航员。他们的小孩子也已经 11 岁，并且家里买上了小轿车……真是爱情、事业、家庭全丰收啊！陈晓军并且还爱上了文学创作，经常在报刊上发表诗歌、散文作品，在京唐港小有名气。

“这几年不断有外港来挖我们家的秋玉，说要给几十万元年薪……可秋玉和我哪里也不会去的，我们已经下定决心一辈子留在京唐港。因为我们就觉得京唐港好，在这里工作、生活，心里觉着踏实，有意义！”采访结束时，陈晓军心花怒放般对我们说。

京唐港，开始让人羡慕了！

第三章　大港战略

2001年，是京唐港发展史上的一个具有里程碑意义的年份。这一年，他们突破了1000万吨的吞吐量，达到1102万吨，跨入国家大港口的行列。全年港口实现总收入2亿元，利润3500万元。而在这期间，京唐港人还做了一件功不可没的大事，即为如今已成为渤海湾最具远景意义和发展前途的曹妃甸港口完成了基础工程的主要项目的投资与建设。曹妃甸，曾经作为京唐港的部属“姐妹港口”，现在已被国家确定为我国第一个科学发展示范工业区，如一颗耀眼的新星正在太平洋的东方海岸线上冉冉升起。刘卫民和京唐港人作为这一新兴港口和示范区的开拓者与建设者，将永远被历史所铭记。

现在，我们还是把目光收回到进入新世纪后的京唐港吧——

这一年年末，一位记者来到京唐港，在港口现场作过一段描述：此时的京唐港，巨轮来来往往，高耸的吊机紧张地工作着，坨港铁路线上，满载货物的列车风驰电掣。短短十年，从通航到千万吨大港，京唐港人付出了多少心血？那天，远航的“安达海”号满载2.5吨优质煤炭驶往南京港，汽笛在蔚蓝色的渤海湾回荡，海鸟追逐着渐渐远去的巨轮，在人们的欢呼声中，刘卫民的眼角潮湿了……

刘卫民的眼角不能不潮湿，因为打他担任港口的“一把手”来，仅用3年时间，他把一个正在滑坡的新建小港，建设成名列全国港口前23位的千万吨大港口！这，绝非是件简单和容易的事。

“古人曰：‘一名之立，旬月踟蹰。’又曰：‘名者，实之宾也。'是说，立名虽则不易，名称只是一种叫法，叫什么都是次要的，关键要看实质。一个发展着的港口建设，重要的是要不断调整思路，找准定位，也就是说只有从'实'出发，'实'而'名'正，港口的发展才能突破瓶颈，走上快车道。"刘卫民是个意识里充满着哲学感知的思想家，同时又是善于把这种感知转化为行动的实践者。

"港口，如同一个舞台。港口人就是这个舞台上的唱戏人。舞台多大，你的戏就能唱多大。一个有作为的艺人，要想成为世界一流的歌唱家，你的舞台就要成为面向世界的一流舞台。港口做不大，港口人就永远不能与世界贸易融合在一起。"刘卫民经常用这样的比喻影响和灌输自己的港口职工。

调整思路，找准定位，用"蓝色思路"改写"煤都历史"。这是京唐港人在进入新世纪后自己给自己设定的奋斗目标。

《左传》有句话叫作："筚路蓝缕，以启山林。"意思是，坐着柴车，穿着破烂的衣服去开辟山林。刘卫民对这句话特别欣赏，他经常用这话教育自己的职工，希望港口人将此作为建设港口的座右铭。

"京唐港的机制决定了我们不可能像其他港口一样，可以在有了政府和国家大笔大笔的资金后再进行规模建设，我们必须始终保持艰苦奋斗的创业精神。但这并不影响我们'穿着破烂衣服'去开辟山林的宏愿。孙中山先生在百年前就提出了要把北方大港建设成'与纽约等大'的国际贸易大港口，如今实现这一愿望的历史责任已经落在了我们的身上，京唐港人自然必须接受这副重担，只有这样我们才能对得起开路者和子孙后代。"刘卫民的心中装着雄才大略。

"把京唐港做大做强，做成'与纽约等大'！"这是刘卫民和京唐港人的毕生愿望，他们为此呕心沥血。他们知道，如果自己的港口只是局限在背靠“煤都”唐山、做单一的货种，即使把吞吐量做到几个“千万吨”，那也摆脱不了“搬运站”的痕迹而无法实现真正意义上的大港梦想。

“做大做强，这是唯一的选择！”它不仅仅是让京唐港人自己受益，而是让所有与京唐港相关的广大客户受益，让唐山市、让河北省、让京津唐及整个渤海湾经济区受益，更能为推动全国的经济大发展发挥作用。在河北省建设沿海强省的布局中，京唐港早已被赋予当“领头羊”的历史重任。历史已经赋予京唐港人这样的责任：作为渤海湾经济区的未来沿海新兴港口城市，这里通疆达海，后有广阔的经济腹地，前有通向世界的大海，发展空间无限，发展前景美好而壮观……

然而，如何能在较短的时间内尽快扩大京唐港的建设规模？刘卫民和京唐港人几乎每天都在掐着手指算账：吞吐能力应该达到多少万吨才能成为大港？而要称其为大港，还必须投资建多少个 5 万吨级甚至 10 万吨级的泊位？要建这些超大吨级码头得需要多少投资，钱又从哪里来？如果有了足够的钱该怎样干？如果没有那么多钱又该怎样干？

世界风云变幻莫测，市场经济竞争激烈异常。沿海港口如雨后春笋，每一个港口的主政者都想把自己的地盘做得最大最强，京唐港将向何方发展……所有这一切，刘卫民与班子成员必须想明白了，想明白后还得拿出做法和措施。光有一般的做法和措施是不足以参与群雄四起的港口经济竞争态势的。

港口经济是什么？它应该是区域占领与辐射式渗透相结合的具有明显区域特征的经济；它应该是条块垄断与海纳百川相烘托的具有明显垄断专营优势的经济，它还应该是追求尽可能的低成本、高效益的服务型经济。不不，不仅是这些，港口经济更多的还应该是一种具有明显战略特征的战略经济！

“对，港口经济从更广泛和更深刻的意义上讲，它应该属于一种战略经济。”刘卫民很喜欢军事术语，因此他对港口经济的理解会比一般人更具有战略思维意识。这也使得他在谋划京唐港发展时，有比别人高出一筹的本领。

战略的目光总是看得更远、更深刻。

刘卫民明白，要把京唐港做大做强，仅仅依靠政府投资，绝对不行。于是，他与他的伙伴们一起，下决心另辟蹊径。

多元化吸引各方资本参与港口建设，这在京唐港建设方面早有传统。港口建设之初，国家没有一分钱的投资，只有唐山市财政投放的3000万元。这点有限的投入，对于资金密集型的港口建设项目来说，只能是杯水车薪。面对资金严重不足的情况，唐山市政府、唐山港京唐港区应急求变，加强了与北京的合作。于是他们创造性开展工作，内引外联，采取了“跨地域”“跨所有制”“出让岸线”“土地折价入股”“企业独资”等方式方法，进行多渠道筹资，多方式合作，联合建设港口，走出了一条以“利益共同体”为纽带的市场化建港之路，使港口规模迅速扩大。

不过，在这条联合民间资本建港的“创新”之路上，京唐港走得虽然颇感欣慰，却也并不轻松。采访中，刘卫民董事长深有感触地说：“我们引民营资本进港具有创新意义，因为这在全国也是第一次在港口业内超前地引入民间资本，并取得了非常好的效果。可是，2003年，当中国港口协会请我介绍引入民间资本经验时，我还是感到为难。我说过，那时做了也只能偷偷地做，不能公开说，要不然就会招致麻烦，招致有关部门或学术舆论界的批评。因为当时国家还没有针对港口经营中引入民营资本的相关政策。党的十六大和十六届四中全会以后，‘民营经济是国民经济发展的一种基本形式’的政策，才被明确地提了出来。从那时起，我们京唐港的做法似乎开始理直气壮了。”

京唐港过去与其他港口一样，采用的是港务局的行政体制。2000年开始，他们在北京、唐山两市领导的关怀下，大胆探索管理体制的改革，通过近3年的实践，于2003年初，正式改制为由北京金泰集团、河北燕山集团、唐山港口投资公司等6家股东组成的股份制企业，从此走上了完全按市场经济规律运营的现代企业管理与发展的新路子。

港口要做大做强，码头停泊能力和与之相适应的机械设备是基础的基础，而这通常也是一般港口在发展中所遇到的最头痛的“瓶颈问题”，即大量投入资金无法落实。对京唐港而言，这也是外人敬佩刘卫民他们“不简单”的地方。几十亿的资金，没有国家和政府的支持，想建大港，简直是异想天开的事。但京唐港人依靠企业自主经营的灵活机制，把这样的异想天开的事变成了现实。他们采取了与股东合作建港、在港口让出部分海岸由业主独资建码头、以土地折价入股与投资方共建仓储配套设备和与世界500强企业联手合作经营集装箱运输等形式，多渠道、多元化建港，使港口在短期内迅速有效地解决了资金问题，基础建设跨越式的提升，促进了港口吞吐量的翻倍增长。

这期间，利用民间资金，在完成和满足码头运输的机械设备市场化管理方面所取得的经验值得称道。过去，京唐港与其他港口一样，码头运营中的运输和机械设备一直是个难题，即资金占有特别大，又损耗大，使用和管理好这一块是又费力又费钱的事。从2001年开始，他们打破单纯依靠自筹资金购置流动机械的传统模式，公开向社会竞标转让了流动机械69套，成功置换资金1255万元，实现了港内货物倒运市场化，加大了港内市场对内外开放的力度，在港口内部建立了一个充满生机和活力的“无形市场”。如煤炭接卸机械化一项，港口以零标竞拍，收入中标费30万元，并由此引入800多万元的卸煤设备，而且实现了火车煤炭接卸作业的机械化，提升了京唐港铁路运输接卸处理能力。与民营资本互动，开展融资租赁业务，实现港口、民企、设备厂商与银行等多方面相关企业的多赢局面。

出售机械给民营企业，使港口解决了投资基础建设的资金不足问题，同时又释放了被设备占用大笔资金的“瓶颈”，为港口增加了不少新的生产资本，进而加速了港口企业的生产能力。同时，民营资本的参与，使港口不仅集聚了人气，而且通过新的资本结合，形成了一种新的社会生产力和生产关系，使所有参与港口商务与经济活动的单位和个人，都成了港口的主人。更为值得关注的是，京唐港的这种做法，由于清晰了产权，解决了国有企业很难做到的“管理高效”环节。

“过去，一台吊车分几班，由几个人开，要让每个人都爱车养车很难，稍有一点毛病，就送到修理厂去了。卖给民营企业之后，港口就不用管那些如‘爱车养车’的具体问题了。你想，个人倾全家之财力买了吊车，是要用这台吊车赚来的钱养家糊口的，还用你去教他如何爱车养车如何节约用油吗？”采访中，刘卫民一谈到民营资本引入港口建设的话题时，难以抑制依然激动的心情，“从资产资本经营的角度看，我们所展开的融资租赁业务，一方面解决了现实社会里的金融壁垒，实现了多方共赢。从港口发展需要的角度看，技术改造是我们永久性的任务，但港口却有一批批旧设备挤占了大量资金。现在我们通过出售那些技术含量并不太高、港口又必须具备的机械设备给民营企业，将此置换成可支配的资金。这是第一个直接的双赢。除此，接纳民营企业进入港口运营过程，他们也在不断更新技术设备，但现有的传统金融壁垒又无法使这些民营企业获得理想的贷款，怎么办？我们港口再次大胆创新，那些与我们有市场关系和租赁关系的民营企业在技术更新改造时，只需要他们先支付三分之一的资金，其余部分由我们港口方面代付，继续租赁给他们，并在未来 3 年内将其为港口服务所得收入抵偿租金和财务费用，3 年后这些设备完全归属于民营企业所有。如此互动，港口自身通过提供先期的投入，企业的生产能力得到了改善和发展，民营企业在这个过程中也大大地提高了生产能力，收入大幅增长。这是大家都能摸得着看得见的双赢，谁不从心底里高兴？”

京唐港在引入民营企业资本为港口发展服务方面开创了同行业的先河，受到有关部门高度评价。

在商界，有一句很流行的话，叫作“细节决定成败”。细节，对港口建设者来说，同样重要。然而刘卫民和京唐港人更清楚，战略思维对港口建设更重要。

一个追求细节的商人，可以成就一笔可观的生意，甚至可以建立一个品牌王国。但没有战略思维的人，绝对不能建设好一个大港口。大型港口，如同一个将军指挥的百万兵马与敌人争夺胜利的决战场所，缺少了高瞻远瞩的意识和决断的目光，指挥员就永远无法成为战无不胜、所向披靡的常胜将军。

刘卫民和他的共同奋战在京唐港建设前沿阵地上的战友们，无疑是一群思维超前、胸怀大略的港口建设的战略家。他们仅用十几年的时间，就在一片荒滩上依靠自己的力量建成一个国际大港口，走完了别人需用几十年时间才能走完的路，显现的是雄才大略和高超的智慧。

现任唐山港口投资有限公司总经理董文才，也是一位与刘卫民同时间参与京唐港建设的“元老人物”。谈起京唐港高起点、跳跃式的发展过程，老董心潮澎湃，滔滔不绝。他向我们讲述了他亲历的这样一件事的“过程”：

开始建港，最初定的是建 5000 吨级的泊位。因为泊位等级决定着港口等级，建了7个1.5万吨级的泊位，一个3.5万吨级的泊位（沉箱式码头）。为争取建这个3.5万吨级的泊位，还算顺利。那时候京唐港还叫港务局，董文才任副局长。他向局长说，如都建成1.5万吨级的泊位，还搞什么大码头？局长听了他的见解，很感兴趣，于是他们就去找交通部第一航务工程局设计院，设计院组织了28个人听他们汇报，当即就拍板定下来了。后来建5万吨级的泊位，可就费了老鼻子的劲。当时有一个粮油加工集团找到他们，要5万吨级的码头和5万吨级的航道，他们没有，就答应人家，保证多长时间建好。可人家等不及，就去了其他港口。仅这一个企业，一年600万吨的吞吐量就失去了。他们十分心疼，于是下决心要建5万吨级甚至7万吨级或更大吨级的泊位码头。可是上边不批怎么办？他们不忍心等待下去，因为等待下去港口就没有出路，眼看着重量级货轮不能靠港，那流失的不是货轮，是市场，是滚滚流逝的财源啊！为此，京唐港人没有在无为的等待中放弃雄心壮志。他们依靠自己对市场和港口未来发展的正确判断，坚持上马。为这，他们承受过来自有关方面的种种压力，但后来的事实证明京唐港人没有做错。

“要建大港口，心里没一个‘大’字，眼里没个‘远’字，这大港口永远只能是个虚幻的梦，而且容易在实际建设中造成极大的浪费。”董文才说，他最佩服刘卫民的一点，就是“超前意识比别人强”。

“对港口建设的决策者来说，能否抢抓机遇，迎接挑战，将是在日益竞争激烈的港口业中能否占有一席之地的关键。”董文才就此谈起“大秦铁路线唐山开线直通京唐港”一事，更是收不住满口对董事长刘卫民的赞誉，他认为这是“刘董事长带给京唐港和京唐港人未来百年福祉的又一个精彩手笔！”

话还得从国家为改变“北煤南运”的紧张运输现状，想在大

（大同）秦（秦皇岛）铁路线上搞煤炭分流的话题说起。

许多年来，“北煤南运”都是通过秦皇岛港口出海的。而如今4亿吨运量的铁路线给秦皇岛港口带来的压力越来越大，而且仅靠一条线路可能造成的能源运输安全问题，让国家领导人日益忧心。可往哪里分流呢？怎么个分流法？国家相关部门的决策者在寻觅……渤海湾的港口不少，京唐港并不是国家唯一的选择。再说，京唐港虽然初具规模，可从大秦铁路线上，并没有通往京唐港的铁路呀。这么一比，京唐港就没有多少优势了！怎么办？

消息传来，急于想为国家分忧又期待把这块“肥肉”弄到自己手的刘卫民听后一身冷汗，彻夜难眠。他站在挂在办公室的那幅巨大的《中国全图》前，久久凝视。两眼死死盯着大秦铁路线看，硬要把那条铁路线看穿、看透似的，看出个模样来才罢休！看得大秦线不好意思地向他低下头，然后顺着他的目光顺着他的意志从大秦线迁安站往南为他幻化出一条每天载着煤炭和物资的火车源源不断地开向京唐港的铁路来……刘卫民久久凝视着《中国全图》，凝视着那条大秦铁路线。他要从中找出属于京唐港的“优势”，然后去找有关领导，发表他的“高见”。

刘卫民当然从《中国全图》上发现了属于京唐港的“绝对优势”——在他看来，京唐港当然有着最具优势的优势了。

“问题是失去这样的机会，我们就是京唐港的罪人！机会决不能失去！”刘卫民对自己立下誓言。

在一次非常普通的会上，刘卫民可以直接见到铁道部领导了。会议议题没有什么新鲜内容，不少人心不在焉，可刘卫民在会上没闲一分钟。有人见他总是手里拿着一支笔在纸上没完没了地画啊画，也不知画些什么……刘卫民在画他心中的那条铁路，那条从大秦线分支通向京唐港的铁路。他要画，画成能让铁道部领导一看就非常明了的铁路，画成领导们一看就过目不忘、拍手称道的铁路！

为这，刘卫民在几天之内快成了铁路“设计专家”了。

示意图已经画好，只等亮相机会。

刘卫民按住“怦怦”直跳的心，选择了一个最佳机会，直接面向铁道部领导汇报了他的想法。

“你们看，大秦线如果从迁安分支向我们京唐港方向延伸，将是最佳最好的选择。因为……”刘卫民此刻在铁道部领导面前，犹如一场决战前的总参谋长，他的每一句话如磁铁般吸引着在场的人。尤其当他展示出那张画着他的看法，他的计划、打算和对未来的展望，并恰到好处地向铁道部领导展示的“示意图”时，所有人的目光仿佛一亮。

“这个方案很好！与我们的设想不谋而合！”掌声响起。

刘卫民禁不住有些热泪盈眶。

因为原先不占优势的京唐港人，在这回博弈中得了头彩。铁道部和国家计委批准——大秦线分支从迁安直达京唐港！

大秦线唐山分线直通京唐港，将意味着什么？业外的人士当然有所不知：这一线路的开通，这一煤炭大通道方案的确定和实施，将大大加快京唐港向亿吨港口前进的步伐——项目初期，每年就可以为京唐港增加 3000 万吨的煤炭运量！

2006 年 12 月 2 日，当我们采访结束返回北京的时候，大秦线唐山开线直通京唐港的运煤专列，已是开通在即。

当然，这并非是说，大秦线唐山开线直通京唐港这一煤炭大通道方案的确定和实施，就是源于刘卫民的一个大胆设想，就是因为铁道部领导看了他画的一张草图，听了他的一次汇报。但是，我们也不难想象，假若刘卫民和他的战友们在机遇到来之时，一个个麻木不仁，无动于衷；假若京唐港事先没有“未批先干”改建了数万吨级的大泊位，大秦线唐山开线会不会“开”往别处？

每年增加3000万吨的吞吐量，不只是对于京唐港，对于任何一个港口来说，都是滚滚的财源，滚滚的黄金。

什么是竞争？这就是竞争。

竞争中，胜者是刘卫民！是京唐港人！

京唐港注定是胜者。因为京唐港人懂得什么是真正意义上的港口经济。

“港口经济，实质上就是战略经济。”——军人出身的刘卫民深谙此理。

京唐港地处京津唐一级经济网络之中，环渤海经济圈的中心地带，是国家重点开放开发地区，其地理位置正是沟通华北、东北和西北地区的最近出海口。背靠着京、津、唐、承、张等20余座工业城市，占据着华北与东北的交通咽喉地带，上能同京九、京沪、京广交通大动脉相连，下能同京哈、京承、京包欧亚大通道相接。腹地广阔，货源充足，交通便捷。直接经济腹地唐山，是中国重要的能源、原材料基地和多种农副产品富集地区，已形成煤炭、钢铁、电力、建材、机械、化工、陶瓷、纺织、造纸、食品等10大支柱产业，又是沟通东北及华北的商品集散地和运输要道，每年有大量的内、外运货物。间接经济腹地可覆盖河北、北京、山西、宁夏、内蒙古和陕西等地。在科学发展观的理念引领下，河北省一再强调要建设沿海强省这一新的战略决策。在这一布局中，河北省又赋予了唐山当领头羊的历史重任，意味着全省的生产力布局将进一步向唐山集中，全省其他地区的生产要素将进一步向唐山集聚，各项政策将进一步向唐山倾斜。

唐山崛起，指日可待。港口经济，再度成为人们的热点和焦点！

政治家和经济战略家们算了一笔账：唐山港区有1000多平方

公里的广阔滩涂，在这里建临港工业区平均 GDP 水平是每平方公里 19.6 亿元，世界平均水平是每平方公里将近 40 亿元。最高的是日本，环太平洋临港工业区每平方公里折合人民币达 60 亿元！按照中国的平均水平 20 亿元算，在这里可以做到 20000 亿元。20000 亿元是个什么概念？ 20000 亿元就是在这里再造一个广东，再造一个江苏！

临港工业发达，港口自然就会繁荣兴旺起来。优势是有的，更何况临港工业要发展起来，毕竟还是需要些时日的。眼下让刘卫民和所有京唐港人不能感觉出轻松的是，北（东北）有秦皇岛港，南（西南）有天津港。两个百年老港在那里，京唐港处在“夹缝”里，且又是一个只有 17 年建港历史的新港，无论是比规模，比设备（设施），还是比固定客户，比名声……尽管京唐港有自己的“特色”，可真“比”起来，“不如人”之处还是显而易见的。

刘卫民清醒地意识到，京唐港要想异军突起，必须以一位战略家的雄才大略，把京唐港的视线拉得更长，看得更远。

刘卫民再一次在《中国全图》前站定，眉睫紧锁……

这一次，他盯着的不单单是大秦线，而是整个“三北”地区（即西北、东北和华北），那密密麻麻的大小城市标识，山川河流脉络，公路铁路走向，以及区域划分、河流分界、道路分布，等等。他还常翻动那一本本厚重的地方志书，从中了解各地经济发展状况、支柱产业、地方特产和地方所需……然而这一切，在他看来都不过是纸上谈兵。

港口是干什么的？常言说得好 ：“船到码头车到站。”港口就是在海河岸边设置的船舶码头，供船舶停泊，从事运输的地方。港口就是水运线的交通枢纽。泊位等级决定着港口等级，而吞吐量则标志着一个港口的兴衰成败。京唐港要兴旺发达，认真做好直接经济腹地的货物运进运出，重要的是抢占市场，抓住货源。

可直接经济腹地的货源毕竟有限，且市场竞争又是那么激烈。要把京唐港做大做强，就必须把占领市场的触角伸出去，伸得越远越好。要把“物流圈”越画越大，先近后远，由“点”击“面”，让四面八方的客户和货源，开始如涓涓细流，后来便成奔涌的百川，向京唐港滚滚涌来……

此刻的刘卫民，目光放得更远了，他要亲自到距京唐港千里之外的间接可覆盖经济腹地走上一趟了。这是他多年在梦里编织的一张“京唐港商务全图”，那全图的“境界”包含了中国的西北部的广袤区域和这个区域之外的异国边疆……市场经济条件下的京唐港的胜与败，应在千里之外的战场！

早春四月，在中国的大西北还是冬天，格外冷。刘卫民和总经理孙文仲等一行，开车直抵青海省西宁市，然后往回走，一个地区、一个城市地进行实地考察，与当地政府及相关企业谈生意，交朋友。虽多为一面之交，倒也谈得惬意，谈得痛快。多一个朋友多一条路，实地考察一路走下来，不久便在考察之地设立了几个办事处，开展了工作。

董事长和总经理的大西北之行，暂时从所产生的货源来看，数量还不算太大。但董事长刘卫民说得好：“占领间接经济腹地‘三北’市场，不在数量多少，而在于检验我们占领市场的能力，看我们有没有与强手竞争的意志和勇气。”

大西北实地考察，刘卫民和孙文仲这两位京唐港的老总，可真是委屈了他们自己。在较短的时间内，从京唐港直达西宁，然后从西宁返还，途经兰州、银川、包头回港。随行的京唐港业务部部长、物流公司总经理张小强粗略算了一下，那是两个“二万五千里长征”的路程。也就是说，他们每天行程都在1000公里以上，并且每天还要安排拜见当地的政府要员和企业的老总们，真可用“马不停蹄”来形容那种紧张和繁忙。

四月的大西北，地上看不到绿。戈壁滩上，飞沙走石。张小强告诉我们：当他和董事长、总经理乘坐的车子开在戈壁滩上时，遇到沙尘暴，飞起来的石头把车窗玻璃都打碎了。连天加夜地赶路，董事长疲惫至极，下车后说的第一句话是，坐车坐得那个难受啊，“死的味都有！”

然而，这还不算啥。更让董事长、总经理心存“委屈”的是，他们在大西北之行所遭到的“冷遇”。按说，无论是董事长还是总经理，他们都是国有企业的“老总”，都是“县、处”级领导干部呢（按京唐港现有规模，属大型企业，级别还要高些）。在京唐港，他们都是能顶得住天立得住地说话算数的人。他们去大西北考察，可都是放下架子甘当小学生的。他们有这个思想准备（其实，在京唐港，他们也都不是善摆官架子的人，都很平和，很平易近人）。当然了，他们拜见的政府官员和企业家，几乎全都对他们热情有加且以诚心相待，三两句话一扯，都有“相见恨晚”的感觉。可偏偏就遇上了一个素质欠佳者，让他们吃了闭门羹。

一天中午，董事长和总经理慕名去拜见那家小有名气的民营企业老总，人家却不给他们面见。一般老总都很忙，他们理解，并不见怪。问题是你老总忙，还有副总，还有接待部门嘛，怎么能以“不见”二字打发慕名而来的客人呢？然而，刘卫民和孙文仲两位“老总”的脸上并没有显出丝毫的不悦。

“中国的港口，基本都是‘官办’的，官办的就自然容易长‘官商’‘官气’。我们京唐港从多年前就要求职工和所有运营部门，都必须改掉‘官商’‘大爷’的毛病。‘官商’和‘大爷’的毛病是什么？就是见得了笑面孔，见不得别人给你冷面孔！京唐港过去在这方面吃过不少的亏。1994 年，唐山半壁店有个叫韩建国的客户从我们港口走一船钢材，由于我们码头上的工人给了人家冷面孔，结果这个客户拍着胸脯说，今后再不从京唐港走货了！

这样的事过去不只出现过韩建国一个客户。客户跑了，货船不来停泊了，你港口还有什么牛的？从那以后，我们就以铁的纪律要求员工们在自己港口对所有的客户做到笑脸相迎——这个笑脸，除了服务态度外，更重要的是服务质量。同时，我们要求所有跑外勤的业务人员，还要经得起别人的冷面孔。也就是说，你得有啃硬骨头、受挫折的心理准备。一次失败了，再来两次三次，直至感动客户为止。这一点，我当'老总'的首先要做到。”刘卫民对此自有一番理论。

与董事长、总经理那次西北同行的一位业务员欣喜地告诉我们：“在甘肃，有家著名企业开始连门都不让我们进，后来勉强派了一位副书记与我们的董事长、总经理洽谈，结果大出所料：从此两家建立起良好的合作伙伴关系，两家'老总'相见恨晚，成了好朋友。这家企业现在有大批产品将从我们京唐港出航远行……”

“如果说港口经济是一种战略经济的话。港口人又是什么？港口人应该是实现这种战略经济的运营者，或者说是战斗员。因此，港口战略经济要有生机，要实现目标，港口的所有战斗员就必须像对待上帝一样对待客户服务。”这样的话、这样的意识，刘卫民经常讲，京唐港人也经常挂在嘴边。

道理并不复杂。

假如你是货主，你运了一大船陶瓷品到了一个港口，卸船时你的陶瓷被装卸工人野蛮装卸打碎了不少，你会怎么想？

假如你是货主，你运了一大船进口香蕉到了一个港口，卸船时你的香蕉被装卸工人极不文明地打开包装给掏出来吃了，甚至有的还成箱成捆地被人给偷走了，你又会怎么想？这种“不愉快”事件，在京唐港都曾发生过。

京唐港通航之初，一度管理混乱，野蛮装卸，或是偷拿卡要，把货主的货物给摔碎了，损坏了，或是拿了跑了，把货主气得脸都变了色，从此不再与京唐港打交道了。刘卫民走上港口“一把手”的岗位后，经常拿这些“不愉快”事件说事儿。他不止十次百次地批评说：“这种不文明不道德行为，决不准再在京唐港出现！这种行为，给港口所造成的损失，不是少来一两艘船的问题，而是破坏了我们的市场，败坏了我们的名声的大问题。”从此，在京唐港，始终坚持开展“客户满意是京唐港人的服务标准”的学习讨论和竞赛活动，年年讲，月月讲，天天讲。他们还制订了严格、详尽而又具体的服务标准，以及对违犯者的处罚条款，轻者给予罚款、检讨、向客户道歉等各种处罚，情节严重者，则给予开除出港的严肃处理。

对全体干部职工严格要求，严明纪律，在全港唱响“打造服务品牌”“创建诚信港口”的主旋律，从此那种“不愉快”事件在京唐港再也没有发生过。所涌现出来的，更多的则是一件件说不完、赞不尽的感人“细节”。

有一次，一位外轮的大副不小心掉进了船舱里，伤势很重，在舱体里动弹不得。京唐港人闻讯立即赶往现场救人。船舱里空间太小，根本无法再下去一个人，只好弄来一台吊车。与此同时，已经与医务部门取得了联系，等把那位大副从船舱里吊出来的时候，救护车也及时赶到了现场，使那位大副得到了及时救治。事后，“船老大”感激万分地说：凭京唐港人的真诚与真情，我们的货船首选在这儿停泊。

还有几次，一些外轮的舱盖打不开了，请求港方帮助。相关部门立即派技术人员过去，帮助打开舱盖。外轮人员总是一次又一次地给帮助他们解决问题的港方人员钱，以表谢意，均被一一谢绝了。

最为突出的，当数不久前在京唐港发生的两件事——

某日，一艘“华山”轮装载着印尼原矿石抵达京唐港。按合同要求，矿石直径大小不得超过300毫米，可运来的矿石，最大的直径竟有1米多。其实矿石大小对于接货单位并无妨碍，当时签订合同时之所以要求矿石直径不得超过300毫米，就是考虑到矿石太大会出现装卸难的问题，卸不下船来。这艘货轮在港口多滞留一天，就将给船方造成20000美元的经济损失，把船方人员急得哟，团团转，干挠头。为不使船方造成损失，能及时卸载离港，京唐港方想方设法为船方解困，最终敲定了一个方案，把矿石卸了下来，使船方至少减少损失40000美元。“华山”轮为此感动得直夸“京唐港人好！”

又一天，一艘来自埃塞俄比亚的船只，开进了京唐港。船上装载的货物很杂，有许多种。京唐港人不厌其烦地为其卸货，为其一一清理分类，干得十分认真，使船方深受感动。船方深受感动的原因，是因为他们的船所装载的货物太杂，在某一港口遭到冷遇后才开到京唐港来的。这自然是后来船方介绍才知道的。他们开始只是抱着“试试看”的想法到京唐港来，没想到京唐港对他们的服务会这么耐心。他们临离港前表示，要动员他们所熟悉的货轮，都尽可能与京唐港建立起航运关系。

打造“服务”品牌，创建“诚信”港口，京唐港人没有停留在“一般意义”上的“做好事”和“为客户排忧解难”上，京唐港人在以更深层次的“服务”和“诚信”为客户“排大忧解大难”。比如中材集团出口到非洲的生产水泥的设备，一件设备大得简直像一栋小楼；一些钢铁集团生产的卷板，一卷重达十数吨数十吨……这么大这么重的货物，怎么才能装到船上去？那是必须依靠专用装卸设备和大型装卸机械才能完成的活儿呀！怎么办？京唐港人果断作出定做专用设备和购置大型装卸机械的决定。

京唐港人对客户的“特殊服务”还有很多。比如他们利用场地广阔的优势，对多品种多份额的货物，为客户一一进行单独配货；利用场地广阔的优势，为客户提供筛煤场地，并为外贸煤的出口，投入资金为客户提供筛煤设备；为粮食（以玉米为主）货种提供储存仓库；等等。

我手头上有一份《京唐港股份有限公司承诺》很能说明京唐港人创建“诚信”港口的决心。其中“铁路煤列卸时不超过3个小时”“船舶靠岸20分钟即开始作业”“客户举报问题1小时之内给予答复解决”等，都是很能说明问题的。

京唐港就是这样，以优质服务和“言必信，行必果”的诚信服务赢得了广大客户的信任，“回头客户”越来越多，稳定客户越来越多，慕名而来的客户也越来越多。

京唐港人要向亿吨大港挺进，假若没有优质的服务和良好的信誉，也将会是一句空话。

刘卫民董事长说：“我们不一定做吞吐量最大的，但我们一定要争取做服务和诚信方面最好的！”

“京唐港人要‘买’中国，‘卖’中国。还要‘买’世界，‘卖’世界！”

如今，刘卫民所追求的目标更大了，他的眼界更宽阔了！

“一个现代港口人，必须是一个商务信息嗅觉极其灵敏的人。有灵敏的嗅觉还不行，还必须将这样的嗅觉，运用科学发展观的思维，调动一切信息手段，付之为现实。”刘卫民经常对部下这样说。

一个偶然的机会，听说有几家大公司要在内蒙古的鄂尔多斯市等地联合投资数百亿元，兴建两座大型现代化化工企业，刘卫民立即派员前去洽谈从内蒙古往京唐港铺设管道事宜，让该企业的产品将来从他们这里出海……两座现代化大型化工企业正式投入生产后，每年可给京唐港增加1800万吨的吞吐量，京唐港人怎么会怠慢？

有客人从广州来，饭间，客人说他有一位做钢材生意的朋友，要买大量钢管，唐山是钢铁生产基地，问有没有办法帮忙。客人竟不知道刘卫民所在的港口什么样的钢管都有。刘卫民马上告诉客人说，可以让你的朋友登录京唐港网，想要什么型号的钢材，京唐港全有。结果，这一大宗钢材生意做成，不但增加了京唐港的吞吐量，更为那位做钢材生意的朋友减少了许多环节，获得了更加丰厚的利润……

港口的吞吐量在连年猛增，京唐港人对此并不满足。

刘卫民他们始终这样认为：与伟大的民主革命先驱孙中山先生提出的要建设“北方大港”，要“与纽约等大”相比，京唐港目前所取得的这些进步，并不能算什么！前面要走的路还很远，丝毫没有值得满足的理由！更何况，随着世界经济的全球化和物流业的信息化、网络化，港口发展的空间越来越大，能做的事远远超越了传统意义上的港口概念。未来的港口，在国家和地区的经济发展中，将越来越显现出它的“经济坐标”意义和“轴心作用”功能。

一次大西北之行，让刘卫民他们体验到了“走出去”的重要。设局布点之后，暂从所产生的货源来看，虽数量远不算大，实地考察所结下的友谊之花，已经结果。包头钢铁公司的产品已源源不断走京唐港下水。西北办事处的同志还把组织货源的触角伸向了新疆及俄罗斯、哈萨克斯坦等独联体国家。新疆的棉花和颗粒粕，独联体国家的钢材，分别在京唐港开通了通道，向韩国、日本走货……

“作为港口运营者，我们手里有很多业务信息。我们知道哪条船什么时间到港，装的是什么货物，货主是谁，将把货运到什么地方；也知道有什么货物什么时间进港，要装哪条船，目的地在哪里。我们港口的经济运营模式不仅仅只是到外面揽活，等别人送货上门，而是要利用我们已知的这些宝贵的信息资源，运用现代的管理手段，凭着制定规则来赚钱，让所有与我们相关的客户和业主共同赚钱！让大家在共同赚钱过程中，尽可能的省去成本，获取最大的方便和利润。这叫作：在港口经济这个运营链条上，建立共同的赚钱规则，实现资源共享，合作共赢的新物流经济！”被刘卫民称为“第三方物流”的经营构想，如今已在京唐港初见端倪，深得各方称道。

从筑巢引凤，到揽活赚钱，再到合作共赢，京唐港的经济业务跳跃般的跃上一个又一个台阶。从一千万吨，到两千万吨，到四千万吨，仅仅用了四五年的时间。明年是多少？后年呢……亿吨大港的年吞吐量，在京唐港已经不是遥远的梦想了！

呵，建一个“与纽约等大的”中国北方大港，孙中山先生的遗愿，京唐港人每天都在期盼着、奋斗着……

第四章　爱港情结

我有一个愿望 / 百年之后 / 请把我的骨灰埋在海港 / 让我每天迎送中外货轮 / 驶向五洲四洋 / 不要坟头 / 不要墓碑 / 千万不要占地 / 留着寸土寸金的土地 / 建设新的码头、仓库和堆场……

这是一首参加京唐港建设的一位普通员工写的诗，写得很深情、很悲情，非常感人。

在京唐港，所有参与这座大港的建设者和经营者，对自己的港口都有一份真挚的感情，透过这样的感情，我们能够感受到京唐港人热爱自己的港口、热爱自己的事业的那份赤诚。

从 20 多年前在那片盐碱地的草丛里支起那块“唐山市港口建设筹建处”起，多少人把自己的青春和热血挥洒在这片海岸线上……人们清楚地记得，当年时任筹建处主任的崔抚礼领着筹建处几名职工来到王滩海岸的时候，北风卷着雪花向他们扑面而来。地面上没有路，他们硬是在荒滩上踩出一条路来。没有住房，他们就在盐碱地上搭起帐篷。没有电灯，他们点亮蜡烛和煤油灯。没有取暖设施，他们燃起堆堆篝火。啃着馒头和咸菜，他们硬是把冰结的冻滩和砂岩凿开……

是他们，怀着理想，送来了希望，
带来智慧，沸腾了海湾，
——举起擎天的臂膀，

驾长风，鼓起燕赵大地的希望风帆。

在这里，无时不在拼搏，
在这里，无时不在奉献，
在这里，每一分钟都是一个惊叹号，
在这里，每一秒钟都在描绘美好的明朝……

京唐港人谁也不会忘记创业的每一个春秋。

建港之初就参加了筹建处工作的张印春说："那会儿，我们几个人别的什么也没想，只想着把建港动工前的各项准备工作做好。要说当时苦，可是真苦，受的那个苦遭的那个罪，三天三夜也说不完，但我们都感到值。我一个冬天就穿烂了三双鞋。我爱人也曾生过我的气，我就劝她说，一个人活着总得为社会做点事情吧！"

京唐港人从一开始建港就把自己融入了港口建设的事业中。这种情结是怎么也割舍不下的。就好像夫妻二人过日子，开始是爱情，时间久了就变成了亲情，就相互成了各自生命中不可分割的组成部分。在建设京唐港的日子里，许多感人的场面，许许多多感人的人和事，说出来能叫人掉眼泪。

天津大学毕业生潘利民，毕业后分到了京唐港。他接手的第一项外出工程就是京唐港挡沙堤。当时他正在谈恋爱，在工地上一干就是6年多，恋爱、结婚只能挤出时间来安排，后来儿子出生了，工地上离不开他，直到儿子出生第八天他才回去看了看……

潜水工段长齐振江的爱人，煤气中毒被送进医院高压氧舱急救，醒来后要求前来看望她的领导说："别告诉老齐，他忙，不能让他为我分心。"老齐的儿子见父亲一个多月没回家，赶到工地上看看爸爸在干啥，老齐从早到晚忙个不停，竟没顾上和儿子说说话，儿子只好默默地回了家……

赵柏朝的爱人在单位食堂上夜班，晚上家里只留下一个不满10岁的女儿。女儿得了腮腺炎，连续输了12天液，母女俩硬是没有告诉在港口施工的赵柏朝……

郑国江的父亲患癌症久卧病床，郑国江不能在父亲床前尽孝，鱼讯时花掉半个月的工资买些鱼托人带给老人，当老人离开人世时，他还在工地上忙活着……

京唐港的建设者，把整个生命都交给了海港，每一个港池都盛满了他们对事业的真情，每一个码头都是他们筑起的丰碑。

如果说，是建港初期的有限条件，建港人演绎了不计其数的艰苦创业的动人故事，那么在京唐港已初具规模、各方面条件都得到了改善的今天，一位癌症患者，每天化疗后自己掏钱乘车五六十里，仍坚持着上班，已长达一年之久，并且仍在坚持着，又该作何评说？

运营保障部主持党支部工作的副书记陈晓军向我们讲述了他们党支部委员夏连生的动人事迹——

夏连生患的是淋巴癌，他自己知道，医生没有瞒他，可他一直瞒着单位。从去年检查出来是淋巴癌，他只向单位说身体不适，要请假看看病，每天要晚到岗位一会儿。陈晓军这位女支部书记心细，见夏连生老请假看病，觉得不对劲儿，就常去医院或家里看望夏连生。接连看望了几次，夏连生的“机密”就保不住了，只好给陈晓军说了实话，但要求陈晓军绝对不准对外人讲。陈晓军心疼自己的职工，掉了泪，组织大家为夏连生捐了款，去看望夏连生更勤了。陈晓军作为党支部副书记对夏连生的关心，使夏连生深受感动，他对陈晓军说：“我虽然得的是癌症，可也不是一天半天就能要命。组织上对我这么好，同事们对我都这么好，我活一天，就应该坚守工作岗位一天，为单位做些事儿。”

采访中，陈晓军很动情地对我们说：“都说战争年代容易出英雄，和平年代不容易出英雄，特别是在企业单位里，怎么出英雄？英雄的标准是什么？依我看，夏连生就是一位英雄！”

尽管因为时间关系我们未能见到这位英雄，但从夏连生身上，我们看到了京唐港人爱港如家的精神，看到了京唐港人敬业的思想境界，同时也看到了京唐港“人性化管理”的巨大力量。请注意夏连生对陈晓军说的那段话：“……组织上对我这么好，同事们对我都这么好……”京唐港的人们，上上下下，左左右右，前前后后，都在用感情感染着感情。

京唐港人，爱港爱在骨子里！

写京唐港这些年来所涌现出来的模范人物和先进工作者，我们还真的有些为难了。那么多的先进、劳模和英雄，写谁不写谁？仅已经走入我们视线记录于我们的采访本的，就有这么一个十分壮观的“队伍”了——

储运公司库管员陈贵民，装卸公司调度室主任王大勇，拖轮公司党支部委员、航标主管李光，技术管理部副部长王荣山，总经理助理兼装卸公司总经理王瑞杰，总公司副总经理李建振，总调度室主任赵克非，拖轮公司经理刘维胜，储运公司经理王纯生，引航站站长、特级引航员赵秋玉，业务部部长兼物流公司总经理张小强……他们都在各自不同的工作岗位上，做出了突出成绩。京唐港之所以日新月异，有着突飞猛进的发展，就是因为有他们，以及更多的诸如赵贵民、钱大勇、孙光、李荣山、周瑞杰、吴建振、郑克非、王维胜等先进、模范和英雄们的爱港情结、敬业精神所取得的。

花开满树，单表几枝。

王瑞杰是一位杰出青年。1990年，王瑞杰从武警部队转业，被分配到京唐港工作。他曾历任门机司机、门机队队长等职。从部队转业来京唐港之初，他对电工知识知之甚少。在实际工作中他认识到，做一名合格的门机司机，不懂电是不行的。于是他买了许多《电工基础知识》之类的书籍，从易到难开始自学，并虚心向电工师傅们请教。有时为了弄清一个电子元器件的构造，他就找来已报废的元器件进行拆卸分解，然后再按图一件件对照着组装，直至弄懂为止。他学完了《电工基础知识》，又开始系统地学习《电工拖动知识》，作了近10万字的学习笔记。这些知识为他提高门机修理技术打下了坚实的基础。他坚持理论与实践相结合，边学边用，在排除故障时将电器的故障记录下来，然后查找资料，分析原因，直至找出排除故障的办法。王瑞杰成了修理门机的技术能手。

前几年，京唐港从青岛港购进了两台已使用过14年的旧门机，门机上的电器都是旧型号，并且电缆老化，工作起来稳定性极不可靠。王瑞杰凭着对门机修理的熟练技术，带领一班人对那两台旧门机进行改造，使门机的工作性能得到了全面提高，一下子就为单位节约了近8万元的维修资金。王瑞杰以身作则，扎实做好自己所负责的每一项工作，表现了他作为一名共产党员应有的品格。一天夜里，有一施工船因大风撞在了挡沙堤上，船舱里进了水，被拖到了一个泊位里。这时候，如果不把船舱漏水处吊离水面，排水堵洞，船将沉入泊位水底，麻烦可就大了。危急关头，王瑞杰主动请缨，和工友们一起下决心要把船吊起来。当时大家都为他们捏了一把汗，因为稍有不慎，将造成机倾人亡的严重后果。王瑞杰和工友们凭着过硬的技术，利用海水的浮力，并随着潮水涨落，直至将船舱里的水排净并堵住漏洞，才从门机上下来。王瑞杰在工作中不怕脏，不怕累，兢兢业业，一丝不苟，有着极强的事业心和责任感。对他来说，工作中加班加点是家常便饭。多年来，他没与家人一起过一个团圆年，很少休过一个完整的星期天和节假日。有一天，王瑞杰的母亲因病住进了医院，公司领导让他去医院照顾母亲。可是，3.85 万吨矿粉船马上就要在 5 号泊位靠港停泊。5 号泊位是 1.5 万吨级泊位，靠 3.85 万吨级的船只能乘高潮进港，在低潮前卸出 5000 吨才能保证船舶在港的安全。并且这条船卸的快慢对今后此类货源能否在京唐港上岸至关重要。他坐出租车到医院匆匆看了一眼病中的母亲，就含泪回到了生产现场……

像王瑞杰这样的奉献者，在京唐港为数不少，他们在接受我们的采访时都说："干工作，能把自己所负责的事情做好，能把自己应承担的责任担当起来，让组织放心，让领导满意，让周围的同志们都有一个好的评价，认为自己还行，是件很愉快很幸福的事。"

是的，劳动着和奉献着就是一种愉快，一种幸福的事，这是因为他们热爱自己的港口，热爱自己的事业，也热爱自己的生活——这就是京唐港人的人生哲学，这哲学渗透了他们的灵魂与行为。

如今，王瑞杰已不是当年当门机司机当门机队队长的王瑞杰了，而是总经理助理兼装卸公司总经理的王瑞杰，他的责任重大，身上担子格外沉重。京唐港共有员工 1000 多人，装卸公司员工人数占了四分之一。人多并不是他肩上担子沉重的主要原因，人多加强管理就是了。关键在"装卸"二字上呢！不论京唐港的年吞吐量是几千万吨，还是上亿吨，都是要靠他们装卸公司来完成任务的。就像打仗，装卸公司是港口最前沿的阵地，是硝烟弥漫的战场！在那里，任何夸夸其谈，任何纸上谈兵，都是毫无用处的，要的是实打实，硬碰硬！

王瑞杰和他的装卸公司全体员工们，是好样的。2006 年，按上级下达给他们公司的装卸任务，他们已超额完成了 800 万吨。

李光，现任京唐港航标主管，是一位许振超式的好员工。

李光 1990 年应征入伍，在海军部队里就从事航标管理工作。1994 年转业来到京唐港后，就对港区不规范的航标设施提出了积极的改进意见。首先是对 5 万吨级航标灯质和发光周期的调整。原导标的前中标为 4 秒单闪，后中标为 6 秒双闪，不能突现同步。李光提出将前标改为 0.25 秒等明暗快闪，后又改定为定光，大大提高了航船的安全。原设在航道内的活节式灯桩，每座造价十几万元，安全系数又低，在使用中曾有 5 座被先后撞沉。李光改活节式灯桩为经济适用的 24 米浮标，既经济，又提供高了安全系数。

在航标主管岗位上，李光还进行了自行布标的创新。1998 年，2 万吨级的航道疏浚完工后，所有航标都要重新布设。当时是京唐港最困难的时期。为节约支出，他提出了自行布标并得以实施，一边实施一边学习用 GPS 定位。经过 180 天的奋战，他带领员工们安全起标 20 余座，为单位节约了大笔资金。自行布标，既是李光的大胆尝试，也是京唐港人的一次创举。

在京唐港，张小强是业务部部长兼物流公司总经理。别看他手下只有 21 个人，他这个岗位可是个带有战略意义的重要岗位。

张小强是河北遵化人，1994 年河北农大毕业后分配到京唐港。在河北农大，他学的是农业机械，京唐港有个机修厂，于是张小强就被分到机修厂里去了。其实，农业机械和京唐港的这个港口机械修理厂，绝对是“驴唇”对不住“马嘴”的，可世界上的事往往就是这样，要不然怎么会有“阴差阳错”这个词呢？

既然来了，就好好干呗，张小强在机修厂一干就是 3 年，直到1997年，他才开始干业务。

据张小强介绍，1997年那会儿干业务，就是坐门等客，来货就干，不来就算。刘卫民任董事长后强调："等米下锅就是等死！"从此才开始有了紧迫感，才知道干业务要有个清晰的思路，要有目标，要有意识去追去求。想想也是的。环渤海湾的港口那么密集，京唐港西有天津港，北有秦皇岛港，眼皮子底下又有个孪生兄弟曹妃甸港，按常规去发展的确没有出路，因为自己确实不存在什么"比较优势"。

张小强笑着自我介绍道，可能刘董事长、孙总经理发现了他还是个有点脑子的人，就把他调到业务部部长、物流公司总经理的领导岗位上了。常说"不在其位不谋其政"，也是有一定的道理。没到领导岗位之前，对业务对物流方面的事他虽然也想，但很少往深里往细里去想。到了领导岗位上就不一样了，他就要尽职尽责了。可这个"业务部""物流公司"的"职责范围"有多大呢？说小也可能很小，说大就能大得无边无沿。因为这是一个"物流大市场"，也可以大到"全中国"，也可以大到"全世界"。

别管这个"市场"有多大，张小强总是干得比较出色吧，就连刘董事长都夸他"动脑子了"呢！

出任业务部部长和物流公司总经理后的张小强，首先把"会员"开始了分类：直接经济腹地上的稳定客户，被他称为"核心会员"；重点大型企业的固定客户，被他称为"支柱会员"；间接经济腹地及重点在建企业客户，被他称为"战略合作会员"……接着，他开始了做"过细地"工作。21个人有21个人的不同分工，没有一个人会蹲在办公室里闲嗑牙，谁也没那个闲工夫，人全都"下去"了。张小强布的有两张"网"，一张"外网"，一张"内网"。所谓"网"，并不是他们要设置一个什么"陷阱"，逼着一些企业"就范"，并不是他们要去拆兄弟单位业务方面的"台"，而是要与广大客户建立友谊，结交朋友，向客户们介绍京唐港的“好”，参与市场公平、公正的竞争。比如他们是这样拉国丰钢铁企业在他们那里“下水”的——丰南县是个钢铁企业比较集中的地方，多年来一直不知道用外来矿石。当地矿石资源虽然非常丰富，可用外来矿石可降低钢铁生产成本。工作这么一做，“国丰钢铁”开始用外来矿石生产了，一生产尝到了甜头，从此年产钢铁 500 万吨，年外进矿石 200 万吨，就都在京唐港下水了。

董事长刘卫民十分赞赏张小强他们的智慧之举，说：“与周边港口竞争，最多是超过他们。与世界港口竞争，才能走向世界。”

目前，善谋实干的张小强，正在按照董事长的思路，带领他的 21 名精兵强将，把“物流圈”越画越大。

字典上讲：“单位”除特指计算长度、重量、时间、温度等标准量外，再就是指机关、团体或其所属的部门。

“单位”二字在国人心中，曾经被看得比“家”还重要。因为“家”只是一个让人歇息和获得天伦之乐的港湾，“单位”里才有每一个人的事业、追求、理想、友谊和希望，甚至才有一个人赖以生存的经济来源，等等。可是，这些年来，不知有多少老同志写文章，写回忆录，抒发“有单位的感觉真好”的情怀。近些年来，不掩饰地说，即改革开放以来（虽然经济腾飞国家所取得的成绩无可否认），别说民营企业和国有企业，就是在某些“机关、团体或其所属的部门”里，在那些连字典上都承认可以称作“单位”的单位里，“单位”的“感觉”也没那么好了。人与单位之间，单位领导与领导之间，被领导与领导之间，同事与同事之间，什么“友谊”“事业”“理想”“希望”，等等，真不知该用个怎样的词儿来恰当地表述了。就连那份用于赖以生存的微薄工资，也不太想给了……

而在京唐港，却是别有洞天的一片新天地！

京唐港是国有股份制企业，属唐山市属企业，却又是一个自主经营、自负盈亏单位。在这里，公司设置有党委、团委，中层设置有党支部、团支部，基层设置有党小组、团小组。在京唐港，有着浓厚的政治气氛，有着充满勃勃生机、健康向上的文化氛围。

李贵琢担任京唐港股份有限公司党委副书记兼纪委书记、工会主席和监事会主席等职。分管负责组、宣、办、工、青、妇等一切党委应该分管的工作。在接受我们采访时，他说："刘卫民董事长兼着党委书记，就好比在部队，他是司令、政委一肩挑。可他毕竟只是一个人，不是两个人，全公司以及公司以外与公司有关的那么多大事在等着他去处理，去表态，去安排，去落实，他比谁都辛苦，我这个当副书记的，就没有理由不把所分管的工作抓紧抓好，高标准负起责任来。甚至不在我分工之内的事，该管的也要管，这叫分工不分家嘛！"

李贵琢书记也是军人出身，满身的豪气，耿直、正派。用他自己的话说，他的最大特点是：能把复杂的事情变简单了。李贵琢书记也是挺有"个性"的一个人，凡事，他有他的视角，他有他的独到见解，一句话，他是一位"有自己思想"的人。可当我们问及"班子"的话题，他却慷慨激昂，说了这么一段令人感动的话。他说："这个班子团结一致，没有杂音，关键是刘卫民这个'班长'当得好，他从不做推诿扯皮的事，如果工作中出了事，事再大再小，他都敢于承担责任，从不抱怨这个抱怨那个的。"

这是最可宝贵的品德。大到一个国家，甚或是一个地方，一个单位，那位"最高首长"干脆利索，不推诿，不扯皮，有了荣誉与民共享，出了问题敢于承担责任，这本身就是政治，是最重要的政治内容之一。我们每个人都不难想象：一个不敢承担责任的领导人，能把他所领导的单位，"领导"到怎样一种昏天黑地的混乱局面……

在京唐港，“政治气氛浓厚”表现在方方面面。比如：定期召开的党内民主生活会、支部工作经验交流会，常年设置的“党员先锋岗”，以及灵活多样的政治学习制度、思想汇报制度，等等。这些原本“务虚”的内容，在京唐港都可看可触。比如党内民主生活会，党委书记即使再忙，一般都会参会，并亲自组织学习胡锦涛总书记关于“保持共产党员先进性”方面的重要讲话等；比如常年设置的“党员先锋岗”，就更具体到“岗位”和党员“个人”了……

京唐港更有着充满勃勃生机、健康向上的文化氛围。且不说公司诸如五一、十一、元旦、春节等节日约定俗成举办的各种文艺演出、团拜会、茶话会，也不说公司免费对职工开放的图书馆、阅览室，以及每每有新员工到港召开的欢迎新员工座谈会，建军节与驻港部队、转业军人举办的联欢会等，仅每周八版的《京唐港新闻》报，设置的“要闻”“党建”“生产”“运营”“管理”“观察”“纪事”“技术”“模范”“战略”“风尚”“文化”等丰富多彩的栏目，就足以把全公司的文化生活活跃起来。

采访装卸公司党支部书记沈孝达，他深有体会地对我们说：“做一名优秀的政工干部，也是挺不容易的。一名优秀的政工干部，不仅要有文化理论水平，更要在广大职工群众中有号召力和凝聚力，要把思想政治工作做到每位职工的心里去。”沈书记向我们介绍了他们党支部在生产第一线开展思想政治工作的具体做法。一是充分利用班前会、船前会 5 分钟 8 分钟的时间，一天几次地向职工宣讲和传达国家政策、上级精神，以及对每位员工的具体要求，大家都铭记于心；二是常年开展互助友爱活动，随时掌握每位员工的思想动态、家庭状况，家庭困难的及时给予救助，等等。

“人是需要关怀的。有了成绩需要表扬鼓励；遇到愁肠百结的事需要开导劝慰；遇到困难，无论是精神层面上的还是物质层面上的都需要救助。只有这样，员工们才有归属感。”沈孝达书记说。

人有“归属感”太重要了！

这使我们想起了另一位青年工人的“转变过程”：

葛希峰是京唐港运营保障部的一名青工，前几年因年轻气盛，讲哥们义气帮朋友打架失手而栽过跟头，从此自感前途无望，破罐子破摔。遇上他爱人患脑瘤家里出现了过不去的坎儿了，单位组织全体员工为他捐了款，使他体验到了单位的温暖、工友们的友情，使他重新看到了人生的希望——“原来单位领导和同事们并没有抛弃我！”从此他就像变了一个人似的，不但工作表现好了，而且有了上进心，连年技术考核都是全优，成为单位里一名优秀职工。

在京唐港采访的每一天，我们都被京唐港人的“团队精神”感动着。无论是领导与领导之间，股东与股东之间，领导与被领导之间，还是各中层、基层单位之间，机关单位与生产一线单位之间，以及员工与员工之间，京唐港人与客户之间，无不处处充满着亲和力、感召力和凝聚力。

“对于任何一个单位，团队精神都是非常重要的。”刘卫民董事长说。

为了培养、锻炼京唐港人的团队精神，公司还专门拿出培训经费，把员工拉到北京进行“拓展训练”呢！

所谓“拓展训练”，是国外一家公司设计制作的专门训练团队意志、毅力、合作能力、生存极限挑战等诸多课题的一种超常规训练项目。在一系列训练课目过程中，每个人的每一个动作、每一句话，甚至每一点细微的“个人主义”行为，一旦出现了与所属团队不协调，都会导致不可想象的严重后果。比如要钻过一架铁丝网，网眼有大有小，团队成员有胖有瘦，要胖瘦搭配得当，才能钻过网眼。一人钻不过网眼，就算“触电身亡”，标志失败。比如两个人面对面要走过一座独木桥，配合稍有不紧密，哪怕一点点的疏忽，就会“跌入河中”……

“公司专门拿出培训经费，对员工进行拓展训练，就是为了增强大家的团队意识，树立起大家的团队精神。”党委工作部部长马志刚、副部长李杰同志向我们介绍说。

“团队精神”的形成、发扬和光大，使京唐港人整体素质得以提高。树立社会主义荣辱观，打造诚信京唐港，京唐港人已把“服务人民为荣”的荣辱观根植于每个人的心中，落实到了每个人的日常生活和工作里。刘卫民董事长对此这样认为：“办企业，一为职工谋利益，二为区域经济发展作贡献，三作为服务行业，心里要想着客户，为客户在京唐港实现最大利益而尽心尽力。没有客户谈何发展？”

京唐港人的整体素质，就是在这种不断灌输清晰经营理念的先进思想文化中得以提高的。京唐港人明白，单位利益就是他们的个人利益，客户利益就是他们的个人利益，这是一个“利益共同体”，他们每个人都应自觉地、积极主动地从方方面面来维护这个“利益共同体”。正由于此，公司涌现出了那么多先进工作者、英雄人物和劳动模范。京唐港人“爱港爱在骨子里”，那可是一句没有丝毫夸张的赞美。

2003 年的那场风暴潮，对京唐港人的“团队精神”，是一次考验，也是一次检阅。

2003 年 10 月 10 日，一场大暴雨伴以 11 级的狂风和由此而引发的风暴潮突袭了京唐港。雨越下越大，潮水越涨越高，电闪雷鸣，狂风大作，暴雨如注，海浪滔天……仅几个小时，货场就积水盈尺。铁路运输受阻，进港列车无法装卸，部分散垛已被大水冲垮！

严峻考验面前，京唐港人以解放军大无畏的“抗洪抢险”精神，与暴风雨、风暴潮展开了搏斗。刘卫民董事长到南方出差没有回来，获悉遭遇风暴潮彻夜难眠。孙文仲总经理、李建振副总经理亲临现场，组织抗风暴战斗。是的，这是一场战斗，其严峻性绝不亚于那硝烟弥漫的战场。因为这里时刻都有将人置之死地的危险。狂风将人掀到海里可以使其丧命，塔吊等各种码头机械设备和设施被刮倒在地砸住人可以使其丧命……更何况又是在夜间！

面对危险，甚至可以说是面对死亡，京唐港人没有人退缩半步。储运公司副经理裴俊先从 10 日下午就带领员工们顶风冒雨对保税区的几十垛货物进行苫盖，一直干到第二天凌晨。副书记刘庆林、铁运科科长刘德权等，都战斗在抗风暴战斗的最前沿阵地上……根据分工，大家有条不紊地与暴风雨和风暴潮作斗争，所有员工都坚守在各自的岗位上。经过两天两夜、连续作战，直到 12 日上午，才终于使港口恢复了生产。在这场抗风暴战斗中，贾生银、刘志忠、裴建辉、王凤利、王俊陆、马永龙、李国伟、李安明……他们有的是负责对门机的就地加固，有的是负责排水，有的是负责排除各种故障，等等，虽分工不同，但都在各自的岗位上做了突出贡献，充分表现出了“特别能战斗”“特别能协作”的团队精神！

京唐港人爱港，已经爱到了“下意识”境界。

有这样一件小事，挺能说明问题。一天，董事长刘卫民坐车路过港区，看到有一个人用自来水冲洗摩托车。车子开得快，隔着车窗玻璃，刘卫民并没有看清是什么人在用自来水冲洗摩托车，车子一闪就过去了。到了办公室，刘卫民立即打电话让负责保卫工作的同志把那个人喊了来，原来是他的一个老熟人。老熟人早些年曾在港区当过临时工，好长日子没来过京唐港了，那天骑辆摩托车来港区里转转，看看摩托车有些脏，港区如今又安装上了自来水，挺方便的，于是就拧开水龙头冲洗开了。

“老熟人也不行！”刘卫民批评老熟人，“你知道这自来水多少钱1吨吗？三块多！你咋不用你自家的自来水冲呀？”老熟人被刘卫民狠狠批评了一顿，面红耳赤……

就这么一件小事，难道作为管理着那么一个大企业的老总，也要亲自过问吗？如果连这样的小事都要亲自过问，是不是有点儿太小家子气、太琐碎、太没有大将风度了？可刘卫民不那么看，他认为，港区的一草一木，一土一石，甚至是一滴清水，一片树叶，都是不容随意糟蹋的。

艰苦奋斗，勤俭节约，与让全体员工得到越来越丰厚的收入，过上越来越富裕、舒适的日子，并不是矛盾的，对立的，而是统一的。京唐港股份有限公司领导集体一面严格要求员工要发扬艰苦奋斗、勤俭办一切事情的革命传统，一面在考虑着要不断为员工增加工资，提高福利待遇。如今，在京唐港，工作餐是免费的，服装是免费的，图书阅览等许许多多文化生活，体育活动，都是作为“公益事业”来做的。员工的薪水待遇也一年比一年提高。现在，比如一个门机司机，在京唐港，每年可拿到5万元。像赵秋玉那样的专业技术人员（特级引航员），年薪可拿到20万元。在京唐港员工中，买私家车的已不在少数。也许与一些地方相比，京唐港员工的收入并不是最高的，可是，要知道，这里是一个只有17年建港史的新港口。2007年，京唐港的年吞吐量将接近翻番，三五年过后，这里将会有一个裂变，会是一个更加兴旺发达的模样！

京唐港的确前途无量！

最近，正当我们结束这部作品的采写之时，又有好消息传来：中共河北省委常委、新任唐山市委书记赵勇同志，深入唐山海港开发区调研，调研结束后发表了振奋人心的讲话，为唐山、为海港开发区，更为京唐港人，给予了巨大的鼓舞和鞭策！

赵勇书记说：胡锦涛总书记提出建设好唐山港（曹妃甸）科学发展示范区，这是对我们提出的崭新要求，是我们的责任，是我们的光荣。京唐港和曹妃甸之间75公里，这75公里是一个偌大的工业走廊。以这个工业走廊为主，周围可以建立若干功能区。每个功能区要有各处的特点，特点要鲜明。未来的发展将在许多方面超乎人们的想象。按部就班，就无法让我们看到未来的宏伟蓝图。一定要找国际一流的专家来做大的规划。现在我们面临的机遇是崭新的机遇，要“抢”这个机遇。明天的唐山将是一个崭新的唐山！一座能够直接看到海的城市。它将是中国乃至世界一流的海滨城市。

是的，唐山正在向辽阔的大海靠近，靠近大海的唐山无疑是一个全新的城市，她向世人展示的是中国的气魄！而作为建设新唐山大战略中的桥头堡的京唐港，刘卫民他们更明白在这千载难逢的机遇中，如何更加开阔眼界，放开胆子，将自己的“北方大港”建设得更加美丽光彩，不负使命。

呵，京唐港，你的明天让人羡慕、让人向往！

2006年11月22日至12月10日
写于河北唐山京唐港大厦·北京

『国绣手』姚建萍

美，就像爱一样，可以征服世界上每一个人，也可以融合世界上任何不同民族、不同人种的不同价值观。美，还可以让人在物质和能力不可及的意境里，充分享受内心的那份愉悦和温润。美，因此也使我们对它有特别的向往与渴求。

美，自然让我们对那些创造她的人肃然起敬。

——采访手札

今年的春节，对苏绣传人、刺绣艺术家姚建萍来说，可谓喜上加喜：她收到了来自大洋彼岸的墨西哥总统亲笔发来的感谢信：

姚建萍艺术大师：

在我访问中国时习近平主席赠予了由您制作的精美绝伦的苏绣作品。您用精湛技艺，经过呕心沥血制作而成的作品，凸显了中华民族艺术的深厚底蕴。谨借此信，对您表达深深的谢意！

致以诚挚问候！

墨西哥总统 培尼亚·涅托（签名）

2015 年 2 月 18 日

不知总统先生是否有意：他签发感谢信的第二天，正巧是农历羊年初一。

其实我知道，在 2014 年一年中，姚建萍的艺术作品，就有四五次作为中国领导人出访和出席重要外交活动中的“国礼”，而她的作品每一次亮相，无不让外国元首与政要们惊喜不已，为之倾倒。从 1996 年为马来西亚总理创作的苏绣《马哈蒂尔》开始，她的作品已经有数十次作为国礼，由国家领导人赠予外国元首、政府总理。她因此也有了“国绣手”的美誉。

已有2500多年传统美誉的苏州刺绣，是和“小桥流水”一样美妙绝伦的“苏州名片”之一。绣娘出身的姚建萍，凭借她艺压群芳、善于独创的才华，成为这一中国传统手工艺技术无人匹敌的非物质文化遗产传人，闻名遐迩。

站在我面前的她，与想象中的姑苏绣花大师的形象天然吻合：美的人、美的瞳和不可复制的手指的纤柔与玲珑之美，芬芳四溢。

她说：“2014年一年，我应邀在清华大学美术学院开设的中国刺绣专项研修班上做导师。为18名学员教授了一年。这是清华美院开设的第一个刺绣专业的高研班。我的任务是，通过自已的经验，教授和培养中国新一代‘能绣懂画’‘能画懂绣’的双向性刺绣专业人员，并将这些学员从‘匠’带到‘师’的地位……”

她们的“手艺”登上了大雅之堂！清华以期待和渴望之意，热烈地拥抱了姚建萍的艺术之美。姚建萍则又以其专注、专业和无私的奉献精神，回报了清华的盛邀之情。她的18名来自广东、湖南、新疆等地的刺绣学员，如一只只美丽的蝴蝶，开始了各自的“大师”飞程……

然而我更知道，这仅仅是2014年里姚建萍美丽织彩的一道风景而已。

“丝路”飞彩

2014年8月16日上午，正当姚建萍和姑娘们忙着为即将在法国举行的中国政府和联合国教科文组织联合举办的“丝绸之路与创意城市”展览，准备一幅新的国礼作品——《丝绸之路》大型主题作品时，一批尊贵的客人来到她们面前。走在最前头的，正是彭丽媛女士。随行的是一群肤色各异、衣着鲜艳的女士。礼宾翻译介绍，她们是国际奥委会名誉主席罗格的夫人、国际奥委会主席巴赫的夫人、布隆迪总统恩库伦齐扎的夫人、瓦努阿图总理纳图曼的夫人、黑山总统武亚诺维奇的夫人等。

满脸笑容的彭丽媛带着尊贵的夫人们进屋后，首先被姚建萍的巨幅绣作立屏《和平之歌》所吸引，那艳丽光芒、花团锦簇、鸽鸟展翅和国色天香的牡丹，呼之欲出，寄寓和呈现着满满的和平、福祥之感，令夫人们叹为观止，合影留念。

彭丽媛领着夫人们观赏了姚建萍的作品，又见“绣娘”们专心致志在绷架上飞针走线，她们个个兴致盎然，跃跃欲试。

“我们来试几针行吗？”

“行！”

姚建萍笑盈盈地请夫人们在绷架前坐下，亲自给大家示范穿针引线和锦上刺绣。夫人们好不兴奋，一个个情不自禁地动起手来……

那是一个无比美好的情景，也是一段难忘的时光。给予姚建萍许多鼓励和肯定，并希望她把苏绣这一传统工艺传承好，推动民族艺术走出去。

“习近平总书记提出的‘丝绸之路经济带’和‘21 世纪海上丝绸之路’的战略构想，承接古今，连接中外，赋予古老丝绸之路崭新的时代内涵，其实也给我们传统刺绣艺术的发展带来不可多得的机遇。”谈到这段经历，姚建萍仍然抑制不住自己的兴奋。

2014 年 9 月，姚建萍和团队创作的大型刺绣作品《丝绸之路》在巴黎引起轰动。在展览和会议现场，她几乎成了中国“一带一路”的形象大使。

“东方刺绣艺术和古老的丝绸之路传奇，把我们一次次征服。姚女士的作品，则用一针一线，拨动我们每一根兴奋的神经向东方看齐……”一位法国政要如此说。

是的，这就是艺术不可思议的独特魅力。

绣像传情

姚建萍参加完巴黎展览回国的时间是 9 月 21 日。下飞机后，她打开手机，第一个电话是北京打来的 ：“姚大师吗？又要请你完成一项新任务了——为墨西哥总统夫妇绣一幅像，两个月后总统访华时，将作为国礼赠送。有问题吗？”

“没问题，保证完成任务！”

姚建萍口言“没问题”，但把所有泰山一般的分量压在自己身上 ；她说“应该的”，是因为她知道自己是在为国家争荣誉，这份责任，是她作为中国工艺大师必须担当的。

给外国元首和著名人物绣肖像，对姚建萍来说已不是头一回。二十年前，她怀着对人民的好总理周恩来的崇敬之情，决定把意大利著名摄影家的那张周恩来坐姿的《沉思》照片，绣成工艺作品。这是一次苏绣创作上的重大突破，因为照片与刺绣品之间存在光与立体感完全不同的艺术质感。为这，姚建萍花了近一年工夫，从大处把握整个人物画面的光影转换和色彩的变化，小至每一个细微之处——比如周恩来脸上的老人斑、手背上的筋脉，尤其是凝聚在总理眉宇间那肌肉丝理的变化，都让她反反复复、无数次运用不同针法进行比较试针，最后寻找到最佳的飞针走线方案。

《沉思》绣品艺术，在 1998 年首届中国民间艺术博览会上获得金奖，让姚建萍一举成名。之后的姚建萍在人物肖像上的创作，越加娴熟，步步登高。从《母亲》《盛装苗女》，到《邓小平》《钱学森》，再到《蒙娜丽莎》《椅中圣母》……她的肖像绣品，一次次应邀参加各种国内外艺术大展，或作为国家领导人出访携带的国礼赠予他国元首、政府首脑。

对一个创作者来说，“无题”创作是最自由和最能发挥自我能力的艺术。对像制作国礼这样的“命题作文”来说，艺术家们通常是最头痛的，因为这样的创作“自由度”首先被禁锢了，其次“必须是最高水平”，要为接受国礼的对方——通常是元首和政府首脑自己高度认可，因此可以想象其创作的艰难程度。“国绣手”姚建萍接受的所有任务，基本都属于这种情形。

为墨西哥总统创作的作品，是又一件重活。姚建萍不仅没有见过这位总统，而且连他的名字都不知道，长得啥样更不用说了。更何况还有一个无法犹豫的问题：时间，仅仅五十来天。真人的肖像创作，对艺术家来说，素描一关几乎是不可能少的，但姚建萍不可能有这种机会，她只能通过报刊、网络等手段，从那些毫无立体感的照片和电视镜头里寻找那位身在大洋彼岸的培尼亚·涅托总统，还有他的夫人。最后，姚建萍选定了总统夫妇在四年前结婚之际甜蜜幸福的瞬间笑容的照片作为创作蓝本。

为一位陌生的重要人物刺绣肖像，且仅以有限的几幅照片作参照，创作成尽善尽美的艺术作品，绝非易事。为求得对素材透彻和仔细的分析，姚建萍首先安排设计人员对创作对象的肖像进行细节处理和块面剖析，尤其紧抓画面主题与背景的艺术关系，突出总统与夫人之间的亲密和美感，最后姚建萍选定了总统和夫人依偎在一起的半身双人肖像作为创作稿。

“又要出差啦？”家人见姚建萍又在收拾行李，便问。

“不，就在几百米外的镇上……”姚建萍头也顾不得抬。

“哪还用得着行李？”

“自然用得着！这回新作品，时间太紧。少则七天，多则半个月，我得先把作品的主体部分一气呵成才敢回家呀！”

这就叫创作——全身心的投入，不能丝毫分心。其后的七个整天，姚建萍把自己关在工作室里，足不出户，吃住在此。都说绣娘有在绷架前静坐三天三夜的工夫，那姚建萍的本领就该比这高出几倍。七天后，当姚建萍支起麻木的双手，将绣作上的粗稿图放在眼前时，助手们围在她身边，欣赏着师傅巧手勾勒出的“总统”夫妇那亲密无间、伉俪情深的表情与姿态，以及准确到位、生动有神的脸部轮廓和眼睛，连声赞叹“太美啦！”……这是作品的核心与灵魂，有了它的成功，便有了整部作品的基础和方向。

紧接下去的，是要对线条折光度和粗细进行把控，以及面部五官间冷暖色调的混搭与不见痕迹的巧妙过渡，力求让作品达到似照片而非照片、似油画而非油画的境界，这才是刺绣的艺术境界！内行人知道，面部轮廓和表情其实是最难的艺术创作部分，姚建萍根据西方人面部棱角分明的特点，巧妙地运用光线，改变了以往运用渐层加色打造阴影轮廓的手法，转为果断施针的手法，直接打造阴影轮廓，从而凸现面部棱角，最后效果极佳。

因为是原创，姚建萍必须自己动手、跟踪到底。这次有关部门对尺幅的要求也大，给绣制工作带来难度：如果适当卷起来绣，会因为看不到全貌而影响随时掌握整体艺术效果；如果全面展示着绣，她坐着，手就根本够不着。怎么办？姚建萍一咬牙跪在地上，这样她的手就可以施展开来，同时也能边绣边观察全貌作品。

“跪绣”之中的姚建萍，忘了自己的年龄，忘了自己的双脚麻木，也常常把时间都忘了……如此“忘我”的超越，成就了她艺术上的又一次飞跃。

2014 年 11 月 13 日，国家主席习近平在人民大会堂向墨西哥总统培尼亚介绍中国提出的“一带一路”新丝路战略构想之后，赠送他一幅精美的中国苏绣《培尼亚和里韦拉》。

“太珍贵啦！”培尼亚总统看着作品上的自己与夫人的亲昵幸福情形，一脸惊喜。回国后，日理万机的培尼亚总统一直惦记着要给中国艺术家回信感谢。这，也就有了姚建萍在2015年初接到一封异国总统发来的“感谢信”这回事。

针尖芭蕾

我们也许还无法找到一种艺术，可以同纯手工的刺绣艺术的精致与细腻相媲美。有人说刺绣是由那些心境温润淡定、感情丰富细腻、手巧眼灵的女人们在针尖上玩出的芭蕾舞。这个比喻，堪称贴切。

我要说，姚建萍肯定是这一芭蕾舞的“女王”。

“闺阁家家架绣绷，妇姑人人巧习针。”苏州，人杰地灵，自古就有一批又一批创造中华艺术瑰宝苏绣的巧手妇姑。姚建萍无疑是其中的佼佼者。20世纪60年代出生的她，六七岁时便跟随母亲拿起细小的银针开始飞针绣花，并在这繁复而细致的手工技艺中觅到了无穷的欢乐。长大后的她，放弃高考独自去了苏州城里的工艺美校学习刺绣，后又拜访名师徐志慧求艺，在苦学精练中获得了苏绣艺术的最高技艺的熏陶，加之她超众的悟性和灵气，很快成为现代苏绣行业中无人替代的代表性传人。

小桥流水，山水人家；柳绿花开，鸟飞兽奔……姚建萍最初的创作对象皆是她故乡的景物，因为这样的景物是她生命和生活的一部分，她将其放在针尖下全不费功夫。在创作中，她变得优雅，变得精致，变得多情，变得细微，其作品充满了典型的江南之美。

后来她抬起头，朝远方凝视，于是有了一幅幅虎啸熊嚎、山风激荡、江河咆哮、林海雾幻、天宇星耀的浩荡雄浑、气象恢宏的作品。

再后来，她追求的是艺术创新与主题独立的时代风格和入情、入神、有语言、有温度、有思想的人文艺术。于是有了跟着“神舟”飞船遨游太空的《我爱中华》之作；有了被2008年北京奥运会收藏的《和谐——百年奥运中华圆梦》之作；有了献给建国六十周年的《江山如此多娇》的国家藏品；有了悬挂在人民大会堂的《春早江南》；更有了牵动海峡两岸同胞感情的《富春山居图》的合璧长卷和唯一进入第28届世界遗产大会主会场的中国艺术品《世纪和平——百鸽图》。

“姚建萍用针线这样极其有限的手段能绘制出一幅幅有人文精神和充满感情的画面，犹如一位出色的舞蹈艺术家在极其有限的空间里自由地向人们施展自己的舞姿，不愧是‘针尖上的舞者’。”著名美术家邵大箴这样评价。

“她精湛的技艺出神入化，令人折服，深得一代‘绣圣’沈寿的神韵，又超越前人，耸立于当代中国绣艺的巅峰。”曾任中国文联名誉主席的周巍峙生前不止一次这样称赞姚建萍的艺术。

“如果把我比作舞者，那么我在绣品上的表演，一定是个有才艺、有思考的独立创作者，我的才艺追求也一定是我们民族最优秀和最高水平的，同时也是世界的和在历史长河中具有传承意义的精品展示；我的思考也一定是在传承和创新中，寻求更高、更完美的目标。”姚建萍给自己定出这样的人生追求和艺术高峰。

呵，中华艺术苑林里的舞者，我们期待你的舞姿更加优美奔放，光彩四射！

平凡与非凡之间

老刘是一个普通人，一个普通的军人，工作了39年，曾经担任过的最高职务是科室组长，直到退休仍是中级职称。像老刘这样的人，走在茫茫人海中，只如沧海一粟，没有人注意他，他也不会去注意别人，只管做自己的事、干自己的活，寻找自己的兴趣与价值……

老刘现在住在医院。谁都知道他的生命即将走到尽头，他自己更知道。

走廊和窗外时常传来病友们的一声声痛苦和绝望的悲吟，然而老刘始终一脸平静。他比谁都清楚：他或许比谁都会更快地告别这个让他十分留恋的世界。那一刻，老刘的内心是痛苦的，但他保持着人的生命尊严，保持着微笑。

“唉！到这个时候了，他脑子里还成天想着住院前那些没有来得及整理完的档案……”妻子无奈地在一边咕嘟道。

那个下午，我们一直在病房里聊天，聊他老刘过去当兵的日子，聊他几十年干的那些神秘而枯燥的工作，即使是聊到那些惊天动地的发现和曲折离奇的经历时，老刘的表情依然平静依旧。“我是个平常人，一辈子只奉行一句话：堂堂正正做人，认认真真干事。其他的啥也没有多想过……”

“在我眼里，他就是这么个人——很纯，很朴实，从来没有豪言壮语，干工作，应该是什么样就什么样。”妻子说。

老刘真正离开他心爱的工作岗位是今年5月底的一天。那一天老刘被告知他身上的癌细胞已经侵入髋髓和肺部，必须立即、彻底地住院治疗。解放军档案馆像为一位出征的勇士送行，特意将几十年来与老刘并肩战斗和工作的老战友、老馆长们请来与他一起照相留念。

“那一天老刘哭了。”妻子长叹一声，道。我转过头，见坐在沙发上从不轻易动过感情的老刘，此刻竟然两眼通红……

“保重老刘！”离别时，我想对一位诀别的人说句安慰的话，但怎么也找不到。

“没事。我挺好的……”站在病房门口的老刘依然保持着他的“刘式微笑”，向我挥手致意。转身那一刻，我发现自己的泪水已经盈满眼眶……

老刘要走了。然而这样的好人是不应该走的。这个生物世界就是这么残酷：应该消失的没有消失，不该消失的却要消失了，而人类因此才有了值得回味的一幕又一幕——

2009年6月1日，中国人民解放军总参谋部。一场隆重的将军晋任仪式举行。面对34名肩上扛着闪闪发光的将星的新将军们，总长陈炳德的神情突然凝重地宣布道：现在我们要举行第二个议程，研究讨论总参谋部党委作出向一个普通军人学习的决定。

陈总长异常深情地说：当将军是所有军人的梦想，但能够真正当上将军的是极少数人。绝大多数军人都只能是一个普通军人，一生都可能是在默默无闻的在岗位上工作。今天我们之所以作出向一位普通军人学习的决定，就因为我们是人民的军队，因此不论他的职位多高，为人民服务、为祖国服务始终是我们的宗旨。我们的全军将士都要向这样优秀的普通军人学习，学习他献身使命、忠诚事业的坚定信念，学习他默默无闻、甘于奉献的精神境界，学习他不畏艰难、坚毅顽强的昂扬斗志，学习他胸怀大局、执着追求的崇高风范。

“老刘就是刘义权啊？！”当总参谋部的众将军们拿起《决定》时，不由发出一阵轻声的惊叹与赞叹声。他们中许多人都认识老刘这人，却并不知道经常向他们提供档案材料和各种方便的“老刘”就是让军委主席胡锦涛也深深感动的优秀军事档案专家刘义权同志。

这一刻，老刘是所有将军们心目中的英雄和榜样。

2009年4月9日，一个普通的日子。这一天，解放军档案馆来了一批美国军人，他们是美国国防部代表团。在中美两国的军事合作中，有一项帮助查找朝鲜战争前后美军失踪人员下落的具体工作，是由解放军档案馆和美国国防部战俘与失踪人员搜索办公室（简称DPMO）来完成的。

“我们馆的一位老军人，为帮助贵军查找失踪人员的线索，他在2006年10月便介入了这项工作。在浩如瀚海的数十万件档案材料中，由他负责查阅的有6万余件。过去的两年多中，他以认真负责的精神完成了5万余件档案的查阅，在我们向贵国递交的《中美军事档案合作成果文件》中的很多重要线索就是这位老军人提供的。不幸的是在2008年9月，这位老军人被确诊为直肠癌晚期，并已转移到淋巴。然而这位我军的优秀档案专家，他从第一次动手术的那天起至今的8个月里，强忍病痛折磨，在一边放疗、化疗中坚持上班，以我们常人难于想象的毅力又完成了5000多件档案的查阅，并再次发现了贵国失踪人员的很多重要线索……”当解放军档案馆的负责人介绍到此刻时，美军代表团的将官们一个个面部表情异常激动和兴奋地争相提出：可以让我们见见这位中国老军人吗？

“可以。”于是客人们被带到档案馆的二楼。

“就是他——”

隔着玻璃门，美军代表们看到里面的一张简洁的大桌子前端坐着一位身穿白大褂、手握放大镜的长者，正聚精会神地埋头在一堆档案资料本里……

“老刘，快出来见见客人！”档案馆负责人轻轻喊了一声，朝他招招手。

老刘抬起头，当他看到门口簇拥着一堆异国朋友们时，放下手中的活，平静地从椅子上站起，微笑着走了过来。

“你就是刘?！了不起！”

“太了不起了！”

客人们激动地将老刘团团围住，纷纷抢着与他握手。“来来，我们与刘合个影！”不少人举起相机。

“No，No！我要先送个纪念品给这位亲爱的中国兄弟！”只见美国助理国防部长查尔斯·雷涨红着脸，一手将老刘拉到自己的身边，然后掏出一枚上面写着“保守承诺，你没有被遗忘”字样的特别纪念章，放到老刘的手中：“欢迎您加入我们这个家庭，您坚定的意志和力量一定能克服病魔。刘——您就是体现我们中美军事档案合作交流和中美两国军人友谊的最好见证人。谢谢您！”查尔斯双目闪着泪花，紧握着老刘的手说。

“哗——”一片掌声和闪光灯。

“刘，也请接受我的礼物——”这时，一直在抹着热泪的美军太平洋总部联合查找战俘与失踪人员司令部司令的海军女将军多娜·克里斯普缓缓走近老刘，将一枚写有“等待你们回家”的美国海军纪念章放进老刘的掌心，说：“我代表美军被俘失踪人员的亲属感谢您。对所有美国人民来说，刘，您是一位英雄，您用最珍贵的时间来为我们进行查找工作，我们感谢您！我们将一直为您祈祷，祈求上帝照顾您、帮助您！”

“Salute！”（英文敬礼）不知是哪位美军将官的提议，于是在老刘面前，美军代表团成员齐刷刷地向他举起右手……

那一刻，老刘这位普通的中国军人如同一座屹立于世界最高处的丰碑。

2006年5月的一天，在大洋彼岸的美利坚合众国的五角大楼里，这是又一个激动人心的场景：

当我国军委负责人将一份1956年中国空军击落美国一架海军飞机情况的档案仿真影印件放到时任美国国防部长拉姆斯菲尔德的手中时，这位素有“鹰派”著称的美国国防部长连声惊叫起来：“My God!My God!”（“天哪！”）

面对如此珍贵的一份档案材料，拉姆斯菲尔德不能不惊叹和惊喜，因为就在50年前，这架飞机被我军击落后，拉姆斯菲尔德的密友詹姆斯·迪恩便永远“失踪”了。由于日后的中美两国处在长期的敌对状态，无法在军事上有所沟通与交流。迪恩不见了，与迪恩同在一个飞行队的拉姆斯菲尔德却青云直上，官至军界最高职位。期间的数十年里，迪恩的妻子一直为丈夫的事无数次找过拉姆斯菲尔德。2005年10月，拉姆斯菲尔德访华，期间以私人的名义请我军委领导“帮忙”打听一下自己战友的下落。

我军开始“帮忙”。之后的一个多月里，担任此项任务的解放军档案馆对几十万件当年的档案进行了拉网式核查，最后终于找到了记录当年战斗经过和事件发展的档案，清晰而明确地佐证了迪恩的死亡事实。

“谢谢！太谢谢了！”拉姆斯菲尔德无数遍抚摸着记录迪恩死情的那份珍贵档案，屡屡向我国军委负责人道谢。这，对拉姆斯菲尔德太重要和有意义了，他总算可以了结对密友的一份挂惦，总算可以对密友家属有个交代。而这份档案还有一个特别重要的意义是，它彻底澄清了几十年来美国一些媒体借迪恩的所谓“失踪”散布一些不实谣言，以此来诬蔑我方。

“误会，中美两国之间有太多的误会。”拉姆斯菲尔德在道谢时，不忘就这一问题向我方致歉。

在同一次访问期间，我军代表团还向美国军方带去了另一组极其珍贵的仿真档案件：那是二战期间美国飞行员科尔中尉被中国军民营救过程的5幅自画漫画以及他日后写给中国人民的感谢信和广东东江纵队救护科尔的原始记录材料。科尔是二战期间作为“飞虎队”队员派到中国援战的。1944年2月10日，在一次执行任务时他的飞机被日军击落，科尔跳伞逃生成功。在日军展开地面大搜捕时，我抗日武装东江纵队紧急行动，救起了科尔。由于语言不通，科尔用漫画形式向中国军民讲述他如何执行任务并被日军击落逃生的全过程，这份珍贵历史资料是被我军档案工作人员收集并存放了起来。

“奇迹！太珍贵的奇迹了！”当我国军委负责人在美国国防大学向数百位美军将官展示这份中美两军联合抗击日本侵略者的历史档案资料，并决定将仿真件赠送给校长威尔逊中将时，美国国防大学的报告大厅内顿时响起雷鸣般的掌声。

中国军事代表团带去的这两份档案件，在美国军界和全社会引起强烈反响。于是中美两国的军事合作序幕也被徐徐开启……

“就是这两份档案，在中美两国的军事外交中起到了‘四两拨千斤’的作用呵！”军委领导曾多次这样感叹道。

现在我们知道，这“四两拨千斤”的档案，正是老刘和他战友们辛勤收集与提供的。

……

老刘要走了。那可恶的病魔每时每刻疯狂地在咬嚼他的每一块皮肉与内脏，其撕扯的疼痛与无情的折磨足以让生命出现天崩地裂……然而老刘依然每天脸不改色，平平静静，只有在同事不给和少给他那些需要查阅的档案时他才露出几分焦虑：“还有9000多件没有查阅，你们就多给我一点吧……”

说这句话时，他那瘦削的双肩会有些颤抖与哆嗦，但也是瞬息而逝。

军旅生涯几十年里，几乎听不到老刘特别地吼一声，也几乎看不到他直着脖子跟人争什么，像随时可以被人忽视的小卒，像海滩上不用去瞅一眼的沙粒，更像路边常常被人遗忘的小草。

一起从军几十年，有战友早已将星两肩扛，可他老刘到退休时还仅是一个科室组长，但老刘是闻名全军的军事档案专家。在各种全国性专业会议上，总有这样的场面：每每有人将“部长”“局长”“处长”“主任”等一大串要人介绍完后，才落到身材不高、略带驼背的最后一位“领导”身上：“这位是老刘……”这时的老刘脸上会泛起一些红晕，然后轻轻地举一下手，算是向大家打个招呼。

文凭、职称、军衔等吃香的今天，凭老刘作为全军档案系统从事时间最长、收集整理档案最多、做出贡献最大的档案专家，他完全可以信手而得个“研究员”“将军待遇”什么的，然而老刘一直没有得到过这些东西，他居然对此连一句牢骚话都没有。

老刘太平常了，平常得令家人和亲友们感觉他有些“窝囊”。可老刘就是老刘，每当这样的议论传到他的耳边，他会淡淡一笑，摇摇头，又去干他那些平平常常的事……

“谁说干我们这一行平常？”30年前，当老刘第一次接触那些被堆放在豫西山区的一个简易库房内的我军珍贵历史档案时，他惊诧，他激动，甚至灵魂都感到了强烈的震撼：原来我们的党、我们的军队是这样走过来的呀！面对一件件积满尘埃、散发着腥风血雨的烈士和伟人们在白色恐怖和战争年代留下的遗物与碎乱的各式各样电报、便笺，甚至是写在烟盒或草纸上的那些秘密通知和战斗手令，他老刘感到了肩头的千斤重担。于是从那天起，老刘就将自己的一生放置在那个神秘而无声的世界里……在那里，老刘与平时判若两人，并且不再平常，更有一次次惊天动地的创举——

15个月，近千麻袋的各种各个时代的我军历史档案，是老刘与战友们每天靠着一双手、两只眼睛将其一页页、一件件分类、甄别、整理和编目完成，这是人民解放军第一批最重要、最原始的珍贵军事史料，也正是因为它们的存在，成就了解放军档案馆的建立。

“绝不能销毁！”档案馆建立初始，有十余万件鉴定过的档案材料准备销毁时，老刘拼命出面阻挡：别看这些档案多数是重复的文稿，但上面有不同首长的批示和修改过的痕迹，这足可以证明首长们对重大历史事件的各种各样的思考与决策过程，难道这还不珍贵吗？老刘以行家的口吻摆出这么一大套理论，并且毫不犹豫地一头扎进那些满是尘埃且散发着霉味的纸堆里……数十天后，老刘兴高采烈地手捧近百件留有周恩来、彭德怀等领导人笔痕的纸片与文稿，像孩子似的欢呼起来。

因为老刘的这份贡献，我军档案工作条例上多了一条规定：“要注意保存决策生成过程中的档案”。

“老刘，中央正在制定《关于建国以来党的若干历史问题的决议》，需要查阅当年中央在苏区和长征时期的几次重要会议的原始档案，我们有吗？”这是20世纪80年代初的一个重要历史关头，档案馆接受了一项特别的任务。

“有啊，我能找得到！”老刘从接任务到提交整理和汇总的档案材料仅用了十几个小时。

“珍贵！珍贵啊！”中南海，起草《决议》的中央领导手捧老刘他们送来的史料，异常兴奋和感慨。

“老刘，任务又来了：党中央、国务院马上要讨论三峡工程上马的事，问我们有没有五六十年代关于三峡水利枢纽防空工程方面的论证方案？”

“有过印象！我马上找找……”老刘又一次飞步奔进他那熟悉

而堆积如海的档案库内，很快又找到了经他手整理过的12件相关档案，其中还有周恩来生前关于该工程的重要指示。

1983年，关于我军恢复军衔制的工作进入紧张而激烈的争论之中，军委领导急切地需要五六十年代军委总部关于编制评定军衔的各种文件。“明天就要！老刘，你能查阅得到吗？”馆领导心急如焚。

“没问题。”当晚，老刘干了一个通宵，将近500件有关我军第一次实现军衔制的历史档案查找并整理成册后提交到了军委。

5年后，全军恢复军衔制。老刘却成为第一批文职干部，并且一辈子没有如愿戴上军衔。“今天的每一名共和国军人，他们摸摸肩上的军衔时，都应当记住刘义权这个老兵的贡献！”总参的一位将军如此动情地说。

老刘要走了。他说他又要去那些遥远的地方寻觅复活历史的佐证，那便是他的全部生命和全部生命意义。“历史是有生命的，那些复活的生命便是最具价值的历史推动力”。19世纪初的意大利革命思想家在《把你们的热血献给国家吧》的著名演说中说：“殉道的天使和胜利之神的使者是亲兄弟；只不过是一位仰首望天，一位俯着向地；自有历史起，当两位天使在天地之间偶然碰头时，就会培育出一个新生命，也就是从摇篮或坟墓，从布道者或先知培育出新人物的时候了。”

难道老刘不正是这样的复活历史生命的布道者和胜利之神的天使吗？他一生走的路很远、很远，而每一次匆匆的步履间，总是迎来一个个复活的历史新生命和胜利者的本来面目，故而老刘每每远行的双足，也总是显得特别的铿锵有力，义无反顾。

镜头之一：某年，宝鸡火车站。

“站住：请出示你们的证件！”一个神情威严的警察突然将两个拎着大皮箱、身穿衬衣的中年人喝住。那是10月的秋寒时节，当地人早已穿上了外罩或毛衣，警察不能不对眼前这两位形态古怪、手拎重物的“可疑人”警惕起来。

“啊——我们是解放军呀！”

“解放军？”警察更加疑惑：“快把证件拿出来！”

“那好吧。”

“真的是解放军啊！”警察接过证件后，立即不好意思起来，“对不起同志，你们这是怎么啦？”

“我们是解放军档案馆的，出来两个多月了……现在正要回北京。”说这话的正是老刘，不过此时的他就是遇上了熟人恐怕也认不出他：一脸胡子拉碴，皱巴巴的衬衣又脏又黑，难怪警察误以为是抓到了“流窜犯”！

就是这样一次秦岭山区的数十天远行，老刘和一位同事给档案馆收集回来了800多件有关抗战时期国共合作的珍贵档案原件，填补了一段重要的历史。但是没人知道老刘他们在这两个多月里是如何风餐露宿、辗转山区的。

镜头之二：2000年，某地方档案馆门口。

一位身着文职军服的解放军直挺挺地站在门口，一动不动。“我说同志，你怎么还没有走啊？”门卫已经六七次出来苦心劝说了。

“我不能走，没有完成任务就不能走！”那解放军纹丝不动，一股犟劲。细一看：原来又是老刘啊！

“我们的科长不是说了，馆里没有你们要的东西嘛！”

“有，这是你们的馆藏科目，我们查到的。”老刘从包里掏出本子，让门卫看。

“他们是有备而来。不行，这是我们馆的珍品，说什么也不能给他们。”馆长急了，亲自跑到老刘面前，生硬地劝道：“走吧，再磨也没有用，那些档案我们是不可能给的。”

“馆长啊，根据规定，凡是军队的档案应该收归到我们解放军档案馆……”

“凭什么？那是我们的镇馆之宝，为什么我们就没有权利珍藏？”

“这、这不是跟您商量嘛！”老刘立马一边掏烟，一边一团和气地解释道。

馆长不吭一声地回进了馆内。老刘依然站在门口企盼结果。

下班了，馆长再一次来到门口，见解放军还在那里直挺挺地站着，脸上还是挂着一团和气，于是无奈地摇摇头，叹了一声，道：“跟我来吧！”

“太谢谢了！”令老刘意想不到的是，他不仅得到了1945年至1949年绥蒙军区所属部队的那36件珍贵档案，而且获得了这个档案馆另外赠送的67件极有价值的档案材料。

镜头之三：某年，某收藏家住处。

“咚咚，咚——”一阵轻缓的敲门声。

“谁呀？”主人不耐烦地询问道。

“我，解放军档案馆的老刘——”

“嘎吱”一声，门开了，怒发冲冠的主人吼道：“不是对你说了，我不给！就是不给嘛！”

老刘不吭不哈地面带微笑道：“再商量商量，请你一定支持我们的工作……”

“支持你们？我吃西北风？”

"那——你说说怎么才肯把元帅的那首诗给我们呢?"

"钱呀!给钱呀!"

"多少?"

"十万、八万不算多,你们解放军有的是军费,这成问题吗?"

"可我们馆一年的征集费也就是一两万元。"

"嘭!"关门声震耳欲聋,里面传来又一次的吼嚎:"要我啊?没钱就别来玩活!都什么时代了,天下哪有这等笑话?"

"不是笑话,这是我们的工作职责,你听我解释……"老刘沙哑着嗓子,一遍又一遍地解释着自己的来意。

这一幕"笑话"的结果是以一个"佳话"结束的:某收藏家无条件地将一位开国元帅的一首诗稿真迹交给了老刘,如今保存在解放军档案馆内……

老刘和同事们类似像这样靠一次次不平凡的旅程、一次次近乎难堪的乞求和一次次险些丧命换来的成千上万的宝贵的档案资料的经历,使我想起了前林肯先生在葛底斯堡的一次演说时讲过的一段话:毋须说,倒是我们这些还活着的人,应该在这里把自己奉献于勇士们已经如此崇高地向前推进但尚未完成的事业。倒是我们应该在这里把自己奉献于仍然留在我们面前的伟大任务,以便使我们从这些光荣的死者身上汲取更多的献身精神,来完成他们已经完全彻底为之献身的事业;以便使我们在这里下定最大的决心,不让这些死者白白牺牲;以便使国家在上帝福佑下得到自由的新生,并且这个拥有人民幸福和自由的民族永世长存。"

我想,老刘做的平平凡凡的每一件档案工作的全部意义难道不正是这样吗?

那是 1981 年我们党为了拨乱反正需要对某些历史问题作出

结论时，一些久远的史实一时难以说清，于是引发巨大争议。比如有关红军到达陕北时的总人数25000人的提法到底准不准。“少了，这个数字绝对少了！”“老延安”们纷纷提出异议，可又谁也拿不出证据。

“你们立即组织骨干力量，务必在24小时内查清这一数据，并报军委来。”军委办公厅下达紧急命令给解放军档案馆。

任务还是落到了老刘及他的十多名同事身上。这是一项非常艰巨的任务，因为红军在长征路上艰难困苦，环境极端恶劣，当时我军留下的档案仅有五十余斤，许多部队的编制、统计表都是空白或残缺的。如何来查证出一个完整准确的数据来，只能从现存的史料中一点一滴的累计，同时又必须参考军史、战史和各种回忆录提及的一些零散的数字进行计算与核对，力求贴近实际。

“太难了！几乎是不可能的事嘛！”有人为难起来。

“想想那些在长征途中死去的红军英烈，我们的工作就不难了！”这时的老刘变得挥刀断马，毫不含糊：“你们跟我来——”

这一个“跟我来”，就是一场无声的激烈战斗。

十几个小时过去了，当老刘他们脱下变了颜色的工作服时，一串明确而肯定的数据也随之出来了：

中国工农红军经过二万五千里长征会师陕北时的总人数为33000余人，其中：一，中央红军（一、三军团）于1935年10月到达陕北，人数为8000余人；二，红二方面军（加上原一方面的九军团）于1936年11月到达陕北，人数为11000余人；三，红四方面军（红四军、红三十一军）于1936年11月到达陕北，人数为11000余人；四，红二十五军于1935年8月到达陕北，人数为3400余人……

“对的，应该是3万来人！”我听说，有位老帅捧着写有红军经过长征到达陕北后的总人数为“3万人左右”的中央决议后，老泪纵横。

革命导师列宁说过一句名言：忘却历史就意味着背叛。老刘特别铭记这句话，他常说，毛泽东和中国共产党领导中国人民进行的解放事业的历史与其他国家的革命历史很不一样，中国革命在初期的一二十年里，没有留下多少档案，现在我们从事的收集整理档案，从某种意义上讲，就是在捍卫中国革命尊严的另一种战斗。这种战斗不流血，但良心和责任重于泰山。

老刘经历的这种战斗洗礼很多很多——

那是1990年7月的事，一位湖南溆浦籍老红军刘华良的申诉请求放到了老刘手上。“当时我看到这份申诉内容，心都有些颤抖，刘华良是个出生入死的老红军，但由于历史原因，他的军籍和党籍一直是疑团，新中国成立后的40年里，老人家4次上访北京、无数次上省城长沙，还多次写信给贺龙、王震等领导，可就是一直没解决。因为谁也说不清他当年所在部队的番号。老人家的申诉材料上透着泪痕，说他已经老了，再也跑不动了，希望在他瞑目之前能够明确他的老红军身份和共产党员党籍。我接受任务后，感到肩上负着千斤重担，感到手上接的是一个老革命者的生命，于是我从茫茫大海一样的档案里寻找线索，最后终于在抗日战争时期的八路军干部花名册中找到了证据，并随之报告了当地政府有关部门，后来听说老红军刘华良得知这一消息后，在毛主席像面前长跪不起……”老刘讲述这件事时眼里闪着晶莹。

以长跪不起来感激和感谢老刘及老刘同事的何止是一位老红军战士！

中国人民解放军诞生于白色恐怖和敌我力量悬殊的年代，尤其是那些地方部队的诞生背景特殊而分散，有的诞生不久或合并于大部队，有的则可能全军覆没，只有少量的官兵留存下来。成立于1930年5月的红十三军便是这样的一支武装。这支红军是由浙江一带的游击队组建而成的，战斗于闽浙两省之间，在经历了两年多的残酷战斗后失散了，就是这样一支令敌人闻风丧胆的红军部队，几乎没有留下任何历史档案。1990 年，老刘得知浙江和福建等地市县党史办保留了一些红十三军的珍贵档案，于是他等不及订一张火车卧铺票，便急匆匆地挤上了长途火车。当时正值南方雨季，这位北方汉子每天一身泥、一身雨，穿行在泥泞的山区道路上，整整七天时间，苦求硬磨，共收集到 200 余件珍贵的档案资料。回程途中，老刘搭乘的那辆小车由于雨天路滑，与一辆运输车发生追尾事故，小车的前半部完成钻进了大卡车的底盘之下……

“解放军同志！解放军同志——”事故现场顿时一片凄惨的哭叫声，有人使劲地扯着蜷缩着身子、一动不动的老刘，拼命地呼喊着。“啊，没事，我没事！”老刘终于抬起了头，原来他是在用整个身子护着那些刚刚征集得来的“宝贝”。

红十三军就是这样“复活”的。当纪念红军长征胜利 70 周年档案史料在军事博物馆展出时，许多老战士、老将军站在红十三军的那些图片和史料面前，热泪纵横地感叹 :“难得！难得啊！”

拂去时光的尘埃，现在我们渐渐从一些影视作品中了解到特殊年代的那些“情报”和“潜伏”的价值了。而多少年来，这样的历史是被封存的，知者奇稀，故而“情报”和“档案”成了一个神秘的世界。也正是这种各式各样的信息阻塞，使得原本我党、我军无数真实的历史永远成了“黑洞”。这种结果，对党、对整个军队而言，是一种真实面貌的失落与残缺，而这样的情况对一个革命者和他们的亲人而言，可能是全部的命运与悲喜人生的由缘。

在某地方的一个烈士陵园里，有一份血染的英烈名单，上面记录了八路军某部在 1945 年的一次抗日战斗中牺牲的战士情况——

战士张振明，28岁，河南滑县人，3月12日牺牲，来队一日牺牲；

伙夫杨兴元，28岁，河南南阳人，3月25日牺牲，来队当日牺牲；

通信员石家福，20岁，籍贯不详，3月28日牺牲，来队当日牺牲；

伙夫张哑巴，岁数不详，真名不详，4月18日牺牲。（备注：哑巴不会说话）……

是的，像张哑巴这样“不会说话”的英烈，他从何处来，他何时参加革命，他何时牺牲的所有消息，如果不是这份珍贵的原始档案，也许张哑巴永远不被人所知。而那些像张振明、杨兴元、石家福这样“来队当日”和“来队一日”就牺牲了的英烈们，也许由于当时部队在激战中顾不上记录他们的情况，或者负责记录他们的那些人又成了烈士之后，他们的亲人们又该怎么知晓其最终的命运呢？

老刘因此功德无量！他平常而平凡的工作，在此刻变得崇高而伟大无比！

像这样的“复活历史”、寻觅断落几十年音讯的英烈，在老刘从事档案工作38年里，足足有数万名失踪和牺牲的烈士获得了结果。

这是老刘用双脚跑出来的“战果”，也是老刘用一腔热血谱写出的壮丽诗史……而我们知道，在这足可以排列成血肉长城的战果与壮丽诗史背后，是一位当代中国军人对党、对军队和对革命事业的赤胆忠诚与坚定信仰，同时还有作为善良和本分人的那份纯洁之爱与忠于职守的德操。

老刘病倒了，病倒在当今医学界无法拯救的苦旅之上……没有比这更让所有熟悉和了解老刘的人对此更痛心和惋惜的了。虽然我们找不出老刘的直肠癌与他几十年到处奔波和长时间端坐硬板凳的职业有否直接关系，然而我绝对相信与他妻子房素说的老刘“平时太不爱惜自己身体”有关。

通常是：一个人对工作和事业太投入了就会忘却一切爱惜和关照自我的可能与机会。同样通常是：一个人如果特别执着于追求和热爱自己的事业时就会淡漠其他一切诱惑与利益。老刘就是这样一个人。他在自己所热爱的那个无声世界里，充满着激情，充满着浪漫，充满着智慧，而更多的是充满着纯洁、纯净和最真挚的爱。老刘的这种爱超越了时空，超越了感情，已进入了他的生命、融入他的血液之中……

现在的老刘，依然平常和平静，面对接踵而来的各种荣誉和死神日近拥抱的时刻，他心平如水，神静气定，仿佛什么都没有发生，生活依同昨日……这就是我们的老刘。

亲爱的老刘，我们知道你要走了……但我要告诉你：即使你走得再远、再漫长，你是不会与我们分离的，你的笑容、你的匆匆步履、你的坐姿立式，连同你憨厚的习惯性语言，都将与那些被我们格外珍藏起来的档案一样，永远铭刻在历史的记忆之中，并且时刻闪耀着光芒……

老刘，请接受我们带着泪花的崇高敬礼！

燃烧的中国海

——中海油『海上大庆』诞生记

“美洲豹”直升机呼啸离地的那一刻，我的整个身心开始飞向那片宽阔无垠的蓝色疆域——那是祖国的渤海、黄海、东海、南海……呵，它们是如此美丽、壮观，又如此沸腾、光艳。

那里正在演绎着中国又一场伟大的历史与时代的变迁。那里的海洋石油人告诉我：他们已经在祖国的蓝色疆土上成功地托起了一个“海上大庆”！

50年前的中国，因为在荒芜的松辽平原上发现一个世界级的大油田——大庆，从此我们扬眉吐气地向世界宣告：“依赖洋油的历史过去了”。50年后的中国又诞生了一个“海上大庆”，它向世界预示着什么？预示着中国正在向着一个更强盛、更伟大的新纪元奋进！

现在，我的眼前是一片无际的蓝色疆域，它如一幅壮美的画卷在吸引和激动着我……

湛蓝色的水面上，我第一次见到中国自己制造的FPSO（海上浮式生产储油装置）。海油人告诉我，它仅仅是77个中国海上油田生产基地中很普通的一个：八层楼高的雄姿，连天接地，波涛汹涌的大海仿佛是它温柔的床垫稳稳地托着它那16万吨的庞大浮式躯体，每时每刻通过四周六座海上平台，将方圆数十平方公里的海底石油，源源不断地汇聚到这庞然大物的躯体之内，然后运往祖国各地。当我轻步走在FPSO中央的那条280余米长的“世纪大道”，举目眺望辽阔海域上座座与之联为一体的海上石油平台时，才真正感受到什么是现代化的气魄，什么是自力更生的荣耀！这个年处理400万吨原油的庞然大物，是一座完全漂浮在大海之上的“石油城”！

执掌这座“海上石油城”的总监只有32岁，在这座“石油城”里的全部工作人员仅为100余人，平均年龄不足28岁。他们多数是共产党员，“80后”占七分之一。这个FPSO管辖着秦皇岛

32—6 油田的六座海上生产平台，控制着附近 100 多平方公里的海底油田面积。有人告诉我：像这样一个储量在亿吨以上的油田，如果按过去的陆地油田开采模式大约需要几万人。

几万人与百余人之间的差异，便是中国石油发展史的 50 年跨越。

那是一滴滴水汇成的海洋
那是一颗颗心凝聚的火炬
国家和领土的另一种尊严
是石油人冲向大海深处的整齐排列……

一位“80 后”的年轻海油人对我说：“第一次在大海里上班，我感到很累，于是就卧在油管上，突然我的耳边传来油管里面的流动声响，像自己的脉搏和心脏在跳动……我顿时肃然：原来我是在为祖国、为人民输血啊！我立即感到浑身是劲，充满神圣。从那一天开始，我不再感到孤独了，每天伴着我的大海也仿佛都在燃烧，显得无比光彩和炽热……这就是我的成人礼。”

多么庄严而激情的“成人礼”！难道不正是“中国海油人”向伟大祖国举起的一次庄严而骄傲的敬礼吗？

北京，东二环路上。在一幢形如张帆远航的巨舰般的大厦里，执掌“中海油”航程的傅成玉总经理这样对我说，中国人依靠自己的力量，成功造就“海上大庆”的实践，再次雄辩地证明了中国国有企业作为经济战线的“国家队”，完全可以闯出一条具有自己特色并齐驾于世界先进水平的快速发展道路，使得中华民族在另一块辽阔的疆域——海洋上同样可以书写绚丽与辉煌。

啊，大海，中国的大海，你经受了任人践踏的百年屈辱史，今天终于开始了奋争与怒吼，歌唱与起舞——

第一章　莺歌海——羞涩的“第一吻”

大海永远壮美，呈现海蓝蓝的颜色时会令人陶醉；当夕阳斜照时，那一片绯红色的波涛更如燃烧的地毯，美不胜收。

我的祖国是一个陆海国家，环抱大陆的海岸线长达1.8万公里。自北至南为渤海、黄海、东海和南海四海相连，海域总面积473万平方公里，接近陆地面积的一半。然而，多少年来，我们似乎并不太熟悉这另一块美丽而富饶的疆域，这也使得某些时刻想窃取我海上资源的居心叵测者总是在想入非非。

一个简单的道理：落后就要挨打。

落后时，我们饱尝了挨打的滋味，但仍然一直在为捍卫自己的尊严而战——我们是世界上第一个发现“石油”的国家。近代以来，世界石油大国最初所使用的钻探技术无一例外是我们中国人在1000年前发明的凿盐井的钻塔技术。1859年，美国德雷克上校在宾夕法尼亚打出的世界陆上第一口油井，开启了“石油世纪”，直到今天，石油仍然是全球工业的“血液”并直接影响着世界政治和军事格局。第一个发现“石油”和使用“石油”一词的中国，在美国人打出世界第一口油井后的100年，也就是1959年才发现了一个真正让自己扬眉吐气的陆上大油田——大庆油田。然而这个时候的世界发达国家早已将目光由陆上转向了海洋，并先后在墨西哥湾、英吉利海峡、中东波斯湾等发现一个比一个更大的新油田，“自1947年我们在墨西哥海湾用钻井平台打出第一口商业油井后，世界的海洋石油事业发展之快，超出了我们想象，尤其是我们在中东波斯湾连续发现海上大油田后，世界海洋石油业的影响几乎可以同一战、二战的战果一样支配着人类的发展命运……”美国人在谈起由他们缔造的海洋石油业时，总是眉飞色舞，趾高气扬。

1947年的中国在干什么？那时的中国还处在极度疯狂的内战时期。在中国共产党人依靠小米加步枪打出一个新中国的时候，美国等西方世界已经将航空母舰改作驶向大海争夺海上石油的钻井平台，再次将“石油世纪”的风云推到了极致。

苦难而贫穷的中国人渴望尽快甩掉落后的帽子，于是找油成为当时一项异常紧迫的战略任务。为了在陆地上寻找到每一滴珍贵的石油，毛泽东甚至下令给每一个地下有可能有油的县政府都配发了一台冲击钻机用于勘探油井。

党的号召鼓舞着全国人民，于是也有了下面的一则“古老传说”：

1956年的某一天傍晚。在海南岛西南的“犄角”处、距三亚“天涯海角”一二百里的一个小渔村里，当地驻军正在为村民们放电影，那电影的名字叫《海上巴库》。巴库是苏联著名的大油田，这部电影讲的就是苏联在海上发现巴库油田的故事。这个海南小渔村有个好听的名字，叫莺歌村。当晚，看电影的村民们越看越来了情绪，那电影里的故事让他们兴奋不已，大伙儿纷纷议论起来，“我们莺歌海面上也有冒黑油气泡的地方呀！”“是嘛，照电影上这么说的话，我们这里也有油田不是？”“嘿，这还了得！”老百姓的话传到了干部耳朵里，于是干部们又赶忙将这消息报告了当地的国营盐场，盐场又迅速向广东省和刚刚成立的石油部报告。正在到处找油的石油部立即向临近莺歌村的盐场发去一封信，请他们的勘探队帮助到海上取份油气样本。当时毛泽东主席号召全国各地群众踊跃参与报矿，所以盐场在接到石油部指令后，很快找到一位熟悉水性的当地渔民万来弟，请他马上出海到那个冒气泡的海面潜水探情。万来弟带着仅有的一副防水镜，便出海了。

他在海底看到了一个石头缝隙里冒着油气，但却无法取样。后来盐场勘探队想了个法子：他们自制一只漏斗，在漏斗上接一根橡皮管，然后将漏斗倒扣在冒气的地方，让油气顺着橡皮管子进入漏斗……油气的样本后来被火速送到北京的石油部。经化验，的确是油气。石油部上下好不振奋！时任石油部勘探司司长的唐克立即找到正在北京石油学院参加培训的四川石油管理局地质师马骥祥，把摸清莺歌海油气的任务交代给了这位年轻的石油地质师。

几个月后，马骥祥在海军的帮助下，完成了对莺歌海油气苗的初步勘探，并带着调查报告回到北京向部里报告：在冒气的地方，海底岩石坚硬，是第三纪的地层；海底裂缝走向 110—120 度，与海岸露头走向一致；采集的气体可燃，火焰蓝色，有硫化氢气味……这是典型的油气嘛！当时石油部的李聚奎部长和康世恩同志好不兴奋。1958 年，余秋里任新的石油部长，他在听取康世恩对莺歌海油气苗情况汇报后，立即同意派出一支专家队伍前去海南岛莺歌海作进一步调查。同年秋天，苏联专家组组长乌克兰利沃夫教授和司那尔斯基教授也来到了莺歌海。司那尔斯基听当地的百姓介绍说每当到了晚上便能看见幽暗的海面上出现一片片如萤火翩翩起舞的景象时，按捺激动的心情，当晚就要求去海上观景。在海上，苏联专家真的看到了大片大片的“萤火虫”——那“萤火虫”像海空流星一样，闪闪发光，还似乎在飞动……司那尔斯基兴奋得大叫起来：“太美妙了！”苏联专家们通过此次对莺歌海的考察，作了一个令中国石油人感到万分鼓舞的断言：波斯湾和墨西哥湾是两个“石油极”，中国的南海也可能是另外一个“油极”。知道什么叫“油极”吗？就是世界超级大油田！

南海莺歌见油气苗，如一束熊熊燃烧的火炬，激荡着时刻想甩掉在头上戴了一百多年“贫油”帽子的中国亿万民众的心。1960 年，石油部在此布下第一口海上勘探井，取名为“英冲井”，而用于海上勘探打井的竟是一艘仅能装卸几吨货物的方驳船。工人们按照陆地上用的那种最简陋的“三脚井架”打了一口井，该井水深 15 米，最后捞得原油 150 公斤。这就是被石油人戏称的“中国海洋石油第一吻”。

1963 年，经著名石油地球物理专家翁文波先生建议，石油部和广东省决定在南海海域进行正式的石油勘探。可是要在相对较深的海上打井，再靠简陋的“三脚架”支个井台显然无法实现勘探目的。辽阔的南海，无风三尺浪，台风一起，顿会涌起滔天巨浪。怎么办？任务落到了新成立不久的广东茂名石油公司基建处的钟一鸣等人的头上。那时的中国，虽西有玉门油田，北有正在热火朝天搞开发的大庆油田，然而还没有一个石油工程技术人员淌过海，更没有一点儿海上钻探经验。出海就得有船，海上钻井更得有大船。谁能干这个“大船”？于是钟一鸣想到了一个人：与他在同一基建处的张东元！

“张东元，我看你能完成这任务。”

“我？我连海都没出过一回，哪会干这嘛！”

“就凭你在中科院干过几年，又是土木结构专业的大学毕业生，这事非你莫属。”钟一鸣说。

“就你了！干成功了是你的功劳，台子塌了也不要你负责！”最后茂名石油公司的方华书记也出来为张东元壮胆。

“我就这么稀里糊涂被弄去造海上‘钻井平台’去了。”时隔 40 多年后，当笔者请年过七旬的张东元谈及当年中国海油人的“伟大壮举”时，老人动情地讲：“那时我才二十五六岁，出大学校门刚三年多，手头除了几张外国海上钻井平台的照片外，啥也没有。开始有人说在海上造个人工岛，可因代价太大被否了。又有人提出造一艘万吨轮在上面安装钻机再到海上打井，但那时国家穷，上级交代我们又必须抢在来年的台风之前要完成海上打井任务，于是造万吨轮打井的计划也否了。最后还是让我这个学土木结构的人想法子。经过一番苦思冥想，我从驳船公司利用空洞浮力的杠杆原理吊重物的实例，设计了一个用两个大浮筒搭建海上钻井平台的方案。后来将方案拿到石油部让领导们看，竟然获得了批准。回广东后，省里将此列为‘一号工程’，由陈郁书记亲自挂帅任组长，省长等领导都是这个小组的成员。具体操作的是由我带领下的4名从北京石油设计院和大庆油田调来的技术人员。我们5个人便开始与广东造船厂的工人们一起不分日夜地战斗起来。两三个月后，两个直径7米、长17米的钢制大浮筒制作焊接完工，然而又在两个大钢筒的上下用钢板连接成一个22米高、20米宽的平台。建这个平台的目的就是要在上面安装钻机，到海上打井。当我们的筒式平台焊接完成后，领导们来剪彩时见了这样一个庞然大物，都激动得夸我们了不起。想想，六层楼高的两个钢铁大圆筒，又连在一起，确实大得吓人。为了把如此大的钢铁大家伙运到海南岛附近的海上去，又专门造了一艘1200马力的大驳船。那下海拖运大浮筒的情景着实壮观，沿岸百姓谁也不知道这庞然大物是什么，只是一个劲地跟着驳船边走边欢呼。大浮筒经过七天拖运，全程走了504海里，最后到达了目的地……”

这个由张东元等土法制造的钢铁大浮筒被命名为“南海一号”，是中国人第一次自己设计的海上钻井平台，并用它第一次按照严格的科学程序在海上进行石油勘探。虽然“南海一号”所打的三口井没有获得多少工业价值油气量，但它让中国石油人首次真切地与大海进行了热烈拥抱，同时也锻造了一批海洋石油事业的人才，参与此次战斗的有后任中国海洋石油总公司领导的钟一鸣和王彦等人。中国石油事业的开拓者和奠基者康世恩后来常说的“中国海洋石油靠的是两个浮筒起家”，指的就是这件事。

中国海洋石油的“初吻”，既短促，又羞涩，但却富有传奇色彩。

第二章　渤海湾上的“报春花”

1964年元旦的《人民日报》上，发表了文学大师郭沫若的一首“念奴娇”，其中有几句这样道：

……仅三年，
地底潜龙飞跃。
众志成城四第一，
铁人如海全五好。
颂今朝，
解放地球军，
强哉娇！

当时的石油部领导余秋里、康世恩非常高兴。郭老称发现大庆油田的中国石油人是“解放地球军”。很让军人出身的余、康二人振奋和自豪。

“我们就是解放地球军嘛！这松辽平原地底下的石油过去一直被‘中国贫油论’和落后技术压在地底下几百、几千年，我们一去，它就被解放出来了！我们当然就是解放地球军嘛！”余秋里笑了，随即脸上又庄严和凝重起来：是啊，我们国家有九百六十万平方公里，面积大得很嘞！现在我们仅仅在东北和西北那么两三个地方把地下石油给“解放”。从全国看，任务还不轻哩！

任务确实还非常艰巨。不过今天我正是向你来汇报渤海湾地球“解放”情况的。康世恩壮志满怀地一屁股坐定中间那张大沙发——他有个习惯：每逢有喜事向余秋里说时，总喜欢坐在最显眼的地方，跟调皮的孩子似的——得意时他会手舞足蹈，失意时灰溜溜地躲在一旁抽闷烟。

余秋里心里笑了：老康今天准是又带喜讯来了。说嘛，是东营那边还是大港那边有新进展？或者两边都逮住"大老虎"了！

康世恩从沙发上跳起来，走到余秋里坐着的木椅前伸手去抓那包"大中华"。点上，过瘾地狠吸几口，喜形于色地：先说近的——天津大港这边的那口井前天一试油，你想日产多少吨？93吨！康世恩话未说完，便自个儿先情不自禁地大笑起来。

好么！算高产井了！比松基三井和大庆的许多高产井还高啊！余秋里有些激动地在会客厅里走动起来。还有什么比这值得兴奋的？大港油田近在首都咫尺，能在这儿逮只"大老虎"其意义非同小可——京津地区是国家政治经济文化中心，在此发现个大油田，正是毛泽东主席和全国人民——当然也是中国石油人梦寐以求的事。

渤海湾会有油吗？回答是肯定的。

早在1935年，刚从瑞士留学回国的著名地质学家黄汲清先生就对这片华北神奇土地和海域给予了特殊关注，认为它是和东北、西南、西北等地一样都有可能储油的地方。1945年，另一位地质大师谢家荣在冀东地区的野外地质调查时见一油苗，兴奋不已，回去后立即写了《唐山油苗》一文，向海内外人士公开了这一有价值的发现。余秋里将军执掌新中国石油工业的帅印后，其目光一直盯在那些被科学家们认为有希望的但尚未被揭秘的沉睡地域。

面积20多万平方公里的渤海湾，横跨辽宁、河北、山东和京津五省市区。据地质学理论，这儿原来皆是一片蔚蓝色的汪洋大海。由于地壳运动造成不断下降之势，巨大的海盆里沉积了厚达万米的沉积物。尔后，风起云涌的地壳运动再次又发生区域性缓抬，海水在这儿的一部分区域退去，沧海变成了平原的古陆——华北平原由此出现。地质学家们分析，既然像松辽平原这样的盆地有石油，那么渤海湾盆地也同样存在有油的可能。1955 年，地质部和石油部就在华北平原上连手作战过，第一口基准井——华 1 井未能见油。石油部专家们分析了华 1 井失利的原因后，果断提出应在勘探上转向拗陷区。

1963 年初，石油部 32120 钻井队在山东广饶辛店公社的一个叫东营（即现在的东营市所在地）的小村庄打下编号为“华 8 井”的勘探井。当年 3 月 5 日，此井钻至 1195 米时，值班人员发现了褐黑色的油砂——与松辽那边的松基三井一样的油砂。喜讯传到北京，独臂将军余秋里右手一甩：快让人把油砂送来！

“好啊！这小宝贝可是比金子还珍贵喽！”余秋里接到油砂后，举着放大镜看了一遍又一遍，有些手舞足蹈地对身边的人这样说。当日，他与康世恩商量后，派出勘探司钻井处处长邓礼让带人连夜赶赴“华 8 井”严密注视地下情况。10 天后，前线发来电报，称：“又见多层油砂。”“好！我们又有大名堂干了！”余、康欣喜不已，立即召开石油部党组会，部署渤海湾勘探工作，从此在东营摆开了中国石油的第二个大战场——“松辽可称是辽沈战役，此为平津战役也。”副部长李人俊这样形容渤海湾战役。

在地质结构上被称为“共和国最年轻的土地”的黄河入海口一带，是片人烟稀少、自然环境极其恶劣的盐碱地。白茫茫的土地，风尘刮来到处尘扬沙舞。余秋里部长与前线作战的石油人一起住在老乡家的土炕上，一边啃着红薯面窝窝头，喝着村口水洼子里漂着绿毛的苦盐水，一边谈论着大战前的点点滴滴的问题。“大部队可以上了！”将军一声令下，于是乎，两万余名石油大军在此摆开战场。16 个钻井队、17 个地震队、几十个地质分队和数以千计的辅助队伍，浩浩荡荡地扎营黄河滩。完全是大庆式的作战模式，完全是军队打仗式的勘探战斗。但初战并不像大庆油田那么幸运，他们又一次遇上了“狡猾的敌人”。用康世恩总结的话说，他们这回在渤海湾碰上的“敌人”，“七零八碎，忽忽悠悠，东躲西藏，狡狡猾猾”。专业说法是：这儿的油层情况具有“五忽”：忽有忽无、忽水忽油、忽高忽低、忽薄忽厚、忽稀忽稠。怎么办？矛盾蛮复杂嘞！余、康仍然拿出大庆油田的会战“法宝”——用毛泽东的《矛盾论》和《实践论》来对付“地下敌人”，并且自信地告诉手下的石油将士们：学好“两论”，通过现象看本质，从“五忽”中找出规律来！这不，“五个规律”和本质现象很快被找了出来：渤海湾盆地面积大，生油条件好，和大庆油田相似；此处含油地层多，从老地层到新地层，从海相地层到陆相地层都有油；油气显示范围广，沿渤海湾将近10万平方公里区域内，所有的探井几乎都有油气显示，比国内任何一个盆地见到的含油范围都广泛；储油层物理性质好，发现了高产区，有的井产量为全国之最；油藏类型多，勘探领域广阔。结论：渤海湾盆地找油的有利条件，同它的复杂性相比，占主导地位。地下情况复杂，但有规律，只要按照“区域展开，重点突破，各个歼灭”方针进行作战，“大老虎”一定能逮住！

果不其然，康世恩和余伯良、李德生、翟光明等著名专家率领的技术人员们，发现在一个名叫“胜利村”的地方构造相对简单，于是迅速调集各路勘探钻机前往此地打响一场“歼灭战”。

7000名石油精兵一夜间迅速集结胜利村。那场景好壮观呵：钻机轰鸣，彩旗飞舞，人声鼎沸。功勋钻井队32120队一马当先，18天完成钻井深2480米时，喜见85米厚的油层。前线总指挥张文彬和技术专家翟光明拿着电测解释图喜滋滋地请求康世恩：我们想一次性全部射开油层，让油井欢畅地喷一下。一来看看地下到底啥情况，二来鼓励鼓励士气。你看呢？康世恩没直接回答张文彬，把球踢到部长余秋里这儿。行啊！欢畅一次嘛！独臂将军大手一甩，脸上满是笑意。

这才是真正的欢畅——油井现场，在指挥员的一声“试油”的命令下，只见直径30毫米的井管内突然喷涌出一股冲天的褐色巨柱，那呼啸奔腾的褐色巨柱湍激而高扬，得意而欢舒，潇洒而自信地撒着野向欢呼跳跃的人们摇头晃脑、尽情显耀。

1134吨！日产1134吨！余秋里和康世恩都有些不太相信这个数字，但现场上报来的白纸黑字明明白白地这样写着。

1134吨！举国第一！新华社当日播发专电：我国继发现大庆油田之后，又一个大油田被发现。它的名字就叫“胜利”。

既然渤海湾的陆上有油，那么我们的海里也应该有油嘛！石油部及时作出了具有历史意义的“上山、下海、大战平原”决策，并得到了毛泽东的赞赏和批准。

中国石油人正式拉开了“下海”的序幕——

天津塘沽。1964年夏。一片盐碱海滩上，突然来了一批又一批身穿“杠杠服”棉衣、头戴狗皮帽、讲着南腔北调话的人群。原来他们都是从大庆油田来的石油地质人员。嘿，这些“旱鸭子”想游海呀！当地的老百姓觉得很好玩。你看这些“旱鸭子”们，连游泳都不会，他们却想出海——只见那个叫“浅海石油地震队”的一群人，用一艘木壳机动船和三条木制机帆船，将陆地的设备安装在船上，然后便划着橹桨出海了……

“哈哈……他们准是不知大海的脾气哟！”老百姓们站在海滩上指指点点着。你再看看船上的人，没出几海里，便一个个七倒八斜地轮番呕吐起来……但他们并没有后退，继续坚持地站在海上放线和探测。

1965年3月，又一支数百人的物探大队，开始在渤海湾进行更大规模的海上地震勘探工作。5月，塘沽一带的海面上更加热闹，从北海舰队、交通部调来的“营海号”（原“重庆号”军舰）、“天秤号”（原慈禧太后游艇）等一批船只，陆续出现在这里。

1966年8月，中国海洋石油的第一个正规机构在塘沽成立，它的全称为大港油田海洋勘探指挥部，钟一鸣任总指挥。

10个月后的1967年6月，这个指挥部的3026钻井队用自制的固定式海上一号钻井平台首次在渤海打成了“海1井”，水深25米，井深2441米，日产油35吨、天然气1940立方米。这是中国海洋第一口具有商业价值的油井。喜讯传开，国务院为此专门给石油部发出贺电。

如果说3年前中国石油人用双筒浮船在莺歌海上对海洋进行了一次亲密的“初吻”，那么此次渤海湾的“海1井”则是中国海洋石油的报春花。这朵报春花开得那么娇艳，让中国石油人对祖国的海上石油事业充满信心。

第三章　苦涩的呛水，卧薪尝胆整十年……

曾经有一位诗人这样描绘大海的多变与莫测：如果你想知道什么是温存，那么你就投入大海的怀抱，它会将你身躯轻轻放下又缓缓托起；如果你想知道什么是暴虐，那么你就扑向大海的浪尖，它会将你所有的筋骨粉碎又彻底吞没……

大海是个难以征服的另一世界。

就是几个月前在墨西哥湾的一口油井的漏油，差点让世界最著名和老牌的英国石油公司破产，英美两个最铁的“哥们”也几乎翻了天，而这一切都是大海制造的麻烦——人们对几千米的深海钻探仍然没有足够的把握，它甚至需要比在宇宙中建立空间站还要难的技术和强的国力。

海底找油远没有像我们想象的那样浪漫和简单。仅在海上建一座普通的平台，一般也有六七亿美元以上的成本。中国人对大海的了解远远比不上对太空的驾驭能力，多变而莫测的大海使中国石油人呛够了苦酸的海水——有人比喻，中国的海上石油事业曾经度过了十年的卧薪尝胆岁月，这指的是1969—1979年间所发生的三次惨烈的海难，它们均发生在波涛汹涌的渤海湾。

第一次是1969年初的正在渤海海域施工的“海2井”钻井平台惨遭冲击。当时正值寒冬季节，没有海上经验的找油人突然有一天早上醒后被四周排山倒海一般涌来的海上流冰惊呆了……就在他们不知所措的时刻，几十米高的流冰仿佛似大象踩纸船一样地将一座吃水40多米的巨型钢铁平台重重地推倒并推向海底。顷刻间，掀天的巨浪同时严重威胁着一旁正在产油的“海1井”平台。“十万火急，抢救采油平台！”渤海湾的险情惊动了正在中南海开会的周恩来总理。当晚，中央临时同意将仍在“牛棚”里改造的康世恩火速搬到前线，并经过数百名海军指战员和石油工人殊死奋战，才将“海1井”油井封死，但流冰则让两座平台几乎全都葬身于大海之中。

第二次事故发生在1972年秋。当时渤海勘探指挥部的“渤中17井”突然发生强烈井喷，大量的油气裹着钻井泥浆，犹如一条脱缰的乌龙，向钻井平台及附近的海面喷射而去。有一天秦文彩突然接到部里的指令——他已经习惯于这种突然的指令，早在川中担任矿务局局长时，他指挥过那场特大的扑灭井喷战斗，后来竟然意外地成了石油部的“灭火专家”，哪里一出现井喷一类的事故，“快找秦文彩啊！”慌乱成一团的石油部里有人高喊起来。素有“灭火专家”之称的四川石油局的秦文彩被“空运”到海上。了得嘛！当秦文彩乘着一艘运输船靠近井喷中的钻机平台时，他还是被眼前的情景惊呆了：看那如烈马呼啸的油气，挟带着泥浆，喷射半空，然而又如雹子般倾盆而下，溅打在平台的甲板上。钢铁的甲板和钻杆，此刻犹如橡皮软面一样，发出阵阵尖利的呤叹和撕裂的疼痛……眼看着数十名被困的石油战友处在生死关头和国家财产面临最危急的时刻，秦文彩的心顿时悬了起来——海上制压井喷远比陆地要困难和复杂得多！先不说从何处下手，仅在准备“灭火”的船上颠簸一天就够受的了。俗话说：海上无风三尺浪。第一次出海，秦文彩感觉自己的双脚就是不听指挥，船来回一摇摆，五脏六腑就跟着翻跟斗……那难受劲儿使你只有一个想法：吐！直想把肠子吐个精光。经过数小时的拼搏，油水船终于靠近钻机平台。可当秦文彩探头往钻机平台一看，他一下傻了：整个钻机平台被裹在黑色世界里——黑雨、黑浆、黑雾……而且从地底下呼啸而出的井喷仍在不停地加剧这黑色世界！厚厚的油污将平台的每一寸地方都沾得又腻又滑。钻井队长好不容易将秦文彩从船上拉到平台，结果稍一松手，就滑了个四脚朝天，好在他早已里外上下成了“非洲人”，所以再摔几跤也无异样。“那一场井喷，我们用了七天七夜才制止住……中间到底想了多少法子，连我自己都记不住了。总之能想到的和没有想到的，啥法子都用上了，还算我运气好，最后几十名平台上的职工得到了安全转移，‘渤海一号’钻机平台保住了。”秦文彩回忆起当年的那场惊心动魄的海难时，这样平静地告诉我。秦文彩后来出任石油部副部长、中国海洋石油公司第一任总经理。今年 83 岁的他，仍在疾笔挥写中国海洋石油史书。

第三次海洋石油事故被写在了新中国的许多史书中，它就是造成 72 名石油工人罹难的“渤海二号”事件。事故发生于 1979 年 11 月 25 日，当时海上刮聚起十级飓风，缺乏海事经验的工人们，在无助的绝境中演绎了一出中国海洋石油史上最为惨烈的悲剧。“出师未捷身先死，长使英雄泪满襟。”中国海洋石油人常这样感慨“渤海二号”事件，围绕这起海难所引发的政治风波在当时也曾叫人心惊肉跳。

这三次事故，明白无误地告诉了中国海洋石油人一个简单而深刻的道理：旱鸭子浮水，用陆上的土办法搞海洋石油行不通。

世上本无路，海上的路更需要自己走！这十年，中国海洋石油人饱饮海水，卧薪尝胆，更是艰难探索。最后，他们得出结论：想海底找油，不能再靠小米加步枪，需要放眼世界的目光与胆识，更得有“上九天揽月、下五洋捉鳖”的本领。

不过，需要补充一点，这就是中国海洋石油的外海战略。所谓“外海”，就是相对于大陆近岸的外中国海。

1972 年年初，毛泽东主席开始注意把目光转移到了国内经济，于是在国务院会议上，周恩来总理很关切地问刚从“五七”干校回到工作岗位的康世恩：我们能不能开展外海石油勘探？康立即回答："可以呀，我们一直等待中央的决策呢！""那就试试嘛！"周恩来命令道。"是。"康世恩得令后，迅速组织和调集得力干将来到广州，向广东省领导汇报了中央和石油部的决策。好啊，我们早就盼望这一天了！德高望重的陈郁省长和刘田夫同志兴高采烈地表示：广东省全力支持石油部的决定。那好，我们先在西沙群岛打一口井试试。

外海的第一口井最后定在西沙群岛南端的永兴岛上。

这是一项勇敢而又艰难的任务，也是中国石油人第一次在远离大陆的外海打井。军人出身的邹家智、张志友两位年富力强的石油人接受任务后，二话没说，立即率领从天津塘沽调来的 32554 钻井队几十号人，于这年 11 月 27 日从湛江港出发，经过海南岛南端的榆林军港。榆林军港海军基地首长为了安全，下令人民海军南海舰队的四艘炮艇护航，乘风破浪，石油人于 29 日下午到达西沙的永兴岛。石油人受到岛上的政府工作人员和当地群众热烈欢迎。

这口取名为"西永一井"的石油勘探井，在隆隆开钻的那一天起，就沸腾了我沉睡千万年的南海。然而，也正是这口井的隆隆轰鸣声，让正在越南战场疯狂作战的美军惊恐万分，不时派出军用战机在我钻机平台上空盘旋骚扰，并终于勾结南越反动军队于 1974 年春节期间，挑起了与我军正面交锋的震惊世界的"西沙之战"。中国石油就是在这样的战火之下，胜利完成了"西永一井"的 1384.6 米钻探任务。

西沙"西永一井"虽然只是我国第一口南海海域的普通勘探井，后也因战事而不得不暂停在南海海域的进一步勘探行动。然而"西永一井"意义非凡，因为它向世人宣示：西沙、东沙、中沙、南沙诸岛及其周边海域自古以来就是中国神圣不可侵犯的领土。我海洋石油人在此海域找油找气，无可非议，在所不辞。

这是中国人在自己的海域上发出的第一声真正的呼啸，却让那些仇视和妒忌我们的人感到了前所未有的恐慌……

中国海从此不再平静。“强盗”和“小偷”都在四周蠢蠢欲动。

第四章 “洗脑”与“换脑”之后是清醒的选择

中国人真的无能、无为？非也。然而真想有能、有为又谈何容易。习惯唱“我家住在黄土高坡”的中国人，确实对海洋既陌生又畏惧，其本质上还是我们的传统概念里缺少“海洋意识”。正如德国哲学家黑格尔叹惋的那样：“尽管中国靠海，并在古代可能有着发达的航海事业，”但却“没有分享到海洋赋予的文明”。

改革开放势在必行！而改革通常是一种革命，开放则意味的是更强劲的风暴。改革开放让中国开始了一场史无前例的革命风暴。

中国的对外开放风暴其实最早是从海上刮起的。

1975年，国家领导人已经意识到从“陆上中国”迈向“海上中国”的紧迫性，于是也有了少见的倾国之力行动：从极其有限的外汇中动用相对可观的数额进口了一批大型海上钻探装备，其中包括后来沉没的“渤海二号”等。但在极“左”思潮盛行的年代，人们依然不愿放弃“自力更生”的“雄心壮志”，即使在引进国外先进装备同时，数以千计的“奋发图强”者们在自行研制自己的国产钻井平台，并把国产装备编号以单数列在海洋石油装备的前头，进口设备只能屈居双数在后，形成了“1、3、5、7、9”是国产货，“2、4、6、8、10”为进口设备。具有讽刺意味的是如“渤海一号”国产平台制造出来后，刚刚出海作业便折断一条腿，永远地瘫坐在海滩上，而被动的引进也因为盲目的自信昭示着如“渤海二号”一样的不祥命运。

此刻的中国石油人，面对大海，他们真正感到了什么叫困难和艰巨：20余年的奋斗，仅仅年产9万吨原油的开采水平，不如挪威这样一个小国石油公司一个小时的海上开采量。更要命和可怕的是，我们几乎没有一点儿海上开采石油的经验与技术。“哈哈，也许再给他们100年时间，中国人仍然只能呛海水。”“强盗”和“小偷”们一边在疯狂地蚕食中国海的资源，一边在狂欢乱舞中嘲笑着。

我们果真如此吗？不，绝对不允许！为了中国石油人的尊严、为了中华民族的尊严，我们绝不允许长此下去！中国石油人愤怒了，然而仅靠一腔愤怒难解我们自己的窘境。

出路何在？

走出去，天地宽！邓小平为中国石油人指明了一条光明之道：先进的科学技术是人类文明的共同成果，中国要实现现代化，必须借鉴一切人类文明的先进成果。

于是，当中国大地仍在酝酿改革飓风的来临之时，由中国石油人组成的学习西方先进海上石油钻探技术的“考察团”已悄然出境，除了早先由“石油师”领导者张文彬领头的到欧洲挪威北海油田的考察团外，以康世恩、孙敬文、李人俊、秦文彩等为顾问的中国石油代表团先后访问美国、日本和欧洲诸国。

“那是真正的洗脑！”时任石油部副部长的秦文彩被直升机送达墨西哥湾的一座钻井平台上，他看到先进的钻井设备、全自动控制系统、海上“五星级宾馆”式的工人宿舍，以及“大海不是垃圾箱”的环境保护意识，这一切令作为“老石油”的他内心强烈震撼。而当秦文彩参观菲利普斯总部的研究中心，看到这里的同行用卫星遥感技术将复杂的海底世界地质分布情况用三维技术清晰地呈现在眼前，以及美国人半开玩笑地说打开投影大屏幕将北京城所有建筑甚至是中南海新华门前那几行标语都一览无余地清楚地展示出来时，秦文彩的心如触电般的惊醒：现代科技，确实把地球变小了，我们太落后了！如果再不迎头赶上，挨打和失败是必然的！

1978 年 3 月 26 日，这是中国海洋石油史上需要记住的日子，因为就在这一天，中央领导用了九个多小时听取“中国石油代表团”汇报之后，当即做出一项重大决策：在不损害国家主权与民族利益的前提下，积极探索一条与国外合作勘探开发海上石油的路子来。

一个关系到中国海洋石油工业前途命运的决策就这样出台了，犹如强劲的春风，将自古沉闷而寂静的中国海吹拂得激荡而充满生机……

“马上行动！”会后，难抑激动之情的康世恩召集部下，说：“对外合作是一项全新的事业，一切从零做起。大家不要有畏难情绪。中国有句老话：摸着石头过河。”

许多人并不知道，1979 年就在邓小平在中国的南海边“画了一个圈”（深圳特区）的同时，以他为首的党中央其实又在中国海上“画了几个小圈”——在渤海、东海和南海等海域画出几个与外国石油公司进行合作开发勘探石油项目的区块。

一时间，北京饭店、友谊宾馆等几个地方突然拥来一大群黄头发、蓝眼睛的“洋人”。令北京市民异常好奇和惊愕。“谈判！”那些日子里，中国石油领导和专家们做的最重要和最紧张的事就是与外国石油公司代表们进行一场场激烈而疲惫的谈判持久战。

兴奋、紧张、激烈，甚至是争吵、对骂，最后是握手、签约。

兴奋和紧张的不仅仅是中国石油人，那些拥有巨资和丰富经验的世界巨头们比我们更加兴奋和紧张，他们都在期待自己的公司和国家能够获得“第二个波斯湾”——中国海的石油勘探开发权。

然而，主权、利益之上的中国石油人毫无疑问更兴奋、更紧张，生怕有丝毫失误。在当时，他们不吃不喝，什么都可以承受，唯独不能承受的是怕人骂自己是“卖国贼”。

“你们不是卖国贼是什么？”烽火终于燃起，大有毁灭一切前景之势。当“星条旗”“黑白旗”在中国海赫然飘扬，尤其是在让中国人感到永远耻辱的塘沽一带的百姓有一天突然见到飘着“太阳旗”的日本船时，愤怒的民族之火再也抑制不住了！而此时，更有几个自以为“爱国主义”的好事者纷纷发表文章甚至直接呈书中央最高领导，称参与同国外石油公司谈判的中方人员是“彻头彻尾的卖国贼”。

一场爱国主义还是卖国主义的争执由此拉开，大有“山雨欲来风满楼”之势。

关键时刻，邓小平出面了，他大笔一挥：好好论证一下！

1981 年 3 月下旬，北京六铺炕石油部大楼，异常热闹和紧张。围绕海洋石油对外开放问题的论证会在此展开，国家十几个有关部门的几十名专家聚集一堂，与那些提出疑义的人面对面地展开激烈争辩。主持此会的正是后来担任党的总书记和国家主席的江泽民同志，当时他是国家进出口委员会负责人。

持久而激烈的论证会最后结论：中国海洋石油对外合作谈判所形成的合同没有“卖国”，是互利和有利于我国的符合国际法的合同，中国海洋石油对外开放更是符合国家利益，不存在任何“卖国主义”行为。

“真不容易啊！”参与谈判的中国石油界诸君如释重负。异常激烈的争议结果反如一股强烈的东风，使中国海洋石油事业的对外开放迎来春天一般的盎然景象。1982 年春，中国海洋石油总公司的牌子在北京王府井的一座不起眼的三层小楼前挂起，而挂牌仪式上的鞭炮声则让整个中国海在沸腾……

与此同时，以康世恩为首的石油行业领导者和专家们经过艰苦、漫长努力，收集整理了120多套世界各国有关法律及合同文本，并结合我国实际所形成的《中华人民共和国对外合作开采海洋石油资源条例》正式由全国人大常委会通过，后由国务院正式颁布。海洋石油立法为日后的中国海洋石油事业奠定了坚实基础。国家主权、石油事业和民族的至高利益获得了可靠保障。

中国海洋石油开发事业从此有了一个通向光明而必胜的前程。

第五章　从“低下头学习”到“直起腰自己干”

谈判、招标、签约、立法……经过数年“摸着石头过河”式的与外国公司的过招，中国石油人渐渐学会了在自己的海域“当家做主”的合作模式，并先后与美、英、法、意、日等13个国家的48家石油公司签订了8个海洋地震勘探的协议，总面积42万平方公里，协议区域分别在南黄海、珠江口、北部湾及莺歌海盆地，协议按照国际通行的风险合同模式，外方承担全部物探费用，无偿向中方提供全部资料。中方承诺在物探结束后拿出一定区块招标，参与物探的外商有权参加投标。

第一阶段的“买卖”对我方极有利。48家外国公司在签约后的一年多时间里，花费1.096亿美元，先后租用14艘先进的物探船在规定的我国三个海域进行了高水平、高质量的物探作业，完成地震测线107170公里。随后，他们又组织了世界各地的物探与地质学家700余人，动用18套先进的大型计算机，对资料进行常规处理和相应的特殊处理与解释。1980年第一阶段的海上物探与室内资料处理工作全部结束，来华参与进行成果报告的31家外国公司的60个代表团、共计466人次的专家们，带着350吨之巨的物探资料，云集广州，进行总成果的评估，向中方总“交账”。一时间，刚刚开放的“羊城”真的像成了“洋人”的天下。仅世界著名的美国埃索石油公司就来了200多人，他们可谓财大气粗，将刚刚建好的五星级白天鹅大酒店的一层楼全部包下；英国的BP石油公司不甘落后，包下了另一座五星级酒店——中国大酒店的好几层楼……“这样大规模的海上物探过去没有，是中国人有气魄，发明了这种海洋石油地球物理勘探大会战。”连“老外”都在感叹中国海洋石油业的不俗出手。

可不。为了不让“洋人”们瞧不起咱中国人，中方根据合作协议，同时组织了包括石油、地质和中科院等战线的80余名专家，一起加入了这场“资料处理大会战”，只是我们的专家们虽说白天也穿着西装进出外国公司的驻地，可多数人的西装是临时借来的。而且另一个问题也让“老外”有些不解：一到中午和晚饭时辰，中国的专家们总是以各种理由离开大酒店。“离开酒店是为了逃避在那儿吃饭，我们哪敢在五星级酒店吃饭嘛！”现在广州安度晚年的原中海油总工程师、南海东部石油局老局长陈铜台在接受采访时对我说：“那时我们中方人员哪吃得起酒店的饭呀？我们只能偷偷跑到大街上去买几根油条、喝碗汤填饱肚子就得了。然后再装模作样地回到外国公司的驻地开始新的工作……”

这样的事在当时并不为奇。我还听张文彬、秦文彩等老部长们讲，他们为了给国家省点外汇，出国访问时每人带上几大箱“麦乳精”，“那时连方便面对我们来说都是奢侈品，团长孙敬文就因为在美国访问期间每天只吃麦乳精，差点把身子给搞垮了。”共和国的部长们出国访问都是如此，不用说在国内与洋人们打交道的中国专家是多么寒酸了。

然而这一切并不影响我们的石油人在与外国公司合作过程中的独立与尊严。“就说为了把我们从挪威考察带回的250万字外文资料翻译成中文，当时我受命带了24名懂些英文的同事们，躲在华北油田的三间破房子里，连轴转了整整三个月，完全是在一边啃着硬馒头一边烤着火炉完成的。”陈铜台他们翻译出的这批外国公司的合同、协议范本，后来成为中国海洋石油对外合作最初的宝贵样本。

刘建军，南海东部石油局现任副局长。这位貌美干练的女总地质师出身的石油专家，就是当年被抽调到南海石油会战的一名普通技术人员。她在回忆当年的情形时这样说：那时我们的技术人员只有陆地石油勘探开采经验，甚至连海上石油勘探开采的基本知识都不掌握。外国公司的专家完全看不起我们，平时跟他们在一起，他们常像防贼似的防范我们。无奈，我们只好偷着学，靠笨功夫。比如我们拿到同样的野外地震物探资料后，就赶紧回到自己单位的驻地，加班加点，靠笨劲和有限的经验来争取对资料的解释。当时我们不仅没有大型计算机，连起码的手掌式小计算机都没有，只能靠笔算和集体的智慧来同老外拼输赢。”

如此窘境是20世纪80年代初中国石油人普遍面临的。然而再大的困难也没有难倒过“铁人”精神哺育起来的新中国石油人。

低下头学艺，跪下膝拜师。中国人自古有这样的传统与美德。

北京近郊的涿州，曾被人称为“中国石油总参谋部”，是因为这里有诸多石油科研单位，也是中国石油培养人才的摇篮。70年代末和80年代初，这里如同当年抗战时的延安，各路石油精英们被召集此地，进行强化培训。

“外事培训班”便是其中之一。这个“外事培训班”的基本任务就是学英语，学员都是石油部从各个油田一线的骨干中特别挑选出来的，他们中有50年代到苏联留过学的王涛，也有土生土长的卫留成这样的学员。王涛后来当了石油部长，卫留成现在是海南省委书记，去海南赴任之前他是中海油第四任“老总”。他们都是中国海洋石油事业的奠基者和开拓者。

“老王，你声音也太大了！能不能降下三个分贝嘛？”当时培训班上，学员们人手一册《石油英语900句》。已经在基层当了15年局长的王涛人高马大，一旦背起单词，震得别人无法忍受，为此学员们联合起来，把王涛赶得东躲西藏。无奈，王涛只能躲进唯一属于自己的“领地”——那顶蚊帐内。

“好家伙，老王真行啊！你的白蚊帐咋成花蚊帐了？”有学员发现，王涛把一张张写满英文单词的纸条贴满了蚊帐内侧。

“这样方便嘛！你看，我躺下时，满天的英文就灌到我脑子里来；睁开眼，又是满世界的 English 飞进我的视野……这叫强制英语学习法！”王涛摇头晃脑地在学员老哥们面前得意地介绍自己的学习窍门。

卫留成和长庆油田来的一批学员入了西安外语学院进修班，条件自然好一点，不过，卫留成借听《美国之音》练发音还差点被批，倒使他和学员们后来更加“疯狂英语”了。

王涛和卫留成等受训学员很快被派往与外国公司合作的第一线岗位，参与对外项目的实战。

历来如此，合成作战的磨合过程总是异常复杂而艰难。中国与外国公司在海上找油的合作过程所经历的磨合更非寻常。别人瞧不起咱是一方面，而我们自己由于观念陈旧所导致的一些意识错误和行为更叫人哭笑不得。比如，那时人们总把“洋人”视为敌，视为剥削阶级的资本家，故“凡是敌人拥护的，我们就坚决反对”。因此在海上出现许多啼笑皆非的事：

外方公司要求平台上的员工必须穿着整洁，我们的工人就是不听，照常穿着油乎乎的“杠杠服”跟老外说：这是我们中国石油工人的形象，你管不着！

石油平台现场最忌讳烟火，抽烟喝酒是绝对禁止的事。可我们的工人直着脖子告诉老外：咱中国石油工人就是靠喝酒抽烟战胜冰天雪地搞出了大庆油田！咋啦，在我们自己的海洋上找油你有什么权利限制这、限制那?

更有甚者，有人面对“老外”监理提出的制度要求，竟然集体罢工以示抗议。当翻译出面制止时，几个中方人员举起水龙头，边朝翻译喷射边骂其“汉奸”……

此类的笑话和洋相可以装几箩筐，而现在看来不可能成为问题的问题，在当时还常常被一捅就捅到了北京。

“我们必须把‘监督、协调、学习’这六个字倒个个儿！中方人员应当学会用国际惯例和与外国公司签订的合同行事，绝不允许拿所谓的‘主权’和‘主人’来影响和破坏对外合作项目的进展！中国现代化需要能源，中国海洋石油事业必须迎头赶上世界先进水平！老土、愚昧和无知的行为应当彻底改掉！”中海油党组会及时作出扭转不良局面的决定。

“学习”再次被列在了首位。这样的学习不再是简单的专业技术学习，而是思想和观念、管理和体制方面的全方位学习。

中海油欲将自己的队伍和公司建成与国际接轨的事业是从此时真正开始的——

“与国际规范接轨”“按国际标准作业”“追赶和超越掌握先进技术和现代管理经验的外国合作伙伴”，一时成为中国海洋石油队伍的流行语，而最关键的还是实际行动。

刘桂芝，一个普通的女电焊工。当她得知自己所在的单位要取得建造合作油田平台导管架的承包资格，必须拥有一批达到国际焊接标准 6JR 的电焊工时，她勇敢地报名要求参加培训。外国焊接专家不相信这样一个拖家带口的中国女工能够成为 6JR，于是对她漫不经心。刘桂芝并不因此放弃，她用比别人多几倍的时间仔细观察辅导老师的动作，认真揣摩要领。资格考试时，刘桂芝以优秀成绩获得了 6JR 合格证书，令外籍专家十分意外。当她揣着国际合格证书远赴日本参加海上导管架制造时，日本人对一位中国女焊工的技术深表怀疑。他们派出国家级技术尖子与刘桂芝较量，比赛结果，刘桂芝赢得第一名，日本同行因此对这位中国女焊工心服口服。

周守为，现任中海油总公司副总经理，中国工程院院士。

1982 年，周守为走出石油学院的校门时，正值中国海洋石油对外合作的热火朝天时期。作为渤海湾油田的一名中国采油技术干部，他在中日合作项目的埕北油田当了一名中方操作人员。到海上平台的第一天，不知为什么被日方副矿长岩崎盯上了，岩崎像连珠炮似的向他发问当天平台生产的一连串问题。一向反应敏捷、举止高傲的周守为第一次感到了窘迫，而且是在“洋人”面前丢脸，这让这位中国小伙子内心有种强烈的耻辱感。从此以后，他变得沉默和理性，每日白天紧跟在日本专家的身后静观默察，傍晚时分便捧出日方提供的图纸和资料，潜心进行钻研，思索生产进程中的每一个细节。一次，周守为配合日方技术人员给过滤器装药，只用眼睛一瞄，便提出应当调整配药比例。有人找来资料一查，果然丝毫不差。日方人员用诧异的目光瞅着这位中国小伙子，有些不敢相信。在 B 平台第一口井出油的关键时刻，日方人员遇到通过计算机分离器达不到设计预定压力的难题，眼看投产方案无法实施，个个急得不知所措时，站在一旁的周守为开腔了：应该如此这般！最后的结果又一次被成功地验证了。“佩服！”日方专家齐刷刷地站到周守伟的面前，弯下六十度的腰，他们一起向这位年轻的中国技术人员深深地鞠躬。

“OK！”“老外”在向中方人员一次次竖大拇指。

“He was so great!”（他太棒了！）“洋”专家以感激的方式在拥抱中国技术工程师。

曾经风浪起伏、惊涛汹涌的中国海，开始变得温存和谐，风平浪静起来，随之而来的结果是：中国海的合作项目的生产进展指标直线上扬……

几乎是在同一时间，富有远见的中海油领导层大胆地作出决定，在全公司范围内挑选一批批骨干并将他们送往国外进行专门培训，学习国际海洋石油勘探开发及经营经验。

年轻的南海石油东部公司勘探部副经理傅成玉，就是在此时被派往美国大学专攻工程管理专业，获得硕士学位的傅成玉回国后，被在中国南海进行合作项目的美国菲利普斯国际亚洲公司聘为该公司的项目总经理，由于工作出色，成绩显著，合同完成后，傅成玉被任命为中海油总公司副总经理，专门负责总公司在境外上市工作，成为具有国际管理经验的海洋石油专家和新一代中海油领导干部。2003 年，他成为中海油的第 5 任掌门人，直至现在。如今的中海油能够驰骋国际市场，傲立于世界石油强林之中，与傅成玉这样的一批国际型管理专家担任领导有直接关系。

学习，改变了中国石油人对海洋石油勘探与开发的无知；学习，填补了中国海油人对建立国际型现代化企业的空白；学习，更多地增进了中国石油人与外国合作者之间的友谊和了解；学习，最终让沉静的中国海真正地沸腾了起来——

到 2000 年，经过数轮招标，中海油与外国石油公司在中国海域进行的合作项目成绩斐然，有 18 个国家和地区的 70 家外国石油公司与中海油签订了 146 个石油合同和协议，共投入 66.4 亿美元（其中勘探风险投资占一半左右），开发了 25 个油气田。中国海上找油成果出现了前所未有的飞跃。经过 20 年的对外合作，中国海上产油量从徘徊了近 30 年的 9 万吨水平，到 2000 年时，已经达到年产 2000 万吨，其中合作项目的产油气量占了中海油总公司产油气总量的 80% 以上。其中一些突出的成果如发现和建成的南海西部莺歌海盆地的崖 13–1 气田。这是中方与美国阿科公司签订的合作项目，它是中国近海乃至整个东部地区的第一个海上大气田，此气田丰度高、产量高，天然气性质好。

我们应当还记得，当年就是因为莺歌海上飘起的朵朵油花，才吊了中国人对海上找油的胃口，“我们也有中国的‘海上巴库’”，这是 20 世纪五六十年代中国上下渴望的一件事。20 余年过去了，当中国海油人通过与外国公司的合作，真的在莺歌海找到“海上巴库”时，他们才发现：刚刚进入改革开放的中国竟然还不知如何利用天然气，加上又没钱，所以当崖 13 － 1 气田成功发现并进入开发阶段时，一件意想不到的事让时任中海油总经理的钟一鸣急得有些不知所措。这是笔者不久前采访钟一鸣先生的一段谈话记录——

1983 年，气田正式开钻后，究竟这个气田的气干什么用？当时大家的认识并不统一。第一家找到我们的是广东省。他们表示，气必须送往广东省，让广东省的老百姓用上气。广东的这个想法很好，但他们碰到了困难：崖 13–1 气田是我们和美国阿科石油公司合作开发的，按当时的规矩，一旦开发气田，我们需要付给阿科外汇才可能把天然气为我所用。这下把广东省难住了，在当时广东虽然有一定实力，外汇却都在合资企业老板手上。怎么办？发现了海上大气田竟然没钱开发利用，这让我们急坏了。也巧，就在这时，阿科石油公司的头头安德森先生在与邓小平见面中，向小平同志建议将崖 13–1 气田的天然气，用于建设 6 套大化肥工厂。“好嘛，中国现在发展农业，正缺化肥呢！”小平同志很高兴接受安德森的建设。大气田开发利用总算有了着落，我们着实松了一口气。

但在执行过程中却遇到了困难——阿科的条件是，他们建化肥装置，由中海油作为买方将化肥买下来，其中装置的建设投资由阿科先行垫付，由中国银行作担保。投资从中方销售化肥获得的收入中予以回收。那时候 1 立方米气的售价是 6.7 美分。我一算账，心里非常不踏实，因为这个方案的风险实际上全由中海油来承担。不行！我当即向国务院领导作了汇报。中央领导对此表示理解，希望我们重新拿出解决办法。这样又拖了两年。

1987 年，邓小平接见美国的一位副总统，由于这位副总统是我们中海油请的客人，所以在会见时我有幸陪同。小平同志一见我，第一句话就问："阿科那边，气田和化肥的事情怎么样了？"我马上报告道："已经向国务院领导汇报过了，正在运行。"

小平同志说："好，好，那我就不管了，交给他们来办吧。"

我放下了一颗心。从这时起，我们重新规划气的使用。1988年，海南正式建省。海南省希望崖 13-1 气田的气不出海南，要用在海南。我们一时慌了手脚，因为海南省是个新建的省，如果他们要气，肯定没有钱付。这是一个新冒出来的"国情"问题，能不让我们着急吗？

一次，我陪副总理邹家华等领导去海南视察，一路上我都在找机会跟邹副总理讨论这个气的问题：海南省当时没有钱，也没有项目，这么多气拿来作什么用呢？

在视察的最后一天，我对邹家华说："家华同志，我想了个办法。"他一听，笑笑，说："行！"

开会的时候，邹家华副总理首先作了一个开场讲话，然后由我紧接着说，崖 13-1 气田的气以最低价——1 立方米 4 美分给海南留下一部分，建一个化肥厂和一个电厂，剩下的气要卖到香港去。这样一年 32 亿立方米气，给海南省留下了大概 5 亿立方米。"我看这个方案挺好，你们看怎么样？"邹副总理这样问海南省的负责人。"那就行吧。"海南省负责人回答道。

海南这边的问题解决了。可还有一个更大的难题摆在我们面前：如何推翻与阿科公司之前签订的条约？我知道这样的大事跟阿科驻中国的首席代表谈没用，必须同他们的总老板谈。不巧的是阿科公司的董事长刚刚换了一个新的，他一听就坚决不同意，说："按照西方的规矩，签了字就不能反悔。"

我只得软中带硬地告诉他："理我亏了，但这件事情按照原条约是办不成的。"阿科公司的新老板眼珠子一下瞪大了，但很快又暗淡了下去。估计他在心想：对付中国人和中国制度是不太容易的。最后又几经周折，阿科方面终于同意了这个办法，与我们补签了一个协议，同意将气卖给香港……

此事谈判前后耗时两年多，其过程起伏跌宕，异常艰苦。主持此项工作的钟一鸣总经理那时已年届62岁，按照中央规定他已经是“超期服役”的副部级干部了。为了在其任职时能为崖13-1气田的气卖给香港划个句号，一向不看重官职的他竟然一反常态，异乎寻常地给国务院领导直接打电话“请求”：“希望中央对我卸任的命令不要早于当年的12月24日，因为我们和对方约定的签字时间是12月23日……”

1992年12月23日，相关方在澳门举行了隆重的签字仪式。晚上中海油在香港召开庆功会。此时此刻的钟一鸣十分动情地举杯说道：“首先我要向大家报告一个情况，明天我就要从中海油总经理的职务上退下来了……”他的话音刚落，全场一片哗然。

钟一鸣见合作方惊愕和紧张的神色，便稳定了一下自己的情绪，突然提高嗓门，大声道：“但，我今天签的字是有效的！来，为了我们的成功合作，干杯！”

“干杯！”“干杯——！”

崖13-1气田自1996年投产后每年向香港输气29.5亿立方米，至今香港同胞仍然每天在分享这个气田给他们带去的天然气。而为此事前后奔波了8年的钟一鸣先生在退休后过着半“隐居”的生活，极少接受外界采访。时隔近18年后的10月9日，我有幸见到他，才第一次听到了上面的这段故事。让我们向这位中国海洋石油的奠基者和开拓者致敬！

莺歌海域的崖13-1气田的成功发现和开发是当时与外国公司合作的一个突出成果。除此，另一些重要成果如发现和建成了南海东部珠江口盆地的惠州、西江、流花等10个油田。尤其是1985

年7月，由阿吉普、雪佛龙、德士古等著名公司组成的联合集团发现了惠州21—1油田，是珠江口第一个投入开发的高产油田。1987年2月，美国阿莫科公司又发现了流花11—1油田，储量达1.5亿吨，是南海发现的第一个大油田。1988年8月，美国菲利普斯石油公司又发现了西江30—2高产油田。以上油田组成的中国南海海洋石油的富产地，成为中国海洋石油的“主力”。在渤海海域，中外合作项目更是战果辉煌，与中方合作的美国菲利普斯石油公司于1999年7月发现了一个储量为6亿吨的蓬莱大油田。这是我国继大庆油田以后所发现的最大的整装油田，消息一经公布，引起世界石油界巨大震荡。

此刻，中国海洋石油事业的腾飞，已从辽阔的海平面上呈现奇妙而壮观的景象……

然而，中国海油人自信而清醒地意识到：依靠别人的力量和技术只能是搭船出海，搭船出海所能看到的奇妙景象终究有一天要落幕。欲让大海的奇妙景象永久地壮观和定格，必须最终依靠自己，更何况中国海是我们中国人的，中国海洋石油事业的远航巨帆，也只能由中国人自己扬帆启航，才能真正“嗖嗖”发威。

“学习的目的，就是为了自己搞出名堂！”早在20世纪80年代初，具有战略眼光的康世恩就这样对中海油人说。“自主经营”我们自己的海上油田，这一带着滚烫热度的爱国主义方略，其实从中方引进外国公司到中国海的第一天起就早已深深地“潜伏”在中海油人的心中。

见利开眼、遇险即退的外国石油公司在几轮招标和勘探之后，在他们认为没能在中国海获得如中东波斯湾那样的巨大利益后，加之当时世界石油价格一度一跌再跌，降至每桶十来美元时，“洋人”公司纷纷从中国海域撤出。沸腾的中国海陷入再度的沉闷时，已经在同老外合作过程中学到了一定海上找油和打油经验的中国海油人发出了震耳欲聋的呼啸："挺起腰杆，站直身子，我们自己干！"面对大浪汹涌、起伏颠簸的海洋，尚未来得及摆下"谢师宴"的中国海油人，被逼重走"自力更生、奋发图强"之路，他们接过一个个被"老外"丢弃的勘探板块和熄灭了隆隆机器声的钻井与采油平台，开始伸展出自己的双臂，在祖国的蓝色海域踏浪搏击……

海上"自营油田"的概念就是这个时候诞生的。所谓"自营"，就是一切得靠自己。然而"自营"谈何容易！刚刚组建没多久的中海油总公司没有钱不说，国家那时也根本拿不出那么多钱来支持开发一个海上油田。但最要命的还是我方对海洋找油和开发油田缺乏完整和系统的经验。外国公司虽然有些懊恼地从中国海域撤了，但关于这一点他们心里有数："中国人想独立自营开发海上油田，那一定比登天还难。"

然而，"老外们"很快发现中国海油人真的登天了！"我们的'天机'现在可以泄露了。"中海油首任总经理秦文彩告诉我，当时外国公司纷纷撤出中国海域时，只有日本公司留了下来。"这并非日本人傻，而是当初我们与日本公司的合同项目是由两国高层领导拍板签下来的。为了开发渤海油田，日方公司由他们本国的48家股东组织成了一个株式会社，由政府作担保，确定总投资额为6亿美元。由于这是一个带有国家性质的石油公司，根据日本国内的公司制度，一旦它确定项目后，就必须把钱都得投进来，而这一情况客观上帮了我们大忙……"秦文彩说的"帮了大忙"，是中海油从一开始就把中日合作区块项目中的埕北油田作为渤海油田开发的我方"黄埔军校"进行了特别的建设和规划。埕北油田本身很小，是1972年我国的32190钻井队探海7井发现的，后来同日方合作后，要求日方"带动"埕北一起开发。

时任渤海油田负责人的钟一鸣又在历史关键时刻下了精明的

一招："一开始，我往这个油田上调去了38个大学生，都是1982届的大学毕业生，让他们在油田的各个工种岗位上当工人。同时我们又请了一家英国公司到塘沽办技工训练班，严格训练了40名具有中专学历的操作工，再把他们派去埕北进行油田实战培训。一批骨干熟悉和掌握了海上油田的技术后，又重新换上另一批年轻的骨干，埕北油田因此被称为我们中国海油的'黄埔军校'……"我知道，后来从埕北油田——中国海油"黄埔军校"走出去的中方技术与管理人员，得到快速成长，大多成了其他海上油田的领导。

1984年11月22日和12月9日，这两个日子对中海油人来说是值得铭记的，因为这是中国人完全依靠自营能力和现代化海上管理技术成功打出的第一口海上油井及第一口气井，这就是中海油人都知道的锦州20－2油气田。该油气田位于渤海东部的辽东湾海域，距天津大沽灯塔370公里、离海岸最近的锦西港50公里，故而命名为锦州20－2油气田。此油田从设计到实施开发，完全由中方自己做，并且在施工生产过程中按照国际规范进行"不走样"的仿效，"我们的目的就是检验自营能力。"钟一鸣说得很白，意在看看自己的队伍到底在技术与管理方面能不能"出师"了。"最后的结论是：我们出师了！"钟一鸣说。

在没有"师傅"的日子里，中国人成功地实现了"自营"海上油田勘探开发的历史性跨越，从此沸腾的中国海真正呈现一片无限光明的前景……

第六章　历史性的“美丽转身”

“我们终于可以自己抱起海上金娃娃了！”这一声欢呼，是康世恩在继1984年自营发现锦州20–2油气田后，1987年又自营发现绥中36–1油田之后发出的。

自从开始自营海上找油后，20世纪80年代中期至90年代中期，中海油人接二连三地实现了海上找油的新突破。成果最大的是渤海湾油田。值得一提的是，那段时间，我们不仅相继在渤海湾找到了一个个大油田，而且发明了一系列发现、开采凝析油气田的世界顶级技术。这种凝析油气田勘探开采技术至今仍是我们领先于其他国家的独一无二的先进技术，它为我中海油立足本国、面向世界的战略发挥了不可替代的作用。

“自营”一词，对中海油人来说再熟悉不过了，而这两个字包含了多少内容与多少自强不息、奋发图强的创业与创新精神，只有中海油人自己知道。自营的概念，其实包括了自主经营、自己管理海上油田勘探与开发的全部活动内容。现在听起来似乎很简单的一件事，然而对曾经一无所有、一无所知海上油田开发能力与经验的中海油人来说，这一“自营”过程，便是一场场比当年大庆人在荒蛮的松辽平原上找油要艰巨和复杂得多得多的革命。

许多中海油的老同志给我讲过这样一个故事：20世纪80年代时，有一天一位国务院领导到海上视察中海油刚从撤走的外国公司那里接过的一座海上钻探平台，当他看到所有机械设备上标注的都是英文说明时，问中海油的负责人：你们准备怎么使唤这些“洋玩意”？

“给我政策就行。”这位中海油负责人说。

“怎么讲？”

“我要招人。”

“这不是什么问题嘛！”

“但在我这儿可不是个小问题。”在向国务院领导汇报时，他们举了一个例子：海上平台职工宿舍里装有抽水马桶就是从外国引进的，可我们这些从陆上调来的工人不愿用它，还是喜欢蹲着拉屎。一卷卷卫生纸放在厕所里有多少被拿走多少，真正去上厕所的人宁愿用废报纸擦屁股……“所以一句话：希望领导给我政策——同意我重新招人！”

“哈哈……原来是这样！”这位国务院领导大笑之后，说：“我同意给你政策。”

“从此我们每年招进 400 到 600 个大学生到公司来，同时又把超过全公司十分之一的技术骨干送到国外学习培训，这一做法一直延续到现在。”一位原中海油负责人告诉我，当时他们为了让年轻人进入领导班子，甚至动员一部分 55 岁的处长提前退出岗位。“经济有效的用人政策”这时也被作为中海油一项“刚性”政策固定下来。

大幅提高一线工人待遇，让不合格的人从岗位上撤下来，坚定所有岗位定编定员，“多一人也必须由公司总经理一支笔批准。”这是中海油自 1982 年成立至今，全员编制总人数始终没有超过 30000 人的一项“铁规”。秦文彩、钟一鸣、王彦、卫留成到后来的傅成玉这五任中海油“掌门人”，始终不渝地共同遵守了这条“铁规”。

一直在国际同行和国内国有大型企业中享有“铁军”之称的中海油，能够以 30000 人的队伍承担起传统的陆上石油业百万人的队伍方能完成的勘探与开发任务，靠的也是这样的“铁规”。

这样的“铁规”在中海油的队伍建设中不仅仅体现在队伍的精干上，更多的是在能力上、规程上，以及不可动摇的制度上。关于这样的事，假如你走进中国海上的石油队伍里，你会发现随处可见中海油的“与众不同”——

比如：很多时候，中国人习惯了“加班加点”“革命加拼命”的工作方式，而在中海油的海上作业中绝不允许这样的事出现。他们实行的“铁规”是：你在海上工作 28 天，你就必须回到陆上好好休息同样的时间，即使是一名指挥一个百万吨级的“海上石油城”的总指挥，到了 28 天工作时间你也必须离开岗位让位于你的接任者。他们认为，你能保持旺盛的斗志和良好的精神状态，甚至与家人的和睦关系都是保障你在后一个“28 天”的海上作业的根本保证。

比如：生产安全问题对每个企业、每位职工都是生命攸关的大事，通常在一些企业和职工实际工作中常常被作为简单的工作程序来做。而当你走到海上平台或任何一艘海上作业船，你会发现中海油的每一位海上操作者对生产安全和操作规程的执行力度可同宇宙航天员、卫星地面操作员的严谨一样，不折不扣、铁板一块。我去年 10 月 23 日到湛江采访南海石油时，正值 500 年不遇的“鲶鱼台风”即将袭击前夕，身处预报台风正面袭击海域的南海西部公司数十个采油平台和海上勘探平台，都将面临一场空前的海上浩劫。但我同时知道，这个时间的南海西部公司正值采油生产和海上勘探的丰收季节，一个平台一天的生产收益少则几百万元，多则几千万元。然而全公司上下面对预报的台风等级，没有一个人以丝毫的侥幸心理消极对待撤出作业现场的命令。“对一个中等油田的海上采油平台而言，这一撤一复，前后至少七八天时间，就等于上亿元的油收入泡了汤，即使这么大的损失，我们一点也不会有消极执行撤离指令的。这就是中海油自成立至今的 30 年来从来没有出现过像‘渤海二号’的事故。”谢玉洪总经理如此骄傲地告诉我：“因为在每次大台风或每个紧急情况出现时，我们每一个海油人心中都记着总公司严厉要求的‘十撤九空也要撤，十撤十空照样撤’这一规定。”

比如：中海油全公司如今一年向国家交税已经近千亿元，勘探开发一个中小油田的资金投放量至少也有几亿、几十亿元，但你能相信中海油总公司会有这样一项规定：所有干部出差乘坐的交通工具和住宿标准统统比国家规定的自动下降一级。有人问这是什么意思。中海油总公司总经理傅成玉拿自己说事：“比如我是副部级干部待遇，出差乘飞机可以坐公务舱，因为公司实行了自动下降一级的制度，于是我只能坐经济舱。有很多次在飞机上碰上熟人或媒体的朋友，他们很奇怪我这个执掌着数千亿资产的大老板怎么会坐经济舱。常常为了说明白这事觉得挺费劲，于是后来遇上这种情况就干脆一笑：因为赶时间，没有买上公务舱的票。也有多事者会指着空位的公务舱问：不是还有空位置嘛，你傅总不会是怕多掏几个钱吧？”傅成玉说到此只有笑，采访者的我也只有跟着笑。但中海油的上上下下则都一本正经地这样告诉我：不该花的钱一分不花，不该铺张浪费的钱一分不铺张，这是我们搞企业的一向做法。

在中海油整个行业，诸如这样的“比如”可以列出长长的一串，而所有这一切，我们不难看出党的十六大、十七大以来一向倡导的“以人为本”“科学发展”这八个字的精神。这也是中海油人为什么能够从无到有、从弱到强、从搭船启程到独自扬帆远航、跨入世界强盛之林的根本所在。

“新中国的石油业继承的是大庆精神。大庆和铁人精神是中国石油人的光荣传统和灵魂所在。有人常常会问：今天的中海油队伍中大庆精神和铁人精神体现在何处？那么我们会这样告诉他：

追求和打造国际一流的现代化企业，赶超世界先进水平，为国家多找油、多做贡献，这就是我们中海油人今天的大庆精神和铁人精神。只是它的表现形式不一样了，其爱国主义和发奋图强的精神核心没有变。在我们的中海油企业里，‘大庆’是通过整个企业的一个政策、一条道路、一种机制和一种使命的实现来体现的。”傅成玉这样说。

单纯地从实现海上生产油气的数字来看，我们也能清晰地看到中海油所走过的“大庆”之路：秦文彩任期内开启的对外开放，钟一鸣任期内的200万吨目标，王彦任期内闯过的千万吨接力，卫留成任期内实现的3000万吨大关，到今天傅成玉手上托起的5000万吨“海上大庆”。中海油一路走来，可谓高歌猛进。

“只有想不到，没有做不到。”这句话在中海油时常能听到。

有人说，20世纪是“石油世纪”，21世纪是“世纪石油”，看起来这四个字儿作了一个简单的颠倒，然而它的意义却非常深远，因为它说明了能源特别是石油能源对我们这个星球的命运有着不可逾越的决定性影响。20世纪是以美国为代表的西方国家利用石油能源实现了称霸世界整整一百年的历史进程，21世纪无疑将改变这种格局，中国的崛起和中华民族能不能实现伟大复兴，带领全世界走向更加繁荣和稳定的历史新纪元，某种意义上讲，它取决于我们是否拥有足够的石油资源。这已经成为定论。

陆地的石油资源开采量，如今已经在整个中国的用油量总数中占的比例越来越小，向海洋要油和向海外购油已经成为今后我们石油供应的主要出路。一个“海”字联结着中国的命运，也同时影响着世界的命运。中国人对海洋石油的认识能力只有短短的30年，而主宰中国海洋石油事业的就是中海油人。

一个核心人员只有3万来人的队伍所干出的事业好与坏，紧密联结着一个伟大民族13亿人的命运，同时也间接地影响着一个承载60亿人地球的整个人类的命运。

这就是中海油人心中一直荡漾的崇高理想与不懈的精神动力。

“使命重大”“理想不灭”“前途光明”，这十二个字在中海油人的口中随时可闻。

使命并不是空洞的理论，理想更不是虚幻的光环，而光明的前途则需要雄心与抱负再加脚踏实地的有“头脑风暴”的干劲。

20世纪八九十年代，中国海油人在与国外石油公司合作之中学会了“拿来主义”的同时，闯出了一条“自营”的路，这让“老外”们刮目相看，甚至有些妒忌，因为“老外”很难相信在短短的十几年时间里，一帮连26个英文字母都背不全的中国海油人怎么可能驾驭如此复杂的海洋钻井平台呢？然而勤学智慧的中国海油人就这么在不经意间把“洋师傅”的那点高难度本领学到了手，而且随着时间的不断推移，“徒弟”的本事越来越大，甚至超过了师傅。

第三任中海油总经理王彦对此感触颇深。他有实例为证：“最典型的例子就是涠洲11–4油田。我们发现这个油田后，先是和法国的道达尔公司签署了合作协议，他们经过一年多的研究，最后撤出了，理由是这个油田有底水，不具有商业价值。后来我们又和意大利的阿基普公司合作，他们在道达尔研究的基础上改进了计算模式，最后得出的结论还是没有经济效益。可我们不死心，自己的‘孩子’，我们自己把他‘培养’起来，让他成为‘金娃娃’。后来通过仔细的地质和物探研究，我们的专家发现这个油田的水和油之间有一个隔离层。经过慎重研究和实践，我们决定开发这个油田。结果达到了预期效果，我们使这个差点被人遗弃的油田实现了年产100万吨的采油量，而且到目前为止，涠洲11–4油田仍然是中国海域内自己开发的海上油田中效益最好的油田之一，它投资少，产量大，是真正中国式海洋石油开发模式所形成的一个好油田。”

王彦所说的“中国模式”其实是中海油人在自营实践过程中探索出的一套施工经验，比如为了提高钻井速度，降低成本，当时担任这个油田钻井任务的“南海4号”平台采取了改进平台钻井坐标、实施同一口径批量钻井及大胆探索水平井钻探等技术措施，使油田工程时间比计划提前了75天，仅此一项，省下的生产费用就是几千万元。几千万元对今天的中海油公司来说，不是什么大数目，可在当时它真能救中海油一命！

在渤海、南海自营油田的成功，极大地提高了中国海油人在“老外”心目中的地位。20世纪90年代之后的中国海域的石油勘探开发局面立即发生了根本性的改变，中国人不再是被瞧不起的“徒弟”与“雇佣工”了，而是揭开了“我的海洋我做主”的自豪而荣耀的生动一页。

在东海，我石油公司反承包英国克拉夫石油公司原先承包的阜宁23-1-1井，当时“老外”很苛刻，钻一口2750米深的海洋井，开出的总承包价仅为25万美元。如此低价并没有难倒中国海油人。担任此项任务的我东海石油公司经过周密计划，最后确定了以上海为指挥中心、渤海石油公司为基地、连云港为中转码头的运营方案，严格按照国际海洋石油勘探施工要求，以高昂的精神状态投入战斗，结果在安全、质量、速度和成本等方面皆创造了东海钻井史上的最高纪录，还实现了赢利。

此阶段，中方总承包外国公司的业务已席卷中国海，势不可当。被“老外”称为“中国虎”的我南海东部石油公司更是通过几年对外合作，迅速培养起自己的海上作业队伍，先后成功地反承包了英国BP，美国西方、圣太菲等著名国际石油公司的业务。其中他们总承包的番禺4-2-1井更让英国BP这样的国际老牌石油公司刮目相看。承担这口井施工任务的是我“南海6号”钻井平台，该井从抛第一个锚起至完钻仅用 11.21 天，比原设计提前 11.79 天，创南海东部公司对外合作 15 年以来钻井周期最短的纪录，仅此一项让我方获得了 136 万美元的利润。最让“老外”没有面子的是，他们在这块海域投了巨资、花了十几年时间竟然没有闻见几粒油腥味，而我“南海 6 号”一钻下去，竟然让番禺 4–2–1 井成了日产 1210 吨的高产油井。

是运气？还是技术能力？谁也说不清，然而它却让“老外”们目瞪口呆，无言以对。才几年，在同样的海域，作为“师傅”的外国公司花巨资在这些合作区域大举勘探打井，结果这些老牌的著名国际石油公司收获无几，有的根本就是颗粒无收。现在，作为“徒弟”的中海油人竟然花小本钱连连得手，“师傅”能不汗颜吗？

南海东部，如今有个被称为“中国海上聚宝盆”的大油田名叫“流花油田”。这个有着美丽名字的海上油田的成长过程，更让中海油人扬眉吐气。

这个油田位于珠江口盆地，是中海油南海东部公司和美国阿莫科、科麦奇两家石油公司合作开发的油田。该油田储量大，原油比重大、黏度高，储油物性异常复杂，加上相对水深，由于受潮流和风暴及海流特别是内波流的影响，开发难度极大。1989 年初连续又打下三口评估井后，结果仍然不理想。此刻的“老外”想放弃了，因为对这样的区域油田开发仅评估就得花六年时间，而恰逢此时国际油价大跌，见不到利益的“老外”公司简直快要发疯了，他们当时只想如何尽快撤离这里！中海油科研人员坚持认为流花油田不应该是个“死胎”，于是在经过缜密研究分析之后，认为应该根据该海域地质情况，采用打水平井的方法进行新的生产井探究。不多长时间，流花 11–1–6 水平井一举获得成功，黑色乌金源源不断地从海底深处涌出海面……“流花油田”从此名扬天下，成为中国海最重要的油田之一。1996 年，“老外”给这个油田设计的开发寿命是 10 年，储量为 2 亿立方米的油田所评估的采收率为 8% ~ 9%。2003 年，中海油从“老外”手中接过全部股权，从此中海油公司拥有对流花油田的百分之百的股权。但根据原设计，这个到自己手里的大油田还仅有 3 年寿命！中海油人心疼、也不甘心这种命运！我方科研人员不信邪，继续实践探索，他们大胆试验和发挥水平井的威力，运用自己研制的“神钻”将水平井的长度从 600 多米延伸到两三千米……

知道这是一个怎样的状态吗？可以这样来描绘：一个海上平台，打一口或几口井，而海面上所看到的一口或几口井，其实在海底可能是几口，或者十几口甚至是几十口的井。这些井每一口都像一只只胳膊，它们的下面是伸张着的十只、甚至是更多神奇的“手指”，这些“手指”通过地面遥控指挥，又如灵活善变、奇妙无比的魔爪，按照人的意志，顺着各式各样的含油层，将几平方公里甚至是十几平方公里内的原油吸聚到漂浮在海面上的一个 FPS——浮式生产平台上。

这就是今天我们中国人自己执掌开发的“流花油田”——每天流淌着金色之花的油田。

2003 年，中海油人从“老外”处接手这个油田时，不仅只有 3 年的寿命期，而且油井的含水量已经达到了 97% 以上，也就是说从海底抽出的 100 公斤东西中只有不足 2 公斤是原油了。聪明的“老外”认为将这样的油田早早扔给中国人是他们最佳的解脱，然而他们万万想不到的是，对自己的大海充满感情的中国石油人，如今不仅让这个只有 3 年寿命的老油田“返老还童”，而且采收率也提高到 10% 以上。这句话让外行人不易明白，换句通俗的话说，就是现在我们自己手上的流花油田比在“老外”手上时要多产几倍油！

中海油人成功反承包“老外”的一口口勘探与生产油井过程中，其地位和信誉与日俱增，到后来已是不可动摇了。而在这其中，中国海油人的素质提高与能力提升无疑是最突出的表现。

郝振山，“南海2号”平台经理，这位全国劳动模范的成长经历也许是整个中海油队伍的代表。跟着父亲的足迹爱上大海、爱上大海找油的他，当年上钻井船的第一份工作是甲板工。那时他看着那些有技术含量的岗位都是由“老外”把着就憋着劲要把技术学到手，而且他瞄准的是钻井最重要的司钻岗位。白天，他一干完自己的活儿就跑到司钻室，直着脖子看“洋司钻”如何操控刹把；晚上他抱着外文技术资料一字一句“啃”。有一天“洋司钻”发现了，怒斥道：“看什么？这是你能看的吗？”郝振山被激愤了：“眼睛是我的，咋不能看？告诉你，早晚你手中的刹把是我的！”“洋司钻”带着嘲讽的眼神蔑视了一眼这位中国小伙子，“呯”的一声关上了司钻室的门。

这回笑出声的倒是郝振山了。一年后，这位甲板工竟然麻利地从“洋司钻”手里接过了钻机刹把，成了顶替外方公司司钻的中方第一人。郝振山后来又当了平台的高级队长、平台经理，成了真正指挥平台所有岗位的海上钻井高级管理者。

“大海如同一匹烈马，要想驾驭它就得有一套与之同舞的本领。要掌握与海同舞的本领，最重要的是心中时刻装着两个字：祖国。”郝振山指挥的“南海2号”在2006年接受了一次特殊考验——首次作为中海油派往国际油田服务市场的钻井平台，赴孟加拉湾参与缅甸海上油田钻探任务。经过21天日夜兼程，“南海2号”在郝振山的指挥下不仅安全抵达指定海域，而且在紧靠赤道的海域一举成功地为缅甸打出了第一口高产气井，为中海油在国际战场争得荣誉。

蒋清，45岁，现南海东部公司CACT作业者集团总裁。一个指挥数个海上油田作业大军的“司令”。他的CACT集团公司是由四个国家石油公司组成的联合作业公司，前面的C代表的是中海油公司，后面的A、C、T分别代表意大利的阿吉普公司、美国的雪佛龙公司和美国的吉士古公司。最早中方公司不在其列，是ACT集团组成了一个作业队在我南海合作区进行海上施工作业，那时中方人员只有少得可怜的几个雇员，然而到了90年代中方公司成为联合集团公司成员之后，这个公司所经营的南海惠州油田，不仅中方作业者渐渐多起来，而且主要管理者全都变成了中方人员。

“2004年之前，集团总裁还是中外方公司轮流担任，现在我们中方已经是公司永久性总裁了。”蒋清底气十足地告诉我，这意味着我们对整个油田的海洋作业技术水平和管理能力完全达到了与国际著名石油公司并起并坐的地位，而且从某种意义讲还略胜一筹——这一筹，即我们是中国人，我们在自己的海上经营自己的油田，感情不一样！”

不一样的感情，就会有不一样的结果。

蒋清管辖的南海东部惠州油田群的发现，就是“不一样的感情”下获得不一样收获的例证。惠州21−1油田的发现是1985年，那时的作业者是ACT集团，1990年正式进入开发生产期。“老外”对这个油田采取的是边缘注水加气并用的采油法，也就是靠重压硬挤的快速开采，这样油田寿命只有五年半。后中方公司接收这个油田的作业后，通过采用自喷、气举加自喷、气举加局部注水的单层开采、含层开采及混合开采三个不同形式的开采技术，使得这个功勋油田的开采寿命延长了一倍多，至今仍在源源不断地为祖国献油。

这片海域让蒋清等中海油人更为自豪的是，到了20世纪80年代后期、90年代初他们作为联合作业公司的主人后，“新油田如葡萄串似的被发现出来！”蒋清这样形容道。

惠州 26–1、惠州 32–2、惠州 32–3、惠州 32–5……那葡萄串般的新油田就这样在中国海油人自己的手里被发现。“我现在真正有点儿像国际大老板了：一个人管理七个油田的海上作业队伍，从海上到陆上的全油田上的作业人马中只有十几个‘老外’了，这在 20 年前是不可想象的事，但现在我敢说：我们的作业队伍拉到世界任何地方的同类水深的海域施工，绝对不会输！”

我知道蒋清的话是有根据的，因为中海油近几年已经将队伍拉到尼日利亚、印度尼西亚、阿根廷等国的海上油田干过活，他们干出了中国人的威风。

第七章　扬帆远航：走自己的路

京剧《海港》里退休码头工人马洪亮有首唱词，对上岁数的人来说都很熟悉：

> ……看码头，好气派，机械列队江边排。大吊车，真厉害，成吨的钢铁，它轻轻地一抓就起来。工人们把码头的面貌改，看得我热泪盈眶心花开。

这首唱词对50年前的中国码头的身临其境般的情形描述，在50年后的今天，实在不值一提，因为同样的“大吊车”，今天的才叫“真厉害”：那高扬起的长臂达120米，单吊能力可载7500吨！

7500吨是个什么概念？

“你看这边的这个庞然大物，大约有八层楼高，是我们海上平台的一部分，有六七千吨重，我们的吊车可以把它轻轻地一抓就起来！不过这还不是最厉害的。”站在堪称“世界第一吊”的“蓝琼大吊”旁，中国海油工程有限公司党委书记兼执行副总裁张松甫骄傲地将我拉到另一个卧俯在一旁的庞然大物，说：这是即将完成的起吊能力可达11000～30000吨的浮托安装吊。“今年开春，它可以出海显神威了！”

我的天，这样的吊车才叫厉害啊！“海上平台都是钢铁疙瘩，为了实现安全和高效，一般都在岸头进行一次安装好后再运到海上作业点，这就需要超大型吊车。过去马洪亮时代所看到的码头吊车才吊十几吨、几十吨，如今我们自己制造的吊车可以吊起几千吨，甚至数万吨，这也是中国海上石油事业能够证明自己实力的一方面。”张松甫是中国海油工程的亲历者和见证者，他的话具有一定的权威性。

看一个国家对海洋的控制与开发能力，其实只要看它的海洋工程水平就行。中国的海洋工程历史并不算短，几乎伴随了整个20世纪。然而真正迈向大国海洋工程现代化水准的历史算起来也就是新世纪以来的十来年时间。

在上证A股市场上有只代号600583的股票，就是中国海油工程股份有限公司的股票。公司简称“海油工程公司”，是中海油的一个子公司，承担海油勘探与开发的工程制造与海上作业任务，是目前中国最大和最具实力的海洋工程总承包公司。“为了实现‘海上大庆’目标，仅2009年一年中，我们公司铺设的海底管道就达1200多公里，等于前四年的总水平。”张松甫说，海洋工程涉及的科技含量甚至比航天更尖端，因为海面和海底所面临的问题远远多于宇宙空间的复杂性。

张松甫的话使我想起了一件事：2011年新年伊始，在人民大会堂召开的国家科学技术进步奖励大会上，国家主席胡锦涛颁发的一项国家科学技术进步奖——企业技术创新工程类一等奖，奖励的项目是“中国海洋油气勘探开发科技创新体系建设”成果，获奖者是中海油，这是第一家中央企业获得该奖项。

“建设国际一流能源公司”，这是中海油进入21世纪之后提出的奋斗目标，与之相对应的还有四大发展战略，这也使得中海油能在短时间内走出一条从技术引进、发展到引进与集成创新相结合，进而实现在引进集成的基础上有选择地加大原始创新，以支撑和引领企业高效高速发展的科技创新道路，支撑建立起具有中国特色的现代海洋石油工业体系，支撑中国海油实现由国内走向国际、由浅水向深水两大历史性跨越。

“在海里找油，1000 万吨是一个台阶，1000 万吨到 3000 万吨是一个台阶，3000 万吨到 5000 万吨又是一个台阶。这些台阶之间的科技含量，不是简单的数字相加，而是数字的方程式，甚至是数字与几何之间的多种方程数学题。”在中海油“掌门人”傅成玉的心中，中海油市值的不断攀升常常令他激动和自豪：2001 年，“中海油有限公司”上市时的市值为 60 亿美元，现在是 1000 亿美元。“为什么国际市场对我们公司这么认可？因为我们中海油有限公司是‘成长股’，潜力好！这就是国际同行对我们的一致看法。如果要再问一个为什么，那我可以这样回答：中海油这些年走的是中国自己的特色道路，概括起来四句话：市场化运营，差异化竞争，集团化管理，科技化强兵。”

也许这样的话听起来似乎是很硬邦邦的“骨头”，其实当你了解中海油在“建设国际一流能源公司”的过程之后，会发现那都是些有血有肉、甚至是充满激情的精彩画卷——

“记得在 20 世纪末，国家提出国企要建立现代企业制度，我们海洋石油第一个到香港上市，从而叩开了国际资本市场的大门。公司随后以资本运营为契机，因势利导，深化分离油公司、专业公司和基地系统的改革，带动企业经营机制的转换，为公司的国际化、现代化奠定了坚实的体制基础。现在我们已经有 4 个上市公司，每一个公司通过资本运营，获得了非凡的业绩。比如我们中海油田服务有限公司，2001 年按照总公司的规划，将七个小而全的公司合并成一个公司，然后我们整体上市。这八九年中，海服公司通过资本运营，强大了自己的实力，现在不仅可以承担起中海油总公司在自己海域上的勘探与开发工程的所有服务项目，而且已经在海外二十多个国家承包任务，公司资产总额一直以 30% 的速度在增长。这样的业绩，在全世界同行中绝无仅有，今天的中国海服公司，无论从技术力量，还是管理能力、经济效益，都在国际上属于一流。”海服公司副总裁徐雄飞用了“惊心动魄”“惊涛骇浪”和“惊天动地”三个成语来形容他们公司的成长史。

“这样的形容不为过。”“老总”傅成玉听后笑着对我说，“对国有大企业而言，主动变革就是一场惊心动魄的革命，因为这样的主动变革，实际上对国有大企业就是一次推动体制机制变革的健身运动，弄好了是瘦身强体，弄不好就是伤筋动骨，全盘皆输。中海油的变革也并不一帆风顺。记得我任总经理之初，就在办公大楼里遇到过一件事，那天让我掉了眼泪……”双瞳闪着泪光的傅成玉讲的是一次他在跟机关那些从上市的油公司剥离出来的“等岗”人员对话时的情形，那天参加对话的有数百人，他们都是在中海油工作了十几年，甚至几十年的老员工，曾经都为中国海洋石油做出过贡献的人，现在他们将面临“丢饭碗”的命运，“我们对中海油有感情，也还有能力和作用，为什么就不能给个机会让我们一起为改制后的中海油做点有益的事？为什么……”一个个充满感情、充满哀伤甚至是哭腔的“为什么”，让素有“铁疙瘩”之称的傅成玉内心泛起巨大的波澜，他如此反问自己：国有企业的变革，其根本目的是为了什么？我们的责任和使命又是什么？中海油要成为“国际一流能源公司”主要依靠谁呢？政策、资本、经验、技术都重要，但最最重要的还是中海油的全体员工，他们心舒畅了，队伍才会有凝聚力，中海油总公司才会如一艘加足马力的扬帆巨轮，可以从容而快速地驶向理想的远方……

“任何一个企业的成长都是靠一代代员工的努力创造的，中海油的员工就是中海油发展的功臣，而功臣是不应受到歧视和委屈的。企业要改革，但改革的对象不应是那些曾为企业创造财富的功臣们，相反他们应当是改革的主体和改革成果的受益者。我们必须树立这样的理念：在共产党领导下的国有企业中，人力资源是企业最大的资源，如何让每一个可以创造价值的员工更好地发挥作用来为企业服务，关键是企业要有自己的办法。”党组会上，傅成玉力排众议，清楚而又明白地亮出了自己的观点，并得到其他班子成员的共识。

认识统一了，改革的阻力变成了动力。“就说海服公司的上市过程，当时这一块原有员工 8000 多人，按照资本市场要求，必须裁掉 2000 人，这样人均效益就高了。这个方案在总公司决策层也同意了。但最后时刻，我们经过审慎研究后，推翻了这一方案，最后决定海服公司要上市，但要消化的 2000 人也必须在公司的改制和发展中进行。后来我们完全按照了这一思路做，并通过 3 年的板块管理运作，如今不仅获得资本市场的认可，油服公司也以其自己的能力和实力在国际同行中成了左右逢源的一支让许多外国公司仰慕的专业队伍。”傅成玉称这样的历史进程为“无声无息的改革”。

大家知道，在中国的传统石油工业建设中，“人海战术”是我们的基本特色，由此形成的一个个“小油田、大社会”也是最具中国特点的问题。中国海洋石油相对而言，这种现象并不太明显，但历史形成的像后勤、基地等也很拖累现代化企业进程中的中海油。“因为我们的改革路子走对了，如这样的拖累问题也成了企业全速前进的动力齿轮。以后勤和基地等单位重组后形成的‘海油发展公司’，现在早已扭亏为盈，每年实现效益都在 10 亿元以上，去年达到了 19 亿元。而这期间，我们没有让一个人下岗，没有让一个人待业。”

“企业活，人就活。资产活，人更活。人活了，企业就更活。”中海油以其独特而又紧盯国际一流能源公司的水准来打造自己的队伍，从而获得了企业的跨越式发展。近 5 年中，全公司的油气产量年均增长为 5.7%，总资产年均增长 29%，上缴税收年均增长

29.5%。如果以总资产和净资产衡量的话，相当于在近5年中他们再造了3个新的“中海油”。

在“全球500强企业”中，2009年中海油的排名是第318位，2010年上升为第252位。再将“全球500强企业”的净利润排序，那么中海油的排名就该在前90名。世界经济权威刊物美国《商业周刊》则有另一种评价体系，他们在2009年对全球40家最佳企业进行了评估排名，中海油名列第16位，也是中国大陆唯一上榜的企业。

傅成玉很看重美国《商业周刊》的这一评估。“因为最佳国际型现代化企业标准是按企业的真实效益和自身发展潜力为核心参数进行评估的，它能体现一个企业真实情况。”傅成玉这样说，他非常在乎中海油作为中国这样一个发展中国家的国有企业向那些一向蔑视我们的西方经济“巨无霸”们证明：今天的中国企业通过二三十年的摸爬滚打，其实已经开始雄立于世界强林之中，而且在某些方面已经超过了其他对手。比如，今天的中海油在浅海石油勘探技术、海上装备制造能力、海上石油生产管理等诸方面已经可以说是“世界一流”水平。关于这一点，中海油的队伍近几年在国际石油勘探市场上彰显的能力已经在东亚、中东、非洲等海域的石油战场上得到了一次次证明，让国际同行常常目瞪口呆。

“其实，我们的技术与制造能力的提升，带动的不仅仅是自己企业的实力，而是整个国家的技术与制造水平。”中海油人最引以为自豪的是他们作为国有企业对国家的贡献。有一则“经典故事”常挂在他们口头——

2006年，已经投产10年的南海北部湾最重要的油田——流花油田经历了一场百年不遇的大台风。此次台风的名字听起来似乎很美——“珍珠”，其实是极端凶残的一个恶魔，它由两股飓风在西北太平洋上空碰撞，形成新的合力，在 5 月 13 日这一天，以每秒 40 多米的风速、20 多米高的浪墙，疯狂地向我流花油田迎面扑来。在台风袭击之前，中海油根据海上作业的规程要求，撤出了全部生产人员，并且关闭了所有设施，此次“珍珠”光顾，中海油数以千计的员工毫发无损。但就在同一片海域，23 年前的一次台风，曾经导致了一场震惊世界的惨剧，美国“爪哇海”号钻井平台指挥人员因为不听中方专家劝告，在台风袭击时没有下达撤离命令，结果平台上 80 多名作业人员全部遇难。

“北部湾的土台风与众不同，变化莫测，凶险异常。”流花油田作业区经理回忆起“珍珠”袭击之后的情形时，依旧一脸惊愕之状：“5 月 18 日，台风过后，等我们再上平台，发现固定‘南海胜利’号储油轮的 10 根锚链已经被‘珍珠’扭断 7 根，而这艘 5 万吨级的‘巨无霸’仅靠剩下的三四根锚链系泊，这意味着随时因另一次哪怕是轻微的风动而造成折翻。君不知，‘南海胜利’号载有 26 万桶原油和 7 万吨污油，一旦折翻，便是一次威力无比的大爆炸，那时，损坏的不仅是整个油田，而是不可设想的世界性海洋污染！最要命的是，当时正值台风季节，另一场台风只有几天时间后也将出现在北部湾……”

“那该怎么办呢？”我的心跟着悬了起来。

“后来根据总公司的指令，要求我们先把‘南海胜利’号和那些被‘珍珠’扭伤的采油平台一起拖到安全海域等待修复。哪知我们根本找不到切割和打捞那些粗如抱树的大锚链的方法。一根这样的锚链，放在岸头，就像一条巨蟒躺在足球场上，一点儿空隙都没有，你想象出锚链的个头了吧！问题是，在切割这样的锚链时，为了不让它在海水里晃动，得用 114 吨重的钢缆固定住。而这样的操作过程中，钢缆和锚链之间所形成的张力高达上百吨，一旦切割完毕时甩出的断锚链撞在油轮或平台上，又将是不可设想的灾难！偏偏，这类活过去都是外国公司干的，我们自己从来没有尝试过……”

“这又该怎么办呀？”我听着急得快要跺脚了。

“只好先求人吧。”这位经理说。“可人家外国公司别的条件还没提，仅仅雇他们的操作船，开价一天就是50万美元，而且不管切割锚链的活儿干得成干不成，皆一分钱都不退。”

“不是耍霸气嘛！”令人气愤。

“可不是。两个星期过去了，这家外国公司连个实施的方案都没有出来，末后反过来向我们要方案！这回真把我们气坏了，倒也把我们气清醒了。”

“自己干？”

“对。自己干！”接受这项特殊任务的是海油工程公司。公司总经理听说外国公司“卡脖子”，主动向中海油总公司请缨：“切割锚链加制造新锚链的活儿我们一起包了！”

设计方案拿到傅成玉案头，他凝视片刻后，大手往桌上一拍，说：就这么干，中海油要在世界舞台上跟同行比试，没有点真本事就别玩！

又一个世界级海洋工程的挑战摆在中海油人面前。

别小看了那说起来挺简单的切割锚链和制造锚链的活儿，要知道，这是在海上作业。后有人寻问，宝钢都没有炼过要求这么高的锚链钢材哟！

怎么办？自己想法儿呗！

打捞锚链和软管的器具，是决定修复流花油田生产的关键。这样的打捞器具何处有？一打听，世界上没有一家公司备有这等大型设备。租不到也买不到，那就自己造。

中海油人便用上了自己的一艘8000吨位的“709”勘探船，在上面加装了150吨的步进式绞车和125吨的尾部A吊器具。这是打捞必须具备的基本设备——超大型绞车，通过齿轮的力量将漂沉在深海的锚链和软管吊出海面。“那齿轮直径就有 7 米，两层楼那么高！”海工总经理一说起自己制造的“宝贝疙瘩”，都会露出一脸自豪。

深海打捞几千吨的东西和漂动着的巨型软管，光有力量还不行，得有“抓手”。这“抓手”如果能像人伸缩自如的手指一样当然最好。于是，承担此项技术攻关任务的中海油深圳公司千难万难地成功研制出了一个后来起名为“Chinese finger”（中国指）的大“抓手”。

有了“中国指”还得有潜水员将“抓手”牢牢地抓住沉没和漂动在深海之中的断链与软管。于是，下潜 300 米的潜水服成了又一个科研难题。

咱社会主义国家制度的优势在哪儿？就是可以动员和依靠全社会力量办我们的事业！“一定要按要求、抢时间完成任务！”总公司在下达又一道战令的同时，还向所属执行任务的团队敞开了一个思路。

中国人真的太聪明了！中海油人用自己的智慧和豪气，验证了这样一句话：只有想不到的，没有做不到的。所用的深海潜水服后来是与一家国内的民营公司合作完成的。

后来的事比较简单——其实所有的事都不简单，而是我的文字无法全面表达那些太专业、太错综复杂的实验过程和中海油人为之所付出的巨大代价。停产的流花油田于 2007 年 6 月 27 日正式复产，从此恢复了每天 20000 桶的原油生产。据中海油总公司声称，由于流花油田提前一年复产，中海油当年增加收入约 40 亿元，增加原油产量 120 万吨。

流花油田至今仍是中国海上的主力油田。

有经验的读者会发现，当你读到此处，你的脑海里一定会浮现出这一连串问号：中海油在进行这个油田的复产过程中，实现了多少项国家级的科学发明和创造了多少项世界级的制造技术？对的，我想借用傅成玉的话回答你：中海油的技术进步，是实现“海上大庆”的根本，而中国海洋工程的技术进步，提升的是我国的国家力量。

尾声 “981”——托起深水海域的另一个、无数个“海上大庆”……

它，就在我眼前：宛如一座钢铁垒筑成的摩天大厦……

那扬起的身子足有136米，相当于45层楼房的高度。踏上它的甲板，展望左右前后，你立刻会联想到那种超级“航空母舰”，只不过装载的不是一排排静候展翅飞翔的战机，而是叠加有序、气势磅礴的各种机械设备，那密密麻麻、交叉错综的电缆线据说总长度超过800公里，可连贯北京上海两地。甲板顶部的直升机平台，如巨人伸出的一只手掌平放着，直升机可以在上面随时起降。这艘总造价达60亿元的当今世界最先进的深水半潜式钻井平台，代号为“981”，是可以在深3000米的海域进行勘探、钻井、开采石油的海洋“巨无霸”，其排水量达30万立方米（大型航空母舰为9万立方米），完全是我国自行建造的。

“981”如今已是中海油人心目中的骄子，它的诞生，意味着中国海洋石油将从浅海向深海领域进军的一个标志。据专家推测，仅我国南海的曾母盆地、沙巴盆地和万安盆地的石油储量将近200亿吨，而这些石油大多在3000米以下的深水海域。中国海洋石油人过去的几十年里，由于受技术风险和资金投入的影响，一直只能在浅海找油。如今有了“981”，就意味着我们也可以向大海深处的“聚宝盆”要油了。中海油的目标是：2020年前欲在南海深水区建成5000万吨油气当量的另一个“海上大庆”。而这仅仅是他们未来几年的基本目标，他们还有更远、更多的深海战略已在心中运筹帷幄并已形成蓝图。

那时又是一个怎样的振奋？其必将如同我们祖国的载人飞船登上月球一样成为中华民族伟大复兴的一个新的标志！

请允许我以十三亿人民的名义，向你们——英雄的中国海油人致敬！

让大海告诉你……

——来自辽宁沿海经济带的报告

有识之士认为：谁忽视了大海，谁就是失败者。反之显而易见的是，所有重视和倾情了大海的人，他一定是胜利者。

——题记

一

欧洲文明是大海催生的。美洲繁荣与强大则是依托着大海做温床。贝多芬的旋律几乎与大海的涛声融为一体。拜伦是大海的儿子，如果不是大海赋予他激情，人们不会把“伟大诗人”的桂冠戴到他头上。世界史证明了一个法则：大海无可争辩地主宰和影响着人类的进步与发展，甚至影响着我们浪漫的诗和浪漫的生活以及浪漫的爱情。

然而，中国人对大海的认识是迟钝和滞后的。不过，改革开放后的中国，使许多沿海省市的人们变得聪明而智慧，他们虽然落后于其他国家，但毕竟也赶上了新一轮的发展大潮，于是一路领先至今。为此，辽宁人有些耿耿于怀，甚至颇为尴尬：改革开放初期，辽宁的经济总量是广东的两倍多，而到“十五”末期，广东是辽宁的两倍半。

潮起潮落，鱼儿翻打。广东赢在海上，那开放的南海海风让肤色黝黑、赤脚走路的“乡巴佬”，转眼间钞票满袋、西装革履、神采飞扬。“辽老大”真的不曾听到那身后2000多公里长的海岸线上时而呜咽、时而激荡的惊天涛声？俱往矣——那田园式的生活方式，是祖先留下的理念与传统，中国的文明史就是这样编撰而成。

一个很有意思的现象呈现在我的眼前：出山海关往北进辽宁地界再逆上至丹东，一路间你能看到“万家屯”“塔山屯”“新立屯”“周家屯”“杏树屯”“宋家屯”……无数个屯子，竟然极少有与“水”沾边的地名，说明什么？说明了我们的祖先总爱把感情和目光放在宅前的石垒和远方的高山上，而几乎无人关注过身后的大海，或者根本就是畏惧听到涛声。唯独一个地方例外，它叫“旅顺口”。但就因为这里开了一个“口”，我们的祖先便饱尝了海水的苦涩：四千年前，老铁山的一场被海风刮起的大火，烧尽了先民们苦心囤积的比山还高的粮食，如今我们还能从郭家村遗址点到处可见的一堆堆炭化了的残谷，想象那场“海火”的威力何等厉害！坚固的“屯子”开了口，后来的命运叫人心颤：1894 年的中日甲午战争和 1904 年的日俄战争，皆给我堂堂大中华留下了无法弥合的屈耻。20 世纪 30 年代，近邻日本侵略者再度从这个“口子”上撕碎我国家的尊严。亿万人民流的血，让这片大海散发着浓烈的血腥味……旅顺口的管理归属权时间，比新中国成立晚了整整五年多。

历史的痛，让这片土地上的人们见海生畏，而后来由于在社会主义大建设高潮中频频创造奇迹，令他们有时忘却和忽视了身后大海的存在。

“海水桑田欲变时，风涛翻覆沸天池。”新世纪的辽宁沿海大地，一波又一波的海浪拍岸惊世，催发着一首前所未有的发展经济的战斗进行曲的诞生。2005 年，辽宁省委主要负责人来到营口的一片滩地，他想继续往前，但海边的水泽烂泥盐碱地挡住了他的前行。望着波涛汹涌、无边无际的大海，他震撼了，他激动了，他对随行的干部们说：辽宁要大发展，必须转过身来，面向大海，背靠腹地，构建开放与发展新格局！

转过身来，辽宁人看到了什么？看到了以前他们从不太注意的渤海、黄海，甚至是太平洋和世界的五湖四海！看到了比海更大的天空与心空，还有与别人的差距。当然，最直观的是看到了许多过去各自为政、划地为界的那些星罗棋布的城市与乡村之间其实拥有一个共同的天地——海资源，拥有一条联结地气、心气的彩虹——富饶、美丽而仍为处女地的海岸线。

大连、丹东、锦州、营口、盘锦和葫芦岛……“五点一线”沿海经济带就这样被提出，并于2009年被国务院列入国家战略。这是一条金色的海岸线，它东起鸭绿江口、西至山海关老龙头，全长两千余公里。规划中的辽宁沿海经济带，包括了海岸向陆域延伸的10公里、向海域延伸的12海里，陆域和海域总面积达3.55万平方公里，行政区划涉及6市28县（区）。区域人口占全省的三分之一。它是盘活辽宁全省经济发展全局、完善我国东北亚沿海经济新板块的一着重要战略布局，并最终形成辐射和拉动大东北的国家新的增长极。此番宏图，何等壮观！浩瀚的大海啊，你怎能不为之欢腾与歌唱？

弹指一挥，开启辽宁沿海经济带“金钥匙”的时间仅为七八年，今朝何样？这是人们关注和关心的。

那一天，我来到那块曾经阻断过辽宁省领导脚步的辽东湾那片滩涂盐碱烂泥地时，所见景象，令我心旷神怡：宽阔的马路上正举办一场国家级自行车比赛，一泓流水般飞速而过的运动员们争先恐后地绕着清澈见底的明湖试比高低；600米长、400米宽的文化广场上气象万千，绿荫和鲜花覆盖与点缀着每一条径道和每一块地面空间……主人告诉我，正值夏天，这里的每个傍晚都有数万市民到此娱乐消暑。在这片美丽如画的园区式广场中央，是尊高耸云霄的“当代寻梦”碑塔，碑塔座基上有一段文字：

> 辽宁“五点一线”的提出和辽宁沿海经济带发展战略的实施，使得辽宁沿海产业基地应运而生，并与其他重点区域迅速成为营口新的经济增长点。转身向海，将

营口带进了从辽河文明向海洋文明过渡的新时代。

当代寻梦。梦在何处？辽宁人告诉我，他们的梦在大海，大海让他们激情澎湃，豪气冲天；大海让他们迅速走向富裕强盛，再次扬眉吐气……

二

花园口，一个极普通的辽南海滨小村，大海的潮头涌来，小村落便成了泽国一片，于是这里诞生了盐田。闯关东的先民们在此囤田垦荒，曾经让荒滩长满了桃树，春去春来，此处桃花遍地，宛若花园，从此得名。花园口有过荣耀的岁月，当年一个面积 15 平方公里的国营盐场，让场内场外的人都曾骄傲过。然而，时至 20 世纪末的花园口，变样了，变得荒芜没落，再不见桃花如锦的风光，更让人难以接受的是连 1200 多盐场工人都面临下岗和遣散。

那一年，37 岁的董呈发来了，出任花园口村所在的庄河县级市市长。这位农民的儿子见不得自己的乡亲们过苦日子，他与同事们商量着如何让百姓富起来。人不富，家业不兴。这是父亲从小给董呈发讲的道理，一心求富的父亲甚至给三个儿子分别起名呈发、呈家、呈致，“呈”是董氏的辈分，董家期待儿子们能够“发家致富”，但董家却偏偏缺一个叫“呈富”的儿子。

现在，董呈发是在为庄河百姓寻找发家致富之道。有一天，他听说花园口有个破产的国营盐场要被商人买走，便急匆匆地赶到那里。“多好的一块地，为什么我们自己不能开发？”董呈发决意制止这起已经快成交的买卖。

“好什么呀，都是野芦苇，盐碱地，种啥啥不收的荒滩地！”有人当即反对，并且嘲笑新市长“弱智”。

“可除了野芦苇、盐碱地外，你们没有看到这里还有蓝蓝的大海……”董呈发伸手指向远方，像诗人般的高声道：“丈夫志四海，万里犹比邻。有海就有希望，有海就能任鸟飞！”

是啊，花园口还有如此宽阔而美丽的海面，为什么我们就没有看到？没有想到？

把荒弃的盐场拿回来，我们开发！董呈发代表庄河市政府，向大连市有关部门争取到了这一近水楼台先得月的机会。2003 年的早春，沉睡的花园口海岸第一次响起了掘地挖土的隆隆机器声，辽南沿海的第一个县级工业开发区从此诞生，并且震醒了千里黄海北岸……

海是美丽的，当我们没有亲近它的时候，看上去似乎很孤独和寂寞，但一旦与它亲近，就会发现它其实很喧哗，也很强悍，甚至充满不羁的野性。

与海为伍，就得高瞻远瞩，昂首阔步。花园口工业开发区立足之时就把目光投向了未来、投向了大海一样的世界。为这，有人提出异议，甚至在现场直接干扰。“你们，你们能不能把目光放远一点，看看身后的大海……那大海不是已经向我们招手了吗？它招手了，我们还怕什么呢？”站起塔一般高大的董呈发竟然因别人的不理解而委屈得蹲在地头拂面痛哭。

异议和不赞成者并非一点道理都没有：花园口仅是一片荒弃的盐碱地，距最近的县城 40 公里，离大连则有 130 多公里，谁会傻得到这儿来投资？

有，一定会有的，只要我们紧紧地与大海挽手，看准方向，瞄准制高点，我们就能吸引世界、吸引产业……董呈发流着热泪、谈起志向如此说。

谁信？大海信。大海给了董呈发力量。

为了引进第一个海外项目，董呈发几天几夜连续与同事们研究方案、制作文件。就在即将出国的那个夜晚，他伏案数小时后，一次起身再落座时，突然坐空，当场腰椎骨挫伤，疼得汗珠立即从额上淌出。

“你伤成这个样子，就别去了。”同事心疼地劝道。

董呈发摇摇头：“已经说好的事，我不去，就是跟人家失约。”

不知是被迷人的辽东海岸风物所吸引，还是被中国人办事真挚与滚烫的心所感动，外商紧握着不能起坐的董呈发的手，说：“我看到你，就看到了在花园口投资的希望！”

这一瞬间，董呈发的眼里闪烁着晶莹的泪花。他仿佛看到了花园口外的那片大海已经燃烧起来，烧得整个沉睡的辽东海岸通红通红……

是的，昔日谁都不注意的一个普通而荒僻的海边小村，转眼间便成了拥有十万人口、数百亿投资、年税收超 10 亿元的现代化工业园区和国家级新材料基地。

2008 年，花园口作为唯一的县级工业开发区，进入辽宁省沿海经济带——“五点一线”的重点区域之列。2009 年，正式升格为大连市级工业开发区。

花园口的发展模式，具有辽宁沿海经济带发展的全部特征和内涵：利用废弃的盐田，立足本地的海域优势，规划世界产业水准的制高点，创造跨越式发展速度。如今的它，美丽多姿，晶莹剔透，生机勃勃，宛如一艘璀璨绚丽、气壮山河的大航母，与周边的中国辽宁沿海经济“航母舰队”一起向着大海的远方齐进并发。主人告诉我：再用 8 年左右的时间，这个当年被荒弃的盐碱滩地上，将成为拥有 50 万人口、面积宽达 50 平方公里、年产值超 2000 亿元的现代化生态型海滨城市。

我相信！因为现在的花园口，已近美轮美奂，着实让人流连忘返。

谁拥抱了大海，谁就找到了富强的钥匙。在一张废弃的白纸上画出最美的景致，并非只有花园口一处。营口鲅鱼圈显然是辽宁沿海经济带上另一颗耀眼的明珠……

“你以青山的层峦叠翠为披肩，你以高桥的盘环嵌成玉冠。蓝莹莹的湖水，金灿灿的沙滩，是你轻柔的衣裙，你是世界上最漂亮的新娘……”

“鲅鱼圈，我的神话我的梦啊。面对你日新月异的万千气象，我真是爱之不休，亲之不够！而今，你的又一个新的传说开始诞生……”

“昨天，你因海而引来先民居住；今日，你因海而将这片土地染尽世间最美色彩……”

这些诗篇有土生土长的渔民所写，也有昨天才成为新鲅鱼圈人所抒。如果不是亲眼所见、亲耳所闻，很难想象在中国北方、在渤海湾边的一个小渔村，竟然也会出现毫不逊色于“深圳速度”的“鲅鱼圈速度”！

鲅鱼圈在营口市下属的盖州熊岳镇，它的历史很短，因为这一带的海面上有一种嘴长长的、满有些霸气、肉质格外鲜美的鱼儿叫鲅鱼，所以得名“鲅鱼圈”。小渔村倒数 25 年，老人孩子加在一起全村不足 250 人，清一色渔民。你能想象就是这个小渔村，转眼一个鱼儿翻腾，如今已成拥有煌煌 50 万人口、近 5 年间实现固定资产投资 1544 亿元、吸引亿元以上项目 313 个、2012 年实现地区生产总值 515 亿元的一个工业、生态、旅游、居住环境齐头并进的新兴海港城区！

小渔村现在的正式名字叫“营口经济技术开发区”，它是辽宁沿海经济带“五点一线”中的重要一“点”，是国家级经济技术开发区，其行政面积也由以前的一个小渔村扩充成辖盖州下属的熊岳、红旗、芦屯三镇和海星、海东、红海、望海 4 个办事处，面积达268平方公里。借诗人的话，而今的鲅鱼圈“是一匹毛色新鲜的骏马，那火红色的鬃毛迎风飘扬，在中国东北辽阔的地图上，打着鼻息，四蹄生风，遥遥领先地奔腾着……”

“我无数次在梦中羡慕过深圳，也就在十几年前还暗暗地为封闭而落后的家乡流过泪。现在，看着家乡日新月异的变化，我竟然还要时常流泪——那是幸福的泪，欣喜的泪。”接待我的老王是营口籍作家，他从小闻着鲅鱼的腥味在这片土地上长大，且当过鲅鱼圈所在地的镇长、副县长和后来的开发区管委会主任、鲅鱼圈区区长。“20世纪80年代，国家因为要把秦皇岛的煤运到我们辽宁腹地的工业基地，所以选在鲅鱼圈建一个运煤小港，后来辽宁自己解决了电资源，秦皇岛的煤用不着再运到辽东湾了，于是鲅鱼圈港无奈改成了运送杂货的码头，勉强维系着一丝生机。90年代初，中国14个沿海城市被列入首批开放城市，我们营口本可以成为其中之一，但就是因为上面觉得我们‘营口人对这开放没有感觉’，故没搭上那班大发展的快车。”老王自嘲道，后来鲅鱼圈所能争取到的仅是一块面积只有0.5平方公里的“自费开发区”。

“当时我们也想做大做强，但没有遇到好的政策。”老王自觉怀才不遇。

王百胜是现在的鲅鱼圈区区长兼营口经济技术开发区管委会主任，他的运气好。“鲅鱼圈的发展主要还是得益于省里制定‘五点一线’沿海经济带的决策和将鲅鱼圈经济开发区纳入国家发展战略。可以这样概括：过去鲅鱼圈是在海边小打小闹，现在是驶着航母在大海里乘风破浪前进，所以气势和结果完全不一样。”

我到达鲅鱼圈的那天已经是晚上，主人一定要带我去海边的山海广场观景。我以为也就到海边吹吹海风而已，哪想“小渔村”竟然会有世界一流的海滨观景和海滩旅游胜地，令你无法拒绝：不说通山连海的观光大道上人潮涌动的场面叫人意外不已（王区长说，夏季时节，这里的外来游客人数与本地居民总人口相当），也不说微风吹拂下的白沙海滩在夜色下多么美妙有情趣，单单看那耸立在海边和近海之中那悬空65米、能容纳千人就座的巨型钢体观景台以及光照星天的鲅鱼公主雕像和那颗通体透明、体如五头大象之巨的珍珠球，你就不由心旷神怡、激情澎湃！

主人谦逊地说，这是他们打造的“北方小亚龙湾”，可我感觉这里的人气远比海南亚龙湾要高得多。难道不是吗？鲅鱼圈区这几年仅获得国家荣誉就有：中国最具潜力开发区、国际最佳温泉休闲旅游胜地、国家精品旅游城市、中国优秀生态旅游区、人民满意城市等。这里既有堪称国际一流的大剧院、图书馆，也有百姓“出一元玩够一天”的市民文体活动中心……然而对区长王百胜来说，他最为得意的还是自进入“五点一线”辽宁沿海经济带之后，全区生产总值的年递增速度平均24%、公共财政预算收入年递增52%和城乡百姓收入增两倍的这些硬邦邦的数据。

“鲅鱼圈是营口海域经济的一个点，除此营口海域经济区外，还包括辽宁（营口）沿海产业基地、营口北海新区、营口仙人岛能源化工区、营口高新技术产业园区和营口大石桥沿海新兴产业区等共六个区块，规划面积378平方公里，现今的营口全市地区生产总值已经由2006年的447亿元增加到2012年的1381亿。营口能有这样的快速发展，一要感谢的就是中央和省里的政策，二要感谢的就是我们身边的大海和有了一个大港口……”市政府领导向我坦言心声。

早在2500年前，古希腊海洋学者狄米斯托克利就这样说过：“谁控制了海洋，谁就控制了一切。谁在海边建立一个港口，谁就有了通向财富天堂的梯子。”

辽宁沿海经济带能够飞速发展，港口建设就是他们通向财富天堂的梯子。

过去的30多年里，我因写作而几乎走遍了南方沿海各城市，见过广东、上海、宁波、青岛、天津等大港口，它们先后实现了世界超一流的吞吐量。不想长期以来被人耻笑为“北方死港”的营口港，竟在短短的时间里“复活成仙”，一跃位居中国十大港口之列，成为全世界第12大港口。真令人惊喜又惊叹！

营口有港的历史不算短。1861年开埠，当时称“牛庄”港，牛庄在旧时很牛，19世纪末就有银行、钱庄逾百家，是东北最重要的商贸地，可谓商贾云集、船轮潮涌，但那是外国列强霸占的世界。新中国计划经济时代，营口港也曾有过辉煌史，是东北轻工和粮食的主要运输贸易集散地之一。然而到了20世纪80年代，营口港犹如掉进了冰窟窿，吞吐量一路下滑，最低一年的吞吐量竟然只有20来万吨，难怪兄弟港嘲讽营口港已“老死”了……

1999年12月26日，一位叫高宝玉的人出任营口港务局局长。高宝玉的一生命运与事业都与营口港关系密切。1977年大学毕业后，他就来到港口，是港口的“七君子”之一（港口最初的七个大学生）。他经历了营口港“起死复生”的挣扎期。出任局长后，高宝玉就提出“主业为先，效益为主，管理为重，发展为本”的经营方针，他外抓企业上市，内抓基础建设，可谓拳打脚踢，十八般武艺全都用遍了，然而即便高宝玉如此拼命，营口港依旧是全国港口中的“老末”。老高有个好听的名字，但他绝对不是《红楼梦》里的宝玉，高宝玉既不想做贾宝玉式的“软蛋”，更不喜欢林黛玉那样整天哭哭啼啼的情人。高宝玉是东北汉子，他有自己的“情人”，那是每天伴他早起晚归的大海。“我用行动爱你，我用男人的事业爱你！”高宝玉无数次面对大海默默献情。

2002年3月，高宝玉在港口千人大会上提出：营口港要向亿吨港目标进发！

“亿吨呐！我们连做梦都不敢想这个数字啊！”港区的老工人

激动地说。而多数人仍在半信半疑中看着高宝玉、看着那片熟悉而又有些陌生的渤海湾……

2005年，辽宁省提出“五点一线”的沿海经济带战略决策，高宝玉知道后几夜没有好好合眼。“好机会来了，我们再不能错过！大家要少说多干，实干兴港。”他一次次告诫全港员工。高宝玉和营口港人正是凭着这种务实精神和炽热情感，让大海为之动情、为之倾心。

大海献情，港人伸手。高宝玉和营口港人最动情的第一次热烈拥抱应该算是为迎接第一艘15万吨的“育康号”外轮。由于航道等原因，我国东北沿海各港自古以来一直只能接卸10万吨以下的散货船。一个世纪的海面约定，给了百年老港——营口港一次新的机会。

“为什么我们总甘当‘老二’，不能争做老大？”高宝玉脖子上的青筋都鼓了起来。

相应的航道很快完成。接船的那天，高宝玉亲自上马，只见他手执对讲机，顶着迷雾，向“育康号”发着一道道指令：进！进！

“育康号”终于冲破重重大雾，顺利驶入营口港。这时，岸头锣鼓震天，鞭炮齐鸣。“育康号”船长握着高宝玉的手，连声说：“你这位引航员是世界上最好的！”对方并不知道站在他面前的这位“引航员”其实是港口的“大老板”。

“大老板”就要干大手笔的事。高宝玉再一次站在大海的浪尖头瞩望远方的世界……

他，为之带领千军马万在仙人岛上建30万吨矿石码头；

他，为之把手伸向近邻的大连海域、远处的丹东港区……

“做好辽宁沿海经济带配套服务，建设一流特色港口。”2007年，营口港跃上“亿吨”大港之列。为这，港区许多老工人豪饮了数天，“值！做梦也想不到的事仅仅 5 年间实现了，我们就是要喝个痛快，乐个舒畅！”

2009 年，营口港实现“双亿”吞吐量；

2012 年，再跨台阶，闯过 3 亿吨大关！

平时不苟言笑的高宝玉这回终于笑了。那天他独自站在海边，突然柔情得像贾宝玉一样喃喃地向大海诉说道：我还有一个梦——在我成为营口港人 40 年时，这里应该有 5 亿吨的年吞吐量！届时，营口港应当站在世界强港之列。

40 年就是 2017 年的事。老高的梦能圆吗？“肯定能！”码头上，我问几位工人，他们回答得气壮山河，令我喜泪盈盈。

三

海到无边天作岸，山登绝顶我为峰。

是的，“中国奇迹”今天不只是在广东、深圳、上海、天津滨海才有。当年曾经虎虎生威的“辽老大”，而今又一次站立于大海岸头，它仰首长嘶，其威其势，其神其态，震撼东北亚，令全世界刮目。

丹东，千里辽宁沿海经济带的最北端之点，这个倚青山、临黄河、江河横卧城区的美丽小城，是我国边境上的明珠一般的城市。由于处在东北亚的特殊地理位置，过去一直被认为是难有发展前景的地方。“现在不一样了，当我们把目光投向大海、投向世界之后，丹东不再受个别国家间的政治、军事形势影响了。我们是千里辽宁沿海经济带地域上的‘龙头’，俗话说，龙头一摇，地动山摇。丹东就是要做惊天动地的大事、美事、让所有人都感到幸福的事。”美丽的市委女宣传部长这样介绍。

是的，来到丹东，你自然而然地会对横跨鸭绿江的新大桥那边有一种特殊的期待。但所有的人看过长达130公里的沿江沿海的丹东海滨新区后，都会非常清晰地意识到：丹东真正的美好前景在此，在通过大海连接的内地优势与海外世界。不是吗？国内著名的欣泰电子产业、通博电器、奥龙射线等不是已经落户于此；还有世界音响巨头美国的哈曼公司等国际著名企业不是也来了吗？

“龙头”已舞起，丹东更妖艳。

与之“龙头”相呼应的“龙尾”葫芦岛，现今让近在咫尺的河北山海关、北戴河等地感到了前所未有的压力。“过去我们这儿有海、有景，是京津游客夏季的主要去处，不想这些年葫芦岛的一条海滨大道，把我们的客流源源不断地抢走了……”关内的业内人士感叹而羡慕道。

南起与山海关接壤的万家镇、前卫镇到绥中县城、兴城市，北到穿过葫芦岛市区至连山区打渔山脚下的近200公里长的海滨大道，看那车水马龙的街道和如画如绘的沿海景象，你才会明白关内人的这份心态。

“出关观景去、出关游海去、出关买房去、出关赚钱去。”这是今天许多北京人和关内人的“自选动作”。能让北京人和关内人有这样的“自选动作”，是因为大家普遍认为：如今的关外景更好、景更多；关外的海更干净、更宽阔；关外的房价便宜、房子又好；关外赚钱的机会更多、赚钱更容易。

关外的世界如此令人陶醉，得首先感谢葫芦岛人。“五点一线”战略，让葫芦岛人最先清醒的是如何上接辽宁沿海经济带的“龙身”、下联华北京津经济区这个“聚宝盆”。如此构筑，于是便有了他们葫芦岛自己的“七区一线”：即以素有原“亚洲第一大果园”的前所果树农场为主体扩大的前所现代化生态农业园区；以高新技术产业为主，集旅游、休闲、度假为一体的绥中滨海经济区；向大海要地、造景的兴城临海产业区；以建设船舶修造和海洋工程为主业的龙港工业园区；以泵业为主的打渔山泵业产业区；东接锦州、北依朝阳、南望京津的南票煤炭工业园区和葫芦岛核心产业区——葫芦岛北港工业区。

外人看来，葫芦岛人能把衔接京津冀三地的“聚宝盆”一事做好便能丰衣足食了。君不知，仅万家一个小镇去年就接待游客达几十万人，主要用于招待客人所需的猪羊牛等畜牧业收入就超过6亿元！但葫芦岛人更看重的是以海兴业的远景。这些年，从葫芦岛港口驶出的由这里修造的巨轮一艘接一艘，东北沿海最大的炼油基地也已建成，更有几十家高新技术企业落户此地……

葫芦岛啊葫芦岛，你的葫芦里到底卖的什么灵丹妙药？葫芦岛人坦言：我们虽说是辽宁沿海经济带的“龙尾”，但我们又是京津冀通往东北亚的“门户”，所以我们既要让“龙尾”摆动得坚强有力，更要把“门户”装点得格外壮观。

大海已经让舵手起航，远方的天空怎不五彩缤纷！与葫芦岛毗邻的锦州怎能落伍？

100公里的海岸线虽说短了些，但锦州人瞄准的是国际品牌、世界水准，所以他们的舞台比别人放大了几倍，甚至几十倍。在那片荒弃的老盐场上托起的锦州滨海新城，今年5月，世界海上园林博览会在此隆重举办，一下将全世界的目光聚焦到了这座古老而又年轻的滨海城市。以“城市与海，和谐未来”为主题的世博园，让游人们在“高水流水”“锦绣之州”“海风林韵”“奇幻海洋”“观海听涛”中，如醉如迷地感受着新锦州那梦幻般的海洋风情、诗意般的人文自然以及绿色优美的宜居环境和以光伏产业基地为龙头的“绿色能源之都”的风采。据说，锦州世博园从开办之日到7月底，便有350万中外观众入园，洽谈成功的投资项目金额达千亿元。

自古锦州皆是战略要地，中国人对它的了解多数是从历史教科书上获得的。然而以往锦州人自己却并没有真正认识自己的强项在何处。2005年，一条路从老城起始，穿过南山腹地，直接辽东湾大海，从这一天起，锦州人方如长梦初醒：原来转身向海，真的春暖花开啊！

锦州因为拥抱了大海，在过去的三年里，全市连续实现经济总量倍增。如此发展速度，外人惊叹，锦州人自己也在对着大海高喊：真的吗，大海？

大海在欢笑，笑新锦州明天更灿烂。

锦州之邻是盘锦。盘锦缠绵着大海的故事更多更精彩……

“谁说我们没有港口就不能拥抱大海？没有港口我们就建个新港口——目标亿吨大港口！”盘锦人把功夫放在实干上。

当双臂向大海张开时，这里很快便诞生了“湿地之都”：12平方公里的红海滩旅游度假区和50平方公里的辽河口生态旅游集聚区，一下将“大美盘锦”推向了世界视野……

什么马力最大？发动机。盘锦人不贪大胃口，但他们死死盯住“发动机效应”不放，于是这位辽河畔的“后来者”竟然在近些年里数项经济发展指标频频名列全省前位。

是的，千里辽宁沿海经济带上，那繁星闪耀般的一个个生态环境优美的工业园区，一座座如诗如画的滨海新城，一片片生机勃勃、充满希望的沙滩和一艘艘载货运物的巨轮来来去去，其情其景，其歌其舞，能不令大海为之欢呼？

在大连长兴岛，有位农民老汉对我说：几年前，当第一批开发长兴岛的建筑队伍浩浩荡荡路过他村子时，“一辆大轿车停在我家门口，我吓了一跳，以为是天上的飞机掉了下来。我小时候见过国民党的飞机被解放军打下来掉在岛上，可从来没见过汽车上过岛……”老汉随即转身指着那片海滨沙滩广场，扳着手指说：他家现在有三辆车，一辆货车，由儿子开着搞运输；一辆面包车，由女儿开着载游客，还有一辆是自家用的轿车。“打长兴岛开发以来咱百姓的生活一年一个样，这得感谢我们身边的海……”老汉说。

长兴岛是北方第一岛、中国第五大岛，独特的海上优势，使它在辽宁沿海经济带中占有特殊地位，是大连市经济发展的新引擎。作为“五点一线”核心区域的长兴岛临港工业区，除长兴岛外，还包括了附近海域的凤鸣岛、西中岛、交流岛、骆驼岛等4个岛屿，面积达600平方公里。5个岛屿的环岛海岸线190公里，是我国唯一尚未整体开发的深水岸线，这里已建的30万吨天然深水码头和四周临海的优势，让国内外石化、造船产业的霸主们纷纷云集此岛，如中石油的1300万吨炼化项目、英国BP的MTO项目、新加坡新浦化学油气综合利用项目、德国林德工业气体项目等数十个世界500强企业的投资项目已在此落户。我的苏州吴江同乡创办的亚洲最大的织造企业——恒力集团在长兴岛近期已投入180亿元、远期投资500亿元，要建一个长兴岛临港石化产业基地。我问同乡怎敢跑到北方出手那么大的一笔投资？他说：你知道，像长兴岛这样得天独厚的海岛，在我们南方沿海上不可能有的；再者，我对辽宁沿海经济开发所给予企业的政策很满意，当地服务企业的意识和行动也是最好的。

原来如此。

在岛上，接待我的小伙子叫王智慧，是长兴岛工业区经济开发局局长，他说几年前刚上岛时，看到岛上一片荒芜，眼泪一下流了出来。“可一转身，我就笑了，一直笑到今天……”我问王智慧为什么笑，他说他看到了这里的大海太美、太大了！小伙子有眼光。

“千岩万壑不辞劳，远看方知出处高。溪涧岂能留得住，终归大海作波涛。”辽宁沿海经济带战略，短短几年时间，形成了“以点带面，以面促点，齐头并进”的你追我赶局面，对全省经济产生了巨大推力。如核心区大连市实施在“一轴两翼”的沿海经济带上布局各具特色的19个重点产业园区，上年这19个园区所创造的生产总值就达4201亿元，占大连全市生产总值的60%。朝着未来要建设成为东北亚国际航运中心、东北亚国际物流中心、区域性金融中心和现代产业聚集区的发展目标，大连在过去的4年里，已经形成了以大窑湾港区为核心、长兴岛港区和太平湾港区为重点、其他港站为补充的全域港口发展格局，上年大连港完成吞吐量3.74亿吨，集装箱吞吐量800万标准箱，增幅为全国沿海规模港口首位。以大窑湾保税港区、大连综合物流园区为代表的国际物流网体系基本建成；以期货业为龙头、投资和融资为主体的金融服务网络覆盖全市。石化、造船、装备制造、电子信息等四大支柱产业全面优化升级，现有13户超百亿元的新兴产业和现代服务业企业，一批千亿级产业集群也已初具雏形。今日之大连，到处生机勃勃，景象万千，为整个辽宁沿海经济带起着核心和示范的带头作用。

在省城，辽宁省沿海办主任周喜鼎则告诉我另一个更加振奋人心的数字：2012年，辽宁省沿海经济带地区生产总值占东北三省的25%，而2005年之前还不足10%。这数字意味着什么？意味着辽宁沿海经济带已经在“大东北”和整个东北亚区域经济板块中开始举足轻重。

从营口回沈阳的高速公路上，一位正往营口鲅鱼圈鞍钢分公司履新的鞍钢干部，如数家珍地告诉我：他们鞍钢自2008年在营口港区投资一座当代世界先进水平的特钢厂后，每年仅节省运煤费就达13亿元，“再加上生产出的产品现在可以直接从生产车间装到码头的货轮所省下的钱，我们鞍钢每年至少可以给全国人民每人发3块钱。”拥抱大海后，得益的何止像鞍钢这样的老企业。

在鲅鱼圈现有的50万新居民中，据说有30万来自内蒙古、吉林、黑龙江和辽宁腹地的新移民，他们一方面有了满意的工作，另一方面又能举家享受大海风情，小日子过得有滋有味。整个辽宁沿海经济带又吸引了多少到此创业和安居的海内外新移民呢？今天早已过了百万，明天也许会是千万？

呵，面对大海，我们心怀感激。

面对大海，我们仍有更多期待——辽宁沿海经济带，你是冉冉升起的一轮新日，你将给中国更精彩的未来……

生命如歌

活着的时候，人们尊敬他，拜他为师；他走后，人们怀念他，用歌声想念在天堂里的他，一起歌唱美丽的家乡，一起歌唱蒸蒸日上的祖国……邹树君，一个一生扎根基层的普通歌者，一个将全部生命献给了向普通百姓传播音乐的文艺工作者，一个把激情与才华植根于乡村田埂和城市街头的当代知识分子，他用生命谱写了一曲社会主义和谐文化的优美旋律！

邹树君出生在美丽的海滨城市威海，这位时代歌者用一生的理想与执着，用一生的追求与奉献，带领当地群众把这座文化落后的城市打造成为中国第一个“歌咏之乡”。在他的家乡，无论是偏僻的山村，还是喧哗的城市社区，不管是寒风刺骨的冬天，还是烈日炎炎的夏天，人们总能看到他那熟悉的身影，总能看到他在忘情而又挥洒自如地在百姓中间指挥歌咏，传播音乐知识。整整34个春秋，没有任何报酬，也没有任何索取，只留下一个让威海人敬重的尊称——“邹老师”。

最后的记忆

从1974年开始，威海人在每年5月23日这一天都要举行一场声势浩大的歌咏会。这歌咏会一直延续了几十年，从未间断。歌咏会的倡导者和主要组织者就是邹树君。

每一年的歌咏会，邹树君都是现场的核心人物。威海人熟悉他的身影，更喜爱和崇拜他的指挥。“看邹老师的指挥，简直就是一种享受！”威海人都这么说。

“看，邹老师又来了！”“瞧他指挥得多带劲！”威海人在这样的感受中走过了一年又一年。30多年过去了，威海人已经把每年一次的“5·23”歌咏会看作是自己放歌抒怀的盛大节日，而许多人则把能在现场由邹老师亲自指挥尽情放歌视作一种幸福和荣誉。

威海人、邹树君和歌咏会，似乎成了每年一次的不变约定。然而，到了2006年的“5·23”，所有参加歌咏会的威海人在窃窃私语和惋惜：今年的歌咏会，邹老师怕是来不了啦！因为大家都已知道：身患绝症的邹老师，已经被病魔折磨整整6年多了，仅大大小小的手术就做过13次，肠割过，肝割过，3次伽马刀，6次化疗，邹老师还在病榻上躺着，肯定不会来了。他不来，这歌咏会咋开？可他都病得快不行了，还怎么好让他来呀？威海人因为太钟爱歌咏会了，所以他们无论如何也不舍得歌咏会的“总指挥”邹树君。

“瞧，邹老师来啦！”歌咏会临开始前的5分钟，邹树君竟然又一次出现在现场！顿时，“邹老师”“邹老师”的欢呼声传遍了全场。这一天，令威海人不能忘却的是，已近生命尽头的邹树君竟然奇迹般地站在指挥台上，一如既往地挺拔着身子，一连指挥了好几首歌曲，根本看不出他是个生命垂危之人。邹树君的儿子告诉我，他父亲那天在离开指挥台后，是被人抬着回家的……

邹树君是在2000年被发现患上癌症的。那天，邹树君去参加植树节的植树活动，回家后感觉胃肠不舒服，之后一连十几天高烧不退、拉稀不止，妻子好不容易把劝他到医院检查。“你们怎么这么晚才把邹老师送来？他的直肠癌都转移到肝脏了！”医生万分着急地告诉邹树君的家属，“必须马上进行直肠肿瘤切除手术。”

“不行，我已经约好了到几个单位去进行合唱辅导呢！”邹树君听说要住院，站起身就要走，是医生和家属硬拉住了他：“你不要命啦？”

“只要能跟大伙儿一起唱歌，我啥病都没有了！”邹树君这么说。这话后来也成了他在生命最后7年里与病魔作战、坚持为群众辅导唱歌和组织歌咏活动的口头语。

按医生讲，像邹树君这样的晚期绝症患者，一般也就一两年的存活期，而且必须是以全力以赴治疗、不得有过多体力消耗为前提。但邹树君没有，他在得知自己患绝症后，不仅表现出常人难有的乐观，而且从未停止过义务为群众辅导音乐知识和组织歌咏活动。

邹树君在威海人的心目中能够成为一名德高望重的老师，是因为他的人格魅力。为他人教歌、辅导音乐和组织全市性的歌咏活动，邹树君全都是义务劳动，他利用的多数是晚上或节假日时间。2002年市老年大学音乐班成立，学员们慕名前去邀请已经担任多家合唱团和音乐班辅导老师的邹树君。“行啊，只要你们有信心学，我就有信心教。”刚刚动过大手术的邹树君二话没说，就给自己的肩上又搁了副担子。

有人以为，聘请大病在身的邹树君当音乐指导，他最多也就是偶尔来指点指点罢了。哪知邹树君这个音乐指导却节节课到场，而且每堂课都是从头教到底。其间，需动手术或住院化疗时，邹树君就把落下的课搬到病房或者自己的家里，学员们站在他的病榻前练声唱歌……

随着病情的不断恶化，邹树君自知时间不多了。亲自培育和组织了威海群众歌咏活动30多年的他，一心想着如何把“歌咏之乡”的水平推得更高。此时，邹树君有个心愿：办一个高水平的合唱团，“只要再给我10年时间，我一定要让威海成为具有国际水准的合唱之城”！带着这样的理想和心愿，重病在身的邹树君从此开始了他一生中最后的“音乐之旅”。

这是一程异常艰辛的拼搏之旅，也是一曲令威海人永远铭记的壮丽之歌。

成立合唱团需要排练场地，需要基本资金，还需要有个好听的名字。有一天，邹树君路过启明假日酒店，突然感觉“启明”这名字好，于是冒昧走进酒店老板的办公室。酒店老板是位华裔韩商，当他看到这位被威海人拥戴为“滨海歌王”的长者身上赫然留着一道一尺多长的刀口时，深深地震撼了：“邹老师，启明这个名字您只管用，而且我还要出资支持您办合唱团！”

“谢谢，谢谢！”这回轮到邹树君感动了，他一手捂着阵阵发痛的肝部，一手紧握住华裔韩商龙启明的手，连声道谢。

听说邹树君老师要办合唱团，乐坏了老年大学的学员们。“我们就像膏药似的硬黏着邹老师，坚决要求参加。”“启明合唱团”的大婶大叔们这样对我说。

这下可难为了邹树君：本想自己的日子不多了，想借成立合唱团把自己的音乐知识和能力为“歌咏之乡”再奉献一分力量，哪知来了那么多热心的老姐老哥们！看着一张张期待而充满自信的脸庞，邹树君微笑地点头：好吧，就你们了！

“万岁——让我们漾起双桨，小船推开波浪……”56位老哥老姐们为自己能成为合唱团的团员和邹树君的学生而万分欣喜与自豪。然而，接下去的难题却留给了邹树君：没有多少音乐知识的合唱团队员们，年龄偏大，专业基础差，有的甚至连乐谱都从没见过。“老师，四分之二是什么意思？”面对队员们的提问，邹树君总是不厌其烦地一一讲解：“一个月饼分成两半，就是二分之一……”从零教起，从每一个音符教起，一遍、十遍、百遍、千遍地教。这就是邹树君几十年来在基层推广歌咏活动和群众文化工作所走过的每一步路。那条路，是用汗水和热情铺筑成的，更是用心血与生命延伸的。

2003年6月，威海市启明合唱艺术团正式成立。“歌咏之乡”从此有了群众自发组织的专业合唱团。由邹树君任团长的启明合唱艺术团则如闪光的种子，起着示范和领头作用，影响和鼓舞着众多雨后春笋般成长起来的业余群众合唱团。

合唱团学习声乐和视唱练耳离不开钢琴，邹树君便悄悄将家人为他治病凑的5000元钱买了架二手钢琴，用来给队员们上课。因手术和化疗不时住院的他，为不耽搁学员的课程，采取大课与小课相结合的办法，将需要教授的课程录在自己的那台旧录放机上，然后让学员们传着学习与练习……合唱团的水平迅速提高。1年多以后，队员们甚至可以参加市区外一些重大活动的演出了。病魔缠身的邹树君是合唱团的旗手，舞台上和演出场上，他那挥洒自如、刚劲有力的手势与身影，根本看不出他是个被死神缠绕的晚期癌症患者。

2005年9月，山东省委老干部局为纪念抗日战争胜利60周年，决定在青岛组织一次全省老干部歌咏会。威海市代表队便以启明合唱团为演出主体。此时的邹树君刚从上海手术回来，身体极其虚弱，队员们本不想告诉他这一次演出任务，可邹树君得知后，非要让家人搀扶着他，每天坚持到排演现场。那些日子里，邹树君每给合唱团练习一次，回家后就会一夜不能入睡。9 月 24 日上午，合唱团从威海出发去青岛的途中，队员们看到一向有说有笑的邹树君一路紧闭着双目，不时用袖子擦着额上的汗珠。“邹老师，要不我们就退出这次演出吧？”队员们心疼地劝道。“那怎么行？我们威海是歌咏之乡，不能在这种场合上缺席！”邹树君猛地连擦了几下额上的汗水，眼珠溜圆地盯着自己的队员，像是对待战场上的逃兵。

“没有用，还是让他上台指挥吧！离开了音乐，离开了你们，他真的会永远站不起来的。”打丈夫患病后一直陪随丈夫外出辅导和演出的老伴，含着眼泪反劝合唱团的队员们。

演出开始了。当队员们将邹树君从椅子上扶起的那一刻，觉得他的整个身子软得像一张薄薄的纸片儿。

“邹老师，您行吗？”

“怎么不行？走，上台！”

站到台上的邹树君，顿时完全变了一个人。他像一尊山，一尊巍然屹立的山。瞧那手势，刚强遒劲，威武无敌，所向披靡。“太棒了！这就是威海的邹老师？！”整个歌咏会上，威海队合唱团技高一筹，博得了观众雷鸣般的阵阵掌声。邹树君因此也获得了评委给予的“指挥奖”。没人知道这个奖有多少含金量，只有在后台的邹树君的妻子知道，这场演出，她丈夫在现场湿透了 4 件内衣，是她一件一件地给他换下的。

2006 年 10 月 27 日，一个普通的日子，但对威海启明合唱团的队员们来说，谁也忘不掉。这一天是邹树君老师生前最后一次到合唱团为学员们排练。为参加纪念红军长征胜利 70 周年演出而排演《四渡赤水出奇兵》一歌时，邹树君觉得有些队员在歌曲把握上还有欠缺，于是离开病榻赶到了排演现场。

“在排练现场，邹老师已经虚弱得连站都站不住了。我看他身子摇摇晃晃的样子，赶忙搬过一把木椅请他坐着指挥，哪知他非常生气地冲我说：坐着怎么唱得出激情来呀？随即他推开椅子，重新颤抖着拿起指挥棒，开始一遍又一遍地教我们演唱。大伙看着他简直觉得他是在拼着命教我们唱歌！队员们唱着唱着，一个个泪流满面，心里难受极了！

“邹老师去世后，我们谁也不敢听，也不敢唱《四渡赤水出奇兵》这首歌了……”退休后从北京到威海安家，后又慕名当了邹树君学生的房月石女士回忆道。

经历 6 年多与病魔的搏杀和 13 次大大小小的手术，遍体鳞伤、骨酥血变的邹树君已经再也不能像当年那样挥洒自如、豪气冲天地组织和指挥歌咏活动了。此刻的他已知生命即将走至尽头，他因此更加抓紧每一分每一秒的时间，想把自己的音乐知识传授给合唱团的学员和广大音乐爱好者。他觉得还有许多事没有做完，因此全然不顾自己已病入膏肓，只要还有一丝儿力气，就想着去辅导那些等待他的学员。2006 年 12 月 5 日清晨醒来，邹树君抬起眼看了看桌子上的日历，突然使出全力喊老伴：“快，快扶我起来，今天是区老年大学的声乐课，我得去……”

“你、你能行吗？”老伴根本不相信丈夫还能从病床上爬得起来，因为近一个多月时间，邹树君连个翻身都得有人帮着才能完成。

“你帮着搭把手就行。”邹树君伸出双手，颤颤巍巍地抓住老伴的衣袖，使劲地挪动着身子。当他从床上下来站到地板上时，已是大汗淋漓。

“同学们，今天我给大家教唱《别亦难》。”区老年大学音乐班的讲台前，邹树君拿着粉笔，开始在黑板上写着歌名。台下的学员们看得清清楚楚：他们的邹老师已经连拿支粉笔的力气都没有了，只见他右手中的粉笔刚刚触到黑板上就掉了下来。第二次拿起时，粉笔接触到黑板时又从他手里掉了下来。第三次拿粉笔时，只见邹树君伸出左手，然后颤抖地握住右手五指，靠双手的力量才捏住那支粉笔，歪歪扭扭地写下了“别——亦——难”三个字。

“相见时难别亦难，东风无力百花残。春蚕到死丝方尽，蜡炬成灰泪始干……”邹树君用沙哑的嗓子一遍又一遍地教着，眼里不时闪着晶莹的泪花。台下的学员知道，这是老师用特有的方式在向自己的事业和讲台告别，在用自己的行动勉励学员们把音乐事业和群众文化工作进行到底。

邹树君再也无法从病榻上站起来了。然而，他并没有放弃自己的事业，他把学员叫到家里和病房，将课堂搬到了病榻前。从此，他躺在床上教课，学员们则轮流着为他洗脸擦身子。晚期的癌症折磨令他异常痛苦，可邹树君只要与学员们一哼起歌，脸上就挂满了幸福的微笑。2007 年春节前，合唱团有人拿来一首《和谐中国》的歌曲，请邹树君作合唱排练的脚本修改。当时邹树君的病情已经恶化，时常昏迷。老伴见他改歌曲的笔几次从手中掉下，便劝他好好歇着，别再管什么事了。邹树君有些生气地道：“中央刚开会，号召我们都要为建设和谐社会贡献力量。我现在躺在床上动弹不了，可如果让合唱队员们把《和谐中国》这首歌唱好了，也算为建设和谐社会尽了一份力。”说着，他又艰难地拿起笔，一句一句地改动起来。

“啪！”笔，又一次从床头掉到地上。“邹老师！邹老师——医生快来呀！”刚进病房的合唱团队员们见状后大声惊呼起来。

医生来了，一阵紧张的抢救后，邹树君重新睁开了眼睛。合唱团的队员们哽咽着你一言我一语地埋怨他们的老师不能不顾自己的性命。邹树君则一笑，幽默地说：“不要紧的，刚才我到天堂那边看了一眼，那边现在还不缺音乐指挥，所以我又回来了。”说着，又把那首《和谐中国》拿到手中。在经历两天中的5次昏迷之后，邹树君总算把歌曲修改完毕。

2007年4月5日下午，邹树君似乎感觉他的生命已到尽头，他把一直守护在自己身边的合唱团队员杨世华、于英等几位骨干叫到病房开会。邹树君先让他们每人都发言，各自谈谈今后的打算。骨干们轮着说完后，病房内一片寂静。此刻，躺在病床上的邹树君双目紧闭，脸色蜡黄，呼吸也已非常困难。不知是谁，突然“哇”的哭出了声，顿时病房内一片痛哭声。昏迷中的邹树君被惊醒了，他坦然地朝大家笑笑，说：“别难过，生与死是大自然的规律。我邹树君因歌而生，这歌是为祖国和人民唱的，就是上天堂去，我照样也是唱着歌……”

次日早晨，邹树君离开了人世，享年62岁。

邹树君的遗体火化日，威海市成千上万的市民自发地来到殡仪馆，他们流着悲痛的眼泪，心中默默地唱着邹树君生前教会他们的歌，为自己尊敬和心爱的人送行……

最初的约定

在邹树君生前，有一首歌他格外喜欢，这首歌名叫《报答》：

是你把我养大，
洒下多少汗水。
是你教我成人，
付出多少苦累。
想起你的情我就心潮难平，
想起你的爱我就饱含热泪。
报答你啊，
只有一句话：
奉献不已，鞠躬尽瘁。

邹树君出生在旧社会的一个贫苦农民家庭。小时候，他比一般的孩子过得都苦。1 岁多时就失去了父亲，8 岁时母亲又病逝。在童年的记忆里，仅有一次母爱是他在醒来后看到自己的小肚子上放着一个散发着余温的咸鸭蛋，那咸鸭蛋让他永生铭记什么叫母爱！

没有了母亲的他，渐渐地把祖国比作自己的母亲。是祖国母亲给了他上学的机会，中学时每月 6 元 5 角和大学时每月 19 元 5 角的人民助学金，让一个农家孤儿成为中国音乐学院的高才生。“人当知恩图报，我所学到的知识和本领都是党和人民给予的，我理当把所学的知识和本领全部用于服务人民和报答祖国。”1965 年上大学的邹树君在毕业后，怀着这样的心愿，放弃了留在北京、留在大学工作的优越条件，毅然回到当时市区人口只有两三万的威海，在县文化馆当上了一名普通的工作人员。

那时的基层文化馆，除了几张桌子和几个整天被借来借去贴大字报、布置会场的工作人员外，似乎根本没有邹树君这样的名牌大学毕业生的用武之地。一个名牌大学的音乐专业高才生，在最基层的文化单位工作，许多人对邹树君的行为很不理解。但是邹树君从没有想过自己吃了什么“亏”，每逢有人向他提出类似的疑问时，他总是笑呵呵地反问人家：“为什么一个名牌大学的毕业生就不能到最基层工作？我是党和人民用助学金培养出来的音乐专业大学生，我的岗位就应该在党和人民最需要的地方。中国地方那么大，城市里不缺像我这样的音乐专业人才，农村和基层才最需要我。”其实，在邹树君的记忆中，有一幕他是忘不掉的：那一年他念初中三年级，村里排演文艺节目，因为找不到一个识谱教歌的人，所以民兵队长就来找他，说你是中学生，又喜欢文艺活动，你来教我们唱歌吧。邹树君拿过曲谱就傻了，他同样不识谱。“亏你还是个中学生呢！”村民的这句话，深深地刺激了邹树君。他因此下足功夫自学音乐知识，并且考取了中国音乐学院。教家乡的人识谱唱歌，成了邹树君那时立下的一个宏愿。

农村和基层的群众文化工作重点在何处？抱定要为家乡改变文化落后状态念头的邹树君，想到了普及群众歌咏活动，他认为这是件可以陶冶人的情操、提高百姓素质、改良社会风气的有百益而无一害的事。

那么，如何在群众中普及与培育对音乐和歌曲的兴趣呢？邹树君开始把目光投向了挖掘和整理当地的民歌和对群众喜爱的那些歌曲的普及上。20 世纪 70 年代初的威海，还是一个以农村人口为主体的县级小地方，各种条件非常落后，群众文化工作更是没什么基础。但在当时的历史条件下，这里的百姓却十分喜欢唱歌，这对邹树君是一个极大的鼓舞。他当时是全威海唯一的音乐专业毕业的大学生，因此他感到了自己肩上的责任。1974年春节刚过，威海文化局的领导们对以哪种形式来纪念毛泽东同志在《在延安文艺座谈会上的讲话》发表32周年一事展开了讨论。列席会议的邹树君建议道：能不能在“5·23”时举办一次群众歌咏会，让各单位选派代表队参加？“这个建议好！小邹，你就负责歌咏会的筹备吧！”文化局的领导拍拍邹树君的肩膀，十分赞赏地把这项任务交给了他。

“行，我一定把歌咏会办好！”这一年，邹树君28岁，这是他走出大学校门后第一次在自己的家乡施展自己专业才能。他满腔热情地投入了歌咏会的筹备工作……

这年的5月23日晚，在当时威海市区一个灯光最好的篮球场上，威海首届“5·23”歌咏会如期进行了。谁也没有想到，歌咏会竟然空前地热烈与沸腾，能容纳4000多人的场地被挤得水泄不通。来自企业、机关、学校、部队和农村的合唱队，一支接一支地轮流登台，一首接一首地演唱。当《咱们工人有力量》《团结就是力量》《我的祖国》《没有共产党就没有新中国》等群众喜欢的革命歌曲，被一队队情绪高昂、精神饱满的群众再次唱响时，场内场外的威海人或同声伴唱，或鼓掌和拍，那歌声如清新的春风荡漾在人们心中，仿佛一下吹散了压抑在人们心头多年的郁闷和迷茫。

“再来一个！”

“再来一首！”

“再来一场——”

那优美的旋律，那欢快的歌声，让沉浸在无比兴奋之中的威海人忘情地欢呼着、呐喊着，歌咏会出人意料地延续了3个晚上。

"邹老师，这个活动一定要办下去！每年都得办！"歌咏会的空前成功使威海市的领导和各界群众受到了极大的鼓舞，他们对歌咏会的主要倡导者邹树君刮目相看，并且开始尊称他为"邹老师"。

"邹老师"——从此成为威海人对邹树君的一个永远的尊称。而"5 · 23"歌咏会则是威海人每年一次歌唱心声、表现才能、凝聚力量的盛会。谁在歌咏会上歌唱得最好，谁就会在威海家喻户晓；哪个单位在歌咏会上夺冠，这个单位就在威海让人羡慕。

威海人可以忽视任何一个节假日，但他们从来不会轻视"5 · 23"的歌咏会。而"5 · 23"歌咏会，对邹树君来说，则成了一种生命之约，永远激荡着这位时代歌手的生命热血。他和他的同事，也从此让威海人开始了几十年不变、一年比一年丰富多彩的歌咏之旅。

随着"5 · 23"歌咏会的不断升温，邹树君和他的同事也成了炙手可热的"香饽饽"。尤其邹树君，对于那些工矿企业、乡村学校和机关部队来说，能够"抢"到邹老师，就是一大胜利似的。邹树君的工作和忙碌也因此再也没有间断过。教群众歌唱，为百姓普及音乐，成了他全部的工作和生命内容。

向文盲居多、识谱甚少的农民和工人进行音乐与歌咏知识的启蒙教育，是件艰苦和辛劳的工作，尤其是在条件落后的20世纪七八十年代。当时，威海的许多乡村连一条起码的公路都没有，而作为基层文化工作部门的一名普通工作人员，邹树君只能靠自己买的一辆自行车走村串巷。边远的乡镇，距市区40多公里，而且多半是崎岖的山路，连自行车都不能骑。有人建议邹树君，那些乡镇就算了，要不就让那里的文艺骨干到城里来面对面地辅导。邹树君不同意这样做，他说：我们是做群众文艺工作的，双腿只能往下走，不能让别人上来找我们。就这样，邹树君推着自行车，早出晚归，披星戴月，时常一身水、一身泥地往返在城乡的每一条道路上，把歌声带到每一个乡村和学校、部队与工厂……那时机关经常组织干部下乡搞进村蹲点，邹树君总是第一个报名。他把这样的蹲点当成普及歌咏知识和群众文化工作的好机会。白天他与农民们一起下地播种收割，晚上在炕头或渔船上为农、渔民教歌识谱，或穿着雨衣登门到老艺人家搜集当地民歌，要不就是趴在床头刻蜡版，为那里识字不多的农民兄弟誊写歌谱。数年过去，连邹树君自己也不知道他到底在多少个村子和多少个渔港教过课，蹲过点。他只知道，哪里没有歌声，他就去传播教授；哪里有了歌声，他就去组织合唱，培育人才。

回到城里，邹树君更是个大忙人，一年365天，几乎天天都有人请他去辅导与教学。通常各单位组织歌咏活动和学唱歌都是利用业余时间和节假日，邹树君因此不得不腾出大量休息时间去为那些需要的单位进行辅导与教学。他常说：唱歌是他生活中最好的伴侣和营养品。所以只要有人请他去辅导和担任指挥，他从不拒绝。有些单位常常事先没有预约，往往在邹树君吃饭和休息的时间打电话来求援。“行行，我马上过来！”妻子和儿子早已习惯了，只要电话响起，不管什么时候，邹树君就会立马起身往外走。妻子见他常常刚端起饭碗又要走人，心疼地劝他吃完再走。可邹树君头都不回地说：“我不能让人家几十号、几百号人等我一人嘛！”年轻时，妻子工作也忙，儿子没人看管，每逢这时，邹树君只得将儿子往自行车后座上一放，蹬起车就走。“小时候我记不清多少次父亲把我独自扔在农民的炕头和工厂的板凳上，有好几回，我醒来时天已亮，忙碌了一夜的父亲干脆又直接把我送到了学校。有一年放寒假，父亲要到一个部队去排练节目，那天刮大风下大雪，我妈又在单位加班，父亲又一次把我放在自行车后座上出发了。我记得非常清楚，到部队的那条路上，要翻越咱威海最高的一座山，叫古陌山，半道上，不能骑车了，父亲就拉着我顶着呼啸的寒风，一边给我讲故事，一边艰难地翻越大山。我们走了 90 多分钟才到达部队。部队官兵们看着我们爷俩儿满身白雪出现在他们面前时，他们激动万分地围过来，又是给我们掸身上的雪花，又是端来热腾腾的开水。我父亲连口水都没喝，就对官兵们说：我们开始吧！ 30 多年里，父亲就是这样，只要有人请他去教歌，他就精神抖擞，好像有使不完的劲头，再苦再累，都听不到他半句怨言。”儿子邹宁说。

30 多年里，邹树君的工作岗位换过几次，可无论在文化馆、文化局，还是市总工会、市城建开发公司，他始终没有放弃和停止过一天为普及群众文化和推动歌咏活动贡献力量。特别是每逢重大节日和“5 · 23”歌咏会时，他简直忙得不可开交，从组织排练、创作歌曲，到教练合唱、现场协调，事无巨细地尽着作为一名歌者的全部责任与义务。30 多年里，中国发生了巨大变化，人们的价值观也在发生变化，然而威海的群众歌咏活动从没有间断过。这里面渗透了邹树君和他那些音乐痴迷者与崇拜者的心血。

中国音乐家协会主席、著名音乐家傅庚辰先生当着诸多音乐人的面，激动地说：“谁说高等音乐学府的高才生到基层没有作为？就看你肯不肯做了！只要肯做，就会有为。邹树君就是一个很好的典型。”傅庚辰继而转身紧紧握住邹树君的手说，“谢谢你对中国音乐事业的付出，是你让‘歌咏之乡’歌如潮涌！”

在场的人，第一次见邹树君的眼里闪着泪花……

最深情的歌

2004年10月，中央电视台“音画时尚”栏目，为威海籍著名作曲家戚建波做了一个音乐专题节目。戚建波这些年与词作家合作，创作了《常回家看看》《咱们老百姓》《中国娃》等许多红遍大江南北的歌曲。众多国内顶级的歌手，这天都参加了戚建波的专题节目。那天戚建波显得很激动，他在节目最后，面对全国的观众说了几句非常深情的话，他说他今天之所以能够成为大家喜欢的作曲家，功劳应归于他的恩师。说着，戚建波将一位瘦削的老人请到舞台中央。“邹老师！快看，是邹老师！”那天节目播出的时候，很多威海市的观众都欢呼起来。原来，戚建波说的恩师就是邹树君。

戚建波说得没错，如果没有邹树君当年的发现和日后的精心培养与扶助，戚建波不可能成为今日的著名作曲家。话得从20世纪70年代说起——

说来也巧，当时大学毕业没多久的邹树君在为农村推广群众性文艺工作时，恰巧住在戚建波家。当时13岁的农家子弟戚建波放学回家，总是边做作业边唱着歌。有一天，邹树君走过来问小建波：“你很喜欢唱歌是吧？”

“是。”

“那我教你唱歌怎么样？”

小建波笑了。于是，戚家的那张小饭桌前，邹树君和小建波一句跟一句地“嚎”了起来。这一“嚎”不要紧，一直把农家娃娃戚建波给“嚎”进了大学的音乐班。

大学毕业后的戚建波回到威海一中当了一名音乐教师。“好，你大学毕业能回来，我们威海的群众歌咏活动就可以展开得更加如火如荼了！”见自己的学生也能义无反顾地像当年自己一样，大学业后回家乡工作，邹树君的心里格外高兴。从此，师生两人每次在组织群众歌咏活动时，一个当指挥，一个当手风琴手，使得歌咏活动更加活跃，气氛更加热烈。

“建波，我看你的音乐天赋非常高，你得向更高的方向发展。”有一天，邹树君很严肃地对学生说。

“老师，你说我该朝哪方面发展呢？”戚建波问。

“你应该朝歌曲创作方向发展。”

“那我试试。”

从此，戚建波利用教课和参加歌咏活动后的业余时间，开始尝试歌曲创作。初始，创作的歌曲没处发表，邹树君就从中挑选一些比较好的歌曲，帮助学生进行修改后，拿到群众歌咏会上演唱，给戚建波鼓励和打气。几年间，戚建波陆陆续续创作了几十首歌曲，在威海已小有名气。1990 年夏，邹树君公开说，他要为学生举办“戚建波声乐作品专场演唱会”。

“为一个 20 多岁的小毛孩举办音乐专场演唱会，开玩笑吧？弄不好连你邹老师的名声都砸了，不值！”有人劝邹树君。

“只要能培养出新人，我看就值。”邹树君执意道。

“老师，办演唱会得不少费用！我们哪儿去弄钱呀？”戚建波则更着急钱的事。

“我来帮你跑！”邹树君毫不犹豫地答道。

当时的威海建市才几年，经济发展尚处于初级阶段，到企业拉赞助是件非常困难的事，尤其是为一个青年办音乐会这样的事。虽然邹树君在当地，熟人有一些，可伸手向人家要钱，毕竟也是件难事。邹树君带着戚建波走了一家又一家企业，多数情况下是满心希望去，双手空空而归。“别着急，再多跑几家。一百二百咱不赚多，三十五十咱也不嫌少。只要心诚，就会感动上帝的。”邹树君鼓励学生道。

一天夜里，某企业来电告诉邹树君，说他们同意赞助戚建波200元。邹树君高兴地叫上戚建波，俩人骑着自行车就上了路。半道上，突然下起瓢泼大雨，师生俩人只能推着车子蹚水而行。邹树君的脚上是双刚穿上的新皮鞋，水一泡，新皮鞋成了“泥元宝”。

学生问老师：“心疼吗？”

老师笑笑：“能把你的演唱会开起来，就是把我卖了，也没啥心疼的！”

“戚建波声乐作品专场演唱会”如期进行。邹树君还专门请来几位国内声乐界著名人士，为他的学生进行现场指点。通过这场个人专场演唱会，戚建波的创作突飞猛进。很快，他的创作成果被音乐界所接受，一批由他独立创作的歌曲再经著名歌手演唱后，迅速传遍了祖国大地……戚建波成功了，他从威海走向全国。

想想你的背影，我感受到了坚忍；
抚摸你的双手，我摸到了艰辛；
不知不觉你鬓角露了白发，
不声不响你眼角上添了皱纹。
我的老父亲，我最疼爱的人。
人间的甘甜有十分，你只尝了三分。
这辈子只做你的儿女，我没有做够。
央求你呀，下辈子还做我的父亲。

听听你的叮嘱，我接过了自信；
凝望你的目光，我看到了爱心；

有老有小，你手里捧着孝顺，
再苦再累，你脸上挂着温馨。
我的老父亲，我最疼爱的人。
生活的苦涩有三分，你却吃了十分。
这辈子做你的儿女，我没有做够，
央求你呀，下辈子还做我父亲。

这是戚建波在那天中央电视台的音乐专辑节目上特意请著名歌手唱给他恩师的一首《父亲》之歌。戚建波在节目里把邹树君介绍给电视机前的全国观众，他深情地说：“在威海这座城市里，谁都知道邹老师这个人，是他把一个城市变成了歌咏之乡。在这个歌咏之乡，我是其中的最大受益者，因为我得到了恩师最多的阳光雨露。在我的一生中，邹老师就像我的父亲……”

邹树君生前在谈起培养戚建波的过程时，这样说过：“我带着他在荒漠里辛勤跋涉，是因为我们坚信前面必定有绿洲。”正是靠这种信仰，邹树君为威海这个“歌咏之乡”培育了一批批音乐人才，为当地群众歌咏活动的广泛开展奠定了坚实基础。

现任威海市音乐家协会副主席的毕少军，是邹树君的又一个得意门生。

1980年，只有17岁的毕少军在船厂当工人，小伙子平时爱唱歌，同宿舍的好友便向他引荐了当时在文化馆工作的邹树君。“小伙子挺好，就是身子骨瘦了一点。”邹树君拍拍毕少军的肩膀说。

几十年来，邹树君带学生都是利用业余时间。所以那天毕少军来找邹树君，也是在下班后才让毕少军坐在自己的办公桌前，开始试嗓音。当时文化馆的条件非常简陋，连一台钢琴都没有。邹树君就从抽屉里找出一个定音哨，让毕少军试唱了一首《二月里来》，然后自己再一遍又一遍地教毕少军如何准确发音，如何声情并茂。

这是毕少军平生所上的第一堂声乐课。而这一课从此使这位爱唱歌的小伙子走上了音乐之路。

在邹树君的帮助指导下，毕少军于1982年、1983年连续两次报考艺术院校声乐专业，但考试均不理想。毕少军有些怀疑自己是不是这块料。这时邹树君将他叫到身边，语重心长地说："两次考试失败，心情可以理解，但你不能轻易放弃，人生不可能一帆风顺。我对你的专业水平有信心，关键是你自己要调整好心理状态。"随后，邹树君还特意从市二轻局那里借来一间顶楼小耳房，作为辅导毕少军的专用场所。三伏天，太阳将小耳房烤得像蒸笼一般，下班后的邹树君，浑身上下滴着汗水，一声高一声低，又是做手势又是比画着，教学生从气息、音准到节奏等，一点一滴地掌握要领。就这样，经过几年跋涉，毕少军于1985年高考时，终于如愿以偿地考上了山东艺术学院声乐系本科。当学生把这一消息告诉恩师时，邹树君竟像顽皮的孩子一样，扭了几下屁股，然后使劲地抱住毕少军，高喊着："我们胜利啦！"

毕少军大学毕业后回到家乡工作，当他到老师那里报到时，邹树君满脸笑容地拉着他的手说："好样的，让我们一起来建设威海的文化绿洲吧！"

用自己的智慧和专业本领，把家乡建设成社会主义的文化绿洲，是邹树君的毕生愿望。为此他不遗余力，无私奉献。随着威海经济的发展，"歌咏之乡"的名气也大了，在演出和歌咏活动中商业行为也随之出现。然而，邹树君除了他自己教课从不收受一分钱外，还严格要求自己的学生和合唱团队员在参加各种公益活动中，不得收一分报酬。这在威海专业、业余歌咏界和文艺表演界已经成为一种习惯。有一次合唱团到外地演出，主办单位给了合唱团1000元劳务报酬，合唱团的同志悄悄用这钱给重病在身的邹老师买了一些海参。邹树君知道后很生气地对团员说："我们合唱团的规矩不能破，把钱退还给人家！"事后他自己掏钱买下了那些海参。类似这样的事，在邹树君身上屡见不鲜。他常对自己的学生和参加歌咏活动的音乐爱好者说："威海之所以被命名为中国第一个'歌咏之乡'，是因为我们这里的群众歌咏活动好，是那些优美健康的歌曲让人民群众获得了精神享受。音乐是陶冶人的情操的，我们不能让爱歌唱的威海父老乡亲沾染上与歌声不相称的铜臭味。"

邹树君的为人，影响着身边的众多音乐爱好者。几十年来，经他精心培养的歌手和歌咏合唱团队员数以千计。如已在省内外颇有些名气的独唱、领唱业余歌手张艳华等年轻人，他们不仅经常在屏幕和舞台上给威海人带来骄傲，而且也在为"歌咏之乡"的群众文化工作奉献着自己的激情与才艺。

众手浇花花更艳。现在，威海市不仅已连续举办了33年的"5·23"歌咏会，而且每到夏季来临，城乡各地都要举行4个来月的纳凉晚会。每当华灯闪亮时，市民们就会从四面八方涌向遍及城乡的大大小小各种文化广场，他们载歌载舞，欢声笑语，其乐融融。威海，如今变成了全国闻名的基层文化先进单位。在这里，涌现出一大批词曲作者，其作品7度入选山东省精品工程，3次入选全国"五个一"工程，17次进入中央电视台春节晚会。

今天的威海，不仅随处可见歌声如潮的广大市民们热情参与的欢快场面，而且到处都能感受到经济繁荣、社会和谐、城乡协调发展、人民幸福安康的美好景象。威海人民因此更加怀念给他们带来欢乐与力量的邹树君——是他用一生的心血谱就了"歌咏之乡"的美妙旋律……

他，如此爱着土地……

他爱土地，总为之热泪盈眶；他爱土地，总用心去发现和感受那冰冷板结的泥土的温度与柔和；他爱土地，他用自己的生命去激活另一种死寂的生命。

他如此爱着土地，并赋予土地肥沃、纯洁与永恒的生命……

——献给我的主人公

那是梦。那是可以触摸到的、现实的梦——

春天。京郊的一片绿色土地上。有人让我去那里看一株棉花，他们说，那株棉花已经长了 8 年，每年采摘的棉花絮可以制成两床被子，而且这棉花还在茁壮地成长着，一年四季在不停地生长着棉铃……老实说，我不相信有这样的棉花。

但我真的看到了，看到了这样的棉花：它长得像果树那么高大，足足两米多高，一根根枝干粗壮硕实，每一枝丫上挂满了一朵朵洁白的棉花，如一盏盏怒放的白萤灯……不相信这是棉花，可它确确实实是我熟悉的棉花——与千百年来中国农民种植的那种棉花一模一样，只是这种棉花更像树，我称其为“棉花树”。

主人告诉我，这种棉花既非杂交，又非“天外来客”，也非换了基因的棉花，而是一种生长在“特殊土壤”里的普通棉花。

我无比好奇：“特殊土壤”又是什么？

主人说：“特殊土壤”其实也是普通的土壤，只是我让这普通的土壤改变了一下它的“生命密码”，所以普通土壤里才生长出了完全与众不同的棉花来。这就是你看到的一年四季开花结果、“长生不老”——至少可以成活十年以上的棉花树。

呵，这棉花，这棉花树，璀璨烂漫，生命常青。

我问：假如这样的棉花、这样的棉花树得到推广普及，中国和世界的棉花产量将得到怎样的改变？

主人自信地说：保守估计，至少可以增产两三倍以上吧。

那是个完全不同的地方：中东阿联酋首都阿布扎比市郊，那一片沙漠盐碱地。联合国粮农组织指定的“沙子变土”的实验地方请他去种小麦……

他去了，带着中国人的自信与骄傲，也带着他的“特殊土壤”。要知道，这是一块典型的干旱气候，每年蒸发量是降水量的100倍以上，其碱性含量极高，pH高达8.9，氯离子的相对能态值为11，也就是说，这是一块人们常说的“死亡之地”，任何生物都难以在此生长。然而，中国人去了，他与同事们一起满怀信心地来到这样的沙漠盐碱地上，只见他们像耍魔术一般的将沙子和盐碱搅拌搅拌，然后将麦种撒下，仅仅15个小时，奇迹出现了：那沙漠盐碱地上竟然冒出了嫩芽！ 30多个小时后，麦苗破土而出！一个多月后，绿油油的麦苗连成片，像绿地毯一样地出现在那片“死亡之海”的中间……又过了一些日子，金黄色的麦穗随风摇曳，后来便进入了喜悦的收割。一核产——一亩380公斤！当地的阿联酋人欢欣鼓舞，捧着金澄澄的麦子，热泪盈眶说：这好比看到了恐龙再现！

沙漠怎可以变成绿地？荒漠怎可以变成丰收的沃土？

主人说：万年不变的荒沙与肥沃的土地之间其实并不那么遥远，只需要我们将其自身的密码改变一下，数万年的自然成土过程就会缩短成几年，荒漠变成绿洲和米粮仓的梦想便成了我们可以触摸、可以拥抱的现实。

这样的事在新疆、内蒙古、西藏等的沙漠荒原上，也早已成了现实。

他因此说：中国再造十亿亩沃土，绝对不是问题，因为我们的国土中大约有三分之一是沙漠地，它们完全可以变成绿地沃土，其条件只需一个：让这些土地的密码做一个系统的有机“调理”，土地便有了新的生命。这样，我们便可以按照自己的需要和愿望，结合这样有生命的土地，种植各种不同形态的作物，从而达到理想的收获。

改变了生命体的沙漠和盐碱地，是最清洁和自然生态的土地，营养好、无污染、壤肥沃，这样的土地上生长出的庄稼和果实就是今天我们期待的最佳生态植物。他补充说。

你信他的话吗？你肯定不信。起初我也不信。但眼见为实。现实胜于雄辩。我从不信到信，最后到不得不信和坚信。因为，他的那些一年四季可以长铃子、摘棉絮的棉花树高高地挺立在那里；他的那些种在水泥地上仅靠十来厘米厚的土壤的西瓜和番茄生长得如此旺盛；他的那些草莓、苹果、梨子格外香甜、营养特别丰富，摆在面前……你不可能不信，而所有这些生物、农作物，靠作假是绝对不可能的——我已经从主人公的那些种植各类农作物的田野里看到了这些收获。

这就是他花了 16 年心血换来的科研成果——用生命的激情，激活了有生命的土地！

这奇迹，听起来不可思议。然而，它就是发生了——

张建民，一个典型的中国男子汉。少年时代，因为被一场浩劫摧毁了政治生命的父亲，带着全家，从骄傲的城市人沦为谁都可以欺负的“反革命分子”。

“农民是靠土地生存的，而我全家被赶到农村的最初两年中，连立足的一小块黄土都没有，只能靠开垦那些别人遗弃的边角坡地。”幼小的时候，张建民就懂得了土地对他和他家人的重要性：没有土地就意味着没有做人的基本权利和基本尊严。为了这些基本的权利和尊严，他与家人学会了与农民兄弟们的相处；学会了对邻居的宽容与相让；学会了用汗水和辛苦的劳动，将荒芜和贫瘠的黄土地变成可以种植与收获小麦、土豆、玉米、棉花的沃土……而那时的张建民，更多收获的是勤奋、忍耐、质朴，还有高尚与追求。

后来，他成了一名保国卫家的军人。他经历了炮火延绵的战场生活，正是战场上他和战友们为了每一寸土地都需要付出生命代价的特殊经历，使他更加热爱土地。“土地诞生了生命，生命又终将回归到土地。”没有对土地的特殊之爱、深沉之爱的人，是不可能悟出如此朴素而深刻的道理的。

从部队转业到地方后，又是一段令他刻骨铭心的经历，使他对土地的感情升华为一种神圣的使命与责任。1987年，张建民被安置到联合国难民署项目组。这项工作非常特殊：数以万计的难民们在荒滩石坡上扎营安居，唯一的任务就是要有饭吃。吃饭靠天？靠援助？也许应付暂时可以，但最终还得靠地，靠向土地要饭吃。难民安置的地方没有好的土地，要向本来就没有生存条件的土地要饭吃，就必须改变土地的质量和种植条件。农民出身的张建民便又一次发挥了当农民的作用：寻找适合种植的土地，寻找可以改变荒坡与滩涂的办法……为这，他把小时候当农民的全部本领用上了，又搬出当导弹兵的看家本领，居然获得了不小的成功——那无人踪迹的原始荒滩上长出了金黄色的水稻，在那只有野兽出没的荒山上种满了香蕉树与柑橘树，那飞鸟和虫子都不愿居宿的荒坡上披满了绿茵茵的外装……原来这土地是有生命的：你只要爱它，它就给予你回报；原来这土地是有感情的，你只要给予它爱，它就回报你忠诚与果实！

那个时候，张建民的名字在边境线的百里难民安置点上，换成了人人喜欢亲切称呼的“张难民”：一张黑黝黝的脸膛，一副风风火火、壮壮实实的身躯，还有一颗充满热情与崇高之爱的心。

安置难民工作完成后，张建民被有关部门作为先进工作者重新安排到条件相对优越的省政府机关工作。可此刻，已经对土地深深挂牵和爱着的他，毅然决定：从此一生与土为伍，让中国十几亿人能够永远有绿色、生态、自然和丰收的土地，以及为改变人类的生存去当一名“土民”——土地之臣民。

这，需要勇气；这，需要思想；这，需要智慧和能力。当然，更需要耐力和意志。

“其实，人类一切伟大的事业，莫过于与土地的交往，莫过于对土地的了解和认识。迄今为止，人类对自己的生命解释从未完成，而人类的生命源于大地，对大地的认识则更是处在原始和初级状态。然而，自以为是的人类却常常以肤浅、粗暴、低劣的行为在对待给予他们生命和生命成果的土地，这既不公平，又无知愚昧。”张建民这样说，是因为亲眼看见了一个个令人忧郁和心痛的现实：

那些原本绿荫覆盖的群山，由于人类的砍伐，变成了光秃秃的荒岭；

那些原本种什么长什么的肥沃田野，因为贪欲无度的人类不停地施灌农药，变得板结，变成没有柔性，连生长出的果实都成了有毒之物；

那些原本种植了庄稼的土地，人类把它变成了水泥地、摩天大厦，人类还以为拥簇在一个个方形、长形、椭圆形的建筑物内便是自己走入了理想的天堂，却不知这是土地将惩罚人类的最后通牒时刻，因为一旦失去土地的人类行将灭亡、命运悲惨……

对土地产生了爱的张建民，无法接受这样的现实：农民们费尽心血种植的香蕉、橘子树，由于土壤的污染，果实有毒，郁郁葱葱的树木枯黄地成片成片死亡；更要命的是，许多中国人只重表、不重质的看待和处理已有的问题。比如，某地有一片河塘，每到 10 月收获季节，鱼儿就翻肚死亡，渔民们不知何因尚可以理解，但一批批专家们却总盯在鱼塘的水质是否有问题，鱼种是否适合这里养殖……后来一群外国专家来了，他们没有看水，也没有去研究鱼种，一眼就看到了鱼塘旁的那些树——那些树每到这个季节，一场场暴雨过后，从树身上淌下的有毒的雨水再流进鱼塘，鱼儿就这样死了……“也不是树有问题，有问题的是这里的土壤。”外国专家扔下这样的一句话。异常敏感的张建民立即意识到：作为具有五千年农耕经验的中国人，其实对土地的认识观上存在问题。“这件事对我刺激很大：整体环境对某一事物的影响，才是问题的根本。我们的专家，通常是哪儿出了问题就去哪儿找根源，比如池塘里养的鱼死了，就去查水，结果水换了一塘又一塘，但鱼还是不停地死掉，从不从池塘的环境中去寻找和发现问题。”因此张建成民认为：要想改变中国人这种传统的思维行为观，就必须有人去引导；去引导一个如此历史悠久的农耕大国的国民改变对土地的认识，首先自己就必须有深厚的理论依据和铁的事实摆在那里。

这就是张建民为什么放弃了一切，去做一件许多人看来是最落后、最没有前途的事业——与土地为伍，做土地文章。

人们哪里知道：与土地为伍，做土地文章，其实是人类最伟大而壮丽、最空前而无止境的，也是最基础的大事业！

张建民选择这条路后，从南国边陲义无反顾地来到了北京——在京郊的一处农田里开始了他日后令世界同行称奇、让我们对自己生存的土地有了一种全新认识的大事业。

这件事开端于16年前，他举家迁京。他是背水一战，满怀信心，豪情壮志。他更是热血沸腾，因为他知道他的事业终究要给人类奉献出一个了不起的伟大成果！

“当时我们变卖了全部家产，租置了一块地当作实验基地。其实根本不够，后来是我又把娘家的一些积蓄搭上了……”妻子陈英这样回忆。

亲人的支持与帮助，是张建民倾注对土地情感的力量源泉之一，有了这种支持与帮助，他可以放开手脚，全神贯注，善始善终。然而在科学的道路上攀登，并不像我们在平坦的道路行走那么简单和容易。

土壤是物质，物质有没有生命？如果没有，为什么加入化肥和水分就能长出庄稼？而同样施入肥料与水分的土地却不能长出同样质量的庄稼呢？如果土壤有生命，那么它的生命基因是什么呢？这样的生命能不能进行改变和改造？改变和改造了的土壤就一定可以长出比原来更好的东西吗？土地又有无数种类，比如肥沃的耕地，比如贫瘠的荒坡，比如沙漠与滩地，这样的土地能不能成为我们人类赖以生存的好土地呢？还有许多许多问题，摆在了张建民的脑海之中……现在他要对所有想到的和没有想到的关于土地的问题进行探索与实验。这样的探索与实验，如大海捞针一样浩瀚而无止境，同时又如攀越喜马拉雅山那样艰辛而困苦。

“但既然选择了与土为伍，既然选择了走进土地生命的行程，那么只有把自己的全部热忱与感情投入进去，才可能有所发现与突破。”张建民对此并不畏惧。他认为，脚站在土地上，人的重心是稳固的；掬一捧泥土在手中，人的意识是清澈和灵动的；将生命贴土地上，人的灵魂是安详和富有激情的。

现在，一掬普通的土放在你的手上，让太阳晒，渐渐地你感受到土壤有了热度；当太阳西下，直至完全消失时，你手中的土就会慢慢没了温度——如果你手中捧出的是一掬沙土，其温度的变化和反差便会更为强烈。这是什么原因？这是光的作用。强烈的光晒与光照，可以使土壤发生变化。如果再加上水，这种变化又将是另一种形态；如果再在阳光、水之中，加另外的物质，比如肥料，比如农药，这时的土壤又有了新的变化。这种从人类开始依靠土地获取生存时就积存的认识，其实我们已经有了几千年甚至几万年的经验积累，它似乎并不深奥。然而，张建民发现：人类在与土地磨合之中的所有经验，都只停留在依靠阳光、水和施入一定量的劳作之后才在土地上获取某种成果，而这种成果也只能在那些可以让苗种、树林与庄稼长起来的好土地上产生，而在沙漠之地或荒丘乱石上就无法实现了。另一种情况是：那些原本很肥沃的土地，由于年复一年、一茬又一茬地种植和施肥之后，它们不再能长出好庄稼，长出好果子了，甚至最后成了“患癌症”的死亡之地。这又是为什么？

张建民顿时感到了自己力量的微薄，同时更感到了肩上使命的崇高——人类征服万千世界的奥秘，其始点和终点，皆在一个“土”字上。于是他在人类已知的科学发现与认识上寻求自己前进的道理和指路明灯——

他想到了人类从地球深处寻找石油的现代技术，那是靠震波和光谱的理解与分析；

他想到了人类认识和解剖自我生命的医学技术之中的X光原理——透视，便是这种新技术革命在人体结构变化的运用之后所产生的直接的和感性的认识；

他还想到了核爆炸的原理：物质的原子与量子发生变化后所产生的那种可以改变整个世界的能量。

土地是不是也有自己的生命特质与生命规律呢？肯定有。不然，白天和夜晚之间土地为什么有不同的温度变化？不然，黏土和沙土同样是地球表层之物，同样享受着阳光与雨露，为何却不能种植出同样的果实与树木？对这样的现象，似乎寻找一种结论很容易。可是为什么能够产生这种结论，则是一道异常深奥的难题。

张建民为此苦思冥想，有些日子，他把自己埋在各式各样的土堆之中，试着去品尝它们的不同味道，去倾听它们不同的呼吸声，去感受它们的温差与情感……谁说土地没有生命？各式各样的土地都有其五彩缤纷的生命形态；谁说土地没有活力，各式各样的土地像奥林匹克场上的运动员，它们皆有自己的技能与魔力，只要允许它们舒展，就一定精彩无比；土地更不是冰冷和麻木的无情之物，一旦对它们倾注了感情和爱，它们同样富有激情与爱！

现在只需要在它们身上加注一种特殊物质来激活它们固有的生命，很多人类想获得的东西或许都可以得到。

张建民为这样的认识激动得数个月睡不着。有时他双手捏着泥土像是要将它们活吞了、嚼咽了、消化了，想看看它们是不是成了另一种他想要的泥土；有时他伸展四肢，直挺挺地躺在泥土上，用自己的体温、心跳和流动的热血，去感受这些泥土的温度、生命和心跳声……日复一日，月复一月。他终于找到了自己想要的东西：原来泥土确实也有体温，也有生命，也有心跳声！

开始是实验室里，他把自己研发出的 BGA 物质，融入各种土壤之中，他发现了这时的土壤出现异常活跃的生命迹象——那光谱仪器中的波纹线时而起伏跳跃，时而高昂激烈，如音乐的旋律，如少女的舞姿，如大海的汹涌浪涛，如高山流水的奇观……这一切皆因他将 BGA 物质融入的程度不同而产生不同的生命迹象。

土地真的有生命！土地的生命多彩而优美！

后来，他把 BGA 技术搬到辽阔的田野，搬到农民日常种植的土地上，其结果一样令人称奇：

同样一亩番茄地上，传统的种植，一亩收获番茄五六吨；用上他的 BGA 技术，一亩番茄的收获增加到十五六吨。这个推广项目在云南完成。时间为 2001 年。

在从未种植过蔬菜的杂草地上除草后直接种植黄瓜：基本条件——塑料大棚。2 月 25 日育苗，4 月 10 日定植，5 月 12 日采摘。结果：与同一地区种植的黄瓜相比，产量高出 45%。另一个推广种植项目是大棚西瓜。4 月 19 日育苗，5 月 30 日定植，7 月 20 日收获。结果：比同一地区种植的西瓜增产 71%。这个推广项目在西藏堆龙德庞完成。时间为 2001 年。

比上面的推广项目早一个来月的 2000 年末，张建民带着他的助手来到北京门头沟进行 BGA 技术的造林推广试验。具体地点：门头沟雁翅镇太子墓村。树种：火炬树。数量：879 株。种植时间：2000 年 11 月 12 至 15 日。次年 7 月中旬，北京林业大学教授、博导李吉跃，带着两名助手，对 BGA 技术造林成果进行验收。结果：得当和理想的运用 BGA 技术，可以使火炬树成活率提高 120% ~ 180%。

……

张建民的 BGA 技术在其他地区的推广和试验中所获的结果同样令人振奋!

“英，我们终于成功!”这一年农历三十夜晚十点钟，奔波于西藏、新疆、云南、海南和北京之间的张建民，终于回到了妻子身边，很少冲动的他，张开双臂，紧紧地拥抱起自己的爱人，不断地说着上面的这句话。

比他小 5 岁的陈英忍不住热泪盈眶。她知道，多少年来自己的丈夫几乎把所有的感情都投入到了土地之上。现在，疲倦的丈夫回到了自己怀抱，这是一年中唯一属于她的时间，本该可以好好享受丈夫拥抱的她，却不忍心地将他轻轻放倒在床头，一直看他甜美地进入梦乡……

为了这个“BGA”，此时的陈英已经和丈夫手挽手、肩并肩地在北京郊区的那片常常被风沙席卷的田野上住了 6 年土筑泥棚。有多少痛苦和委屈，脸上的皱纹和黝黑的皮肤便是证明。“流出的眼泪够得上灌几亩蔬菜地。”陈英其实很开朗，即使是这样开朗的女人，从南国春城的生活优裕的干部家庭，跟着一个“比农民还要农民”的“土民”丈夫，来到举目无亲的京郊田野上生活，这本身就是对张建民事业的巨大支持。

“我把精力和感情给了大地。她把一个女人的爱却全部给了我和儿子。”张建民这样评价自己的妻子。

其实，在张建民落户京郊，从事揭秘土地奥妙的科研工作起，许多有识之士就渐渐围聚到他的身边，其中不乏一些优秀科学家、机关干部，甚至还有解放军高级将领。中国农业科学院土壤研究所的一位研究员，就是较早接触张建民的 BGA 科研成果的土壤专家。现在他已在张建民的麾下工作了 10 个年头。谈起最初对张建民的 BGA 成果的认识，这位研究员依然激动地这样回忆道：“1997 年，那时我在农科院土壤研究所办公室当负责人。有一天张建民的夫人拿着一包样品说要让我们所里做检验。当时我怎么也不相信他们的东西。张夫人就很着急地对我说，他们的东西肯定是好东西，又说如果你不信，星期天你就到我们那里去看一看。在她的一再邀请下，星期天我真去了，去一看就惊呆了：第一件事是被张建民水泥地上种小麦的现场折服了：这是我们农科院实验室里从来没有做过的事：在水泥地上，撒上十来厘米的土，竟然能长出绿郁郁的麦穗来。第二个惊奇的是：在一只极普通的花盆里，种一样的茄子，长出的茄子却能够爬上屋，上面结了几十个茄子。还有就是那些棉花，一年四季长着铃子，跟树一样高。我原以为自己是国家农科院的土壤专家，到张建民那里一看，才发现自己仅是井底之蛙。用现在的时髦话说：那一刻起，我成了张建民和他的 BGA‘粉丝’。2001 年 6 月 25 日，是我退休的日子。那一天，我一下子办了两张证，一张是我在农科院的退休证，另一张是我到张建民科研团队报到的工作证……”

这位研究员到张建民的科研团队工作两个月后，他为自己的新单位和BGA技术操办了一件重要的事：约请北京市科委组织一场对“BGA”成果的技术鉴定会。那时的“BGA”成果还被称为“土壤调理剂”。这是张建民作为民营企业独立研制完成的专业科研成果第一次接受高规格的技术鉴定，他心中多少有些忐忑不安。因为参加鉴定会的都是国内顶级农科专家，有中科院院士、著名土壤肥料和植物营养学专家刘更另教授，中科院院士、我国生态学奠基者之一的阳含熙教授和中科院院士、著名农林生态专家蒋有绪等。这是些德高望重的权威和异常挑剔的专家。但是鉴定会现场，让张建民意想不到的是，他的BGA成果令权威们惊喜不已，拍手称道。担任技术鉴定委员会主任的刘更另教授以其专家特有的严谨如此说道：一个科学工作者，一定要尊重事实。我觉得这确实是个好东西（指“BGA”）。最后，这次鉴定会对张建民的成果给出了这样的评价：“该产品在激活和维持养分的改良土壤功能和价格低廉上，处于国际国内同等产品的领先地位。”并指出：“由民营企业独立成功地开发出该项农林业上极有价值和富有创新的营养保水增产剂是难能可贵的。”

一个“领先地位”，一个“难能可贵”，足见院士们对张建民的科研成果的充分肯定和褒奖了。然而，后来的无数事实证明，一个民间科研成果要在广阔的领域里获得认可和推广，其实远比其成果的诞生要复杂和艰难得多。

“明明是一个好东西，一个了不起的好东西，谁见了都会震惊和惊叹，但真到了需要把张建民和他的成果摆到前台时，那些有形的和无形的种种压力与阻力，便不知道从哪个地方全都冒了出来。有一次我应邀参加一个科研评审会，当我刚刚向与会代表介绍我们的BGA成果时，仅仅说了一句‘BGA’成果是完全新型的农业、林业生产资料时，就听到有人在哄笑。那些哄笑的意思是：你们一个民营企业怎么可能拥有世界级研究成果？一群‘土八路’怎么可能破译土地的生命奥秘呢？”南春波把参加这次会议的现场情形告诉张建民后，张建民沉默片刻后，只说了一句话：以后这样的会我们再不参加了。我们做我们的事，用土地来说话。

“……你永远环抱同一块土地，使它丰腴而有灵性，通过土地的脏腑，你把根儿欢欣地往宽宏的胸膛延伸，我有丰富的智慧和深邃的灵性，永远向一个固定的目标迈进！”这是意大利诗人布鲁诺的诗，名叫《老橡树》。张建民也许根本没有读过这首诗，可从此他就像布鲁诺笔下的老橡树，把理想的树枝伸向遥远的天际，而且在土地里扎根，不论土地如何震颤，严酷的风神从天上发出的力量多大多沉，也不论猖狂的冬天还是暴风骤雨的夏日，他仍然巍然屹立，昂首挺身；任何意外的和预料中的打击，他都无动于衷、毫不畏惧。张建民后来告诉我，他知道布鲁诺是一位为维护和发展哥白尼的“日心说”而坚持自己哲学观点的勇士。为这，布鲁诺被教会判以火刑殉难于罗马广场。“科学需要献身，推广科学成果有时同样需要献身。”其实张建民非常明白这个道理，他因此变得更加坚强、理性和智慧。

为真理而战，是每一个真正科学家的理想。一名非专业的科学工作者，带着一个让世人惊叹的研究成果，想向世界呐喊“拯救大地”，却常常会被一些人当作唐吉诃德来嘲讽。张建民遇到的类似待遇何止一两次。“当我看到那些因推广 BGA 技术而获得丰收之后的农民们的那种喜悦时，一切曾经经受的冷嘲热讽就根本不足挂齿了。科学是用事实来说话的，其实 BGA 技术既非高深莫测，又非神秘玄妙，它只是人类在改善土壤及其环境过程中寻找到的另一条途径而已。这条途径所产生的效果，不仅让我们认识到土地也是有生命的，而且也有其生命的密码，掌握了它的生命和生命规律，人类就可以摸索出各种环境下对土地的开发和利用上的经验和收获。比如在已经种植了几千年、几百年的耕地上如何在少施肥、不施肥，少用药、不用药的情况下照样取得丰收，且作物的营养价值更高；如何使沙漠变成绿洲；废坡秃丘如何长出森林等方面，BGA 所显示的就是这样的功能与成效。现在人类都在为土地的污染发愁，为日益城市化后的土地紧张而烦恼，为更大规模的沙漠化而无能为力。其实，BGA 技术所能产生的效果就在这些问题上，给予了我们一个可以解决的途径。这就像我们一方面担忧石油资源的紧缺，另一方面我们的科学家又总是在不断地通过新技术发现新的油层、新的油田一样。这也说明了养生万物的大地其实蕴藏着无限能量，人类对它的认识仍然趋于粗浅的初级阶段。随着人类科学技术的进步，大地恩赐我们的东西会越来越多，越来越神奇。在大地面前，人类只有谦卑、诚实、辛勤和充满爱心，才有可能获得永恒的生存环境。”

这是需要每一个地球人倾听的掷地有声的警世之言！

如主人公所言，其实 BGA 技术并非神秘之物，现在一些国外公司和政府千方百计地亮出天文数的价码，想将中国人发明的这一科学成果据为已有，但张建民对此坚定而又果断地回绝道：“我是中国人，中国有 13 亿人口，我的第一个责任是让自己的同胞能有一个更加美好的家园，其次才是去帮助其他国家和地区的人民改善他们的生存环境。虽然两种责任同样重要，但我坚信：一个不怎么爱国的人，不可能真正爱全人类，更不可能真正去爱人类共同的家园——地球。BGA 技术来自对土地的一种认识，它的基本和终极目标也是为土地服务。”

我知道，经过十几年的反复实验和推广，现今的 BGA 技术已经开始广为人知，尤其是在农业和林业战线，越来越多的地区和政府部门把张建民当作“香饽饽”，甚至连那些国际著名的好莱坞明星、世界小姐、世界政要都当起了BGA志愿者。在世界各地，许多人早已烦透了形形色色的政治、战争和经济的变幻风云，他们衷情和忠实于对地球的保护，在他们眼里，张建民和他的BGA技术，才是真正的神圣之物，他们因而称他为“中国张圣人”。

我知道，几年前，联合国在南非约翰内斯堡举行的第十届可持续发展世界首脑会议非洲论坛会议上，当张建民以一个中国科学家严谨的态度，向世界宣布由他首创的BGA技术，在七年多时间里运用到荒漠沙化治理过程中所取得的成果，并现场演示干旱沙漠中的水分控制技术及空气温差交换集水技术时，立即引起轰动。全球治沙泰斗、联合国防治沙化署顾问H.E.Dregene博士称赞BGA技术是“世界上最好的治沙产品”。

我知道，那年在印度洋海啸过后，国际组织举办了一个海啸灾区国土重建紧急会议，会议议题是在全世界范围内通过采取先进科技产品来解决海啸灾后生态重建的这一迫切的世界性难题。张建民去了，他的BGA技术产品成功中标。试验地确定在巴林首相官邸。这是一次真枪实弹的试验，全世界专业人士和许多国家的政要目不转睛地盯着那里，中国人张建民的BGA技术产品试验结果获得完全成功：冒着43℃气温（地表温度62℃）植树，在不用滴灌设备情况下，施入BGA产品，54天后树长高1.25米，两年半后长成7米多的大树。那些不用BGA技术的树则当天全部死亡；用了滴灌设备的某西方国家结合自己的技术，施肥一年半后仅长到40厘米。巴林首相官邸的试验，震动的不仅是一个国家，而是全世界许多国家和地区！于是，很快有巴林、印度、马来西亚、南非等国家找到张建民，强烈要求引进BGA技术。不久，日本地震后造成核辐射，已有几批专家和相关人士找到张建民，企求引进BGA技术来进行核辐射土地的整治……

我当然知道，眼下的张建民，更多地将精力放在扩大BGA技术产品的基地建设和国内运用BGA技术的推广与普及上。北京、广西、海南、新疆、西藏、内蒙古、重庆、河北、辽宁、江苏、甘肃等近二十个省份都在运用和推广他的BGA技术，并且已经不再局限于改良土壤、提高农作物的产量与营养成分上，更多的已将BGA技术运用到沙漠变绿洲、废地变宝地、清洁无污染绿色产品的战略工程上。还有什么比这令我们对BGA更加期待的呢？

水泥地撒一层薄薄的土就能长出又大又甜的西瓜；沙漠地上十几天工夫就能长满绿油油的麦苗；光秃秃的乱石坡上长出参天大树……BGA，你还有多少神奇的故事和传说在等待着我们？

呵，大地，你如此充满神奇！

呵，科学，你如此充满魅力！

这一切，皆是因为有人对你倾情注爱，无私奉献的结果。

最后我想运用我国著名石油专家刘光鼎院士的话来结束本文：BGA技术不是一个改变土壤和植物的基因问题，而是改变物理生态的技术。这在物理学上叫能谱。某一个能谱对植物是压抑的，另外一个能谱可能是激发的。很可能目前他的工作（指BGA——笔者注）找到了一个激发土壤的能谱途径。这是一个好东西。中国有九亿农民，粮食问题和食品安全问题已经被提出来了，能为这样的国计民生的大问题找到一条新出路，就是对人民的贡献。刘光鼎院士又说，科学是个无底洞。比如石油问题，你说石油是有机生成还是无机生成？吵了一百多年至今还在吵，说明什么？说明人类对自然界的认识甚浅，还要去不断探索和认识。所有结论，为时都早。

张建民，你的BGA技术难道不是这样吗？人们对它的认识和运用，其实就像对石油资源的认识一样，真正见到了它，拥有了它，才是最重要的。现在，中国和世界都在为改善和改变自己的家园而奋斗着，你所倾注的对大地的那片炽烈而赤诚的爱，终将获得报答。

向生命施爱

——“5·12”抗震救灾“第一志愿者”陈光标

抗震救灾“第一志愿者”的称号，是四川灾区人民给他的。这是因为他在汶川大地震的第一时间内，亲自率120人的民间抢救队伍，带着公司的60台挖掘机、推土机、吊车等大型机械，日夜兼程奔赴灾区，成为第一批参与抢救都江堰、汶川和北川等地遇难群众及打通“生命之路”的英雄队伍；他和他的志愿队伍从14号抢救出第一位还生者至今，一直在灾区义务参加抢救被埋灾民和唐家山堰塞湖抢险及建设家园的紧张战斗。他自己亲手救出11位学生和群众，肩上背过200多位遇难灾民的尸体；他一路“撒钱”捐物达1000多万元……灾民们感激地叫他“大好人”，温家宝总理称他是“有良知、有感情，心系灾区的企业家”。

他叫陈光标，39岁的江苏青年陈光标。

无处不在的他……

在灾区前线采访，每天都有无数人向我讲述无数感人的事。但却难有许多合上同时听到有人在讲同一个人的故事，而我又在不同场合竟然多次见到了同一个英雄的身影，这不得不让我对他产生一种特殊的敬意。

第一次听说陈光标的名字是在前线指挥部。一位副总指挥正焦急地等待通向灾情最为严重的北川县城的“生命通道”何时才能打通的消息时，前方向他报告：江苏来的一名民间志愿者带的机械队伍先期到达，已经挖通和打扫了通向北川县城的最主要的山体滑坡地段。

第二次听说陈光标的名字，是在从汶川通向都江堰的山道上走过来的一群灾民，他们约有几十人，已经走了两天，并且很快被安顿在一个良好的居住地。他们告诉我：“我们的命，是那个叫陈光标的江苏人，他带着大吊车、挖掘机才把我们从坍塌的楼板下救出来的……”

第三次听说陈光标的名字，是在成都青羊区灾民安置点里，几个正在购买生活日用品的灾民告诉我，他们在地震之后，失去了家园，从死亡堆里逃出来后身无分文。“13 号傍晚的那个雨夜，有个江苏来的青年人，他拎着一只装满钱的大口袋，站在公路旁一边对我们说，大家不要怕，政府和全国人民会帮助你们的，一边给我们这些无家可归的灾民每人发放一百、二百元的现金。我们一路上有好几千人，听说他一下把几十万元现金全发光了。他叫陈光标……”

我第一次见陈光标是他带着抢救队伍来到灾区已经有十多天了。那天深夜，我从他助手那里知道他这天要从汶川映秀镇回成都。夜里 11 点左右，我们在成都的一家饭店终于见上面。“老乡，你太辛苦了！”我握着这位江苏老乡的手，不由自主地打量起这位深得灾区人民传颂的英雄：中等个头，四方脸庞，板寸头发，结实身材，一身戎装，袖子上还有醒目的红十字标记。“灾区现在很多地方只有军队和医疗队才能进得去。我是江苏红十字会副会长，同时是受抗震救灾前线指挥部统一指挥和领导的民间抢救突击队，所以这身打扮……”陈光标向我表示抱歉，“今天不能接受你采访了，因为明天我还要到绵阳九洲体育馆为灾民赠送 10000 台收音机。货刚从南京发来，我必须现在到火车站去取。如果方便我们明天到捐赠现场见面如何？”“好的。”我忙说。此刻的陈光标太忙了，已经在抗震救灾最前线连续干了十多个昼夜。我看到他的助手一次又一次地催他吃药，助手悄悄告诉我：陈总已经接连三天高烧不退，身上都起湿疹了……

第二天下午五点左右，在绵阳九洲体育馆广场上，我看到了陈光标正在为长长的灾民队伍发放他捐献的熊猫牌收音机。看到灾民们高兴地打开收音机开关，听着优美的音乐时那份开心的笑容，陈光标的脸上也露出了憨厚的微笑。“他这次到灾区已经捐了现金 700 多万，实物也有 300 多万了。要算上他带的 120 人的抢救队伍和 60 台大机械在这里干的活，真可算得上慈善第一人了！”绵阳抗震救灾指挥部的一位工作人员感慨道。

“总指挥部来电，命令我今晚做好准备，明天一早带 3 台挖掘机参加唐家山堰塞湖抢险战斗。不能陪你采访了。”陈光标一边接着手机，一边匆匆地走到我跟前，抱歉地前来与我告别。

“没关系。你的任务重要！去吧，注意安全，让医生赶紧检查一下身体——”我心疼地看着比我小一轮年纪的“猴弟”远去，高声对他说。

第三次见陈光标，是在电视镜头里：5 月 30、31 日，唐家山堰塞湖现场，以武警水电部队为主的抢险施工队伍里，我又看到了这位江苏老乡的身影，他身着迷彩服，像一位冲锋陷阵的指挥员，一手叉在腰际，一手指挥着他的重型挖掘机，忙前跑后……

6 月 1 日上午，他从唐家坝现场打电话来，告诉已在北京的我：他的队伍这一天随大部队从大坝上撤离，将奔赴新的地方参加清理灾区城镇的战斗。

从“5 · 12”大地震后的两小时，即带队伍出发支援灾区至今的 20 多天时间里，陈光标和他的抗震救灾志愿队，南征北战，卓建功勋，而他却总共只睡了不足 30 小时，五次回绝了医生让他火速回南京检查身体的建议……

陈光标，你如此无私无畏、倾力奉献，到底为什么？

陈光标淡淡一笑，说：人是要有良心和爱心的。我是在党的十一届三中全会精神鼓舞下成长起来的青年企业家，当年国家供我上的大学，后来开公司也是靠党的政策，所以我始终认为我的财富不只属于我个人。当人民和国家有难时，我力所能及为灾区人民做贡献感到很幸福。

第一时间，千里出征

5月12日下午2时28分，四川省汶川大地震发生的那一刻，陈光标正在公司主持董事会议。南京也有明显的震感。

“光标啊，我们这边发生大地震了！”这时，成都一位朋友给正在南京的陈光标打来电话。

“严重不严重？”陈光标的心一紧，问。

“成都的楼房都摇晃得不得了！据说都江堰一带已经死了很多人，震中在汶川、绵阳一带……”

“坏了！那边都是山区，而且城镇都建在断裂带上！”陈光标不由自主地从椅子上“噌”地站了起来，嘴里自言自语地说着：“这回损失可能很惨重啊！”

陈光标是江苏黄浦再生资源利用有限公司的董事长。他在再生资源回收方面干得颇有成绩，公司的效益也很好。这位从小苦出身的农家孩子，懂得感恩，心地善良。他在过去的10年中，先后向贫困山区捐助各种善款达6亿多元，曾经一年就捐了1.82亿元，被评为“中国十大慈善家”之一。由于陈光标对西部地区的特殊贡献，有36个市（县）授予他“荣誉市民”的称号，17个市（县）政府聘他为“高级经济顾问”。他的部分捐款就在汶川、绵阳一带的山区，因此当听说这里发生大地震后，陈光标立刻意识到灾情可能带来的毁灭性后果，并且脑子里马上闪出一个念头……

“陈总，只要你一句话：让我们干什么吧？”董事们见陈光标心急如焚地皱着眉头，纷纷表态道。

陈光标信任地向大家点点头：“四川那边的大地震都在山区，必定造成房屋的严重倒塌，抢险救人离不开挖掘机、推土机这类大型机械。我们公司有专业房屋拆迁队伍，我想马上组织一支机械队伍火速赶过去！”

“行，听你的！”董事们齐声回答。从这一刻起，他们和陈光标的心便与灾区人民紧紧地连在一起。

“好，现在开会专门研究如何抽调机械到灾区。另外，我们是志愿者队伍，不能给灾区及当地政府添任何麻烦，所有后勤保障全得由我们自己解决……”董事长的陈光标，此时成为一支抗震救灾突击队的总指挥。会议随即决定：把原本准备调往北京执行商务拆迁任务的28台挖掘机立即转调到灾区，同时又从安徽建筑工地上调出32台推土机、挖掘机等，组成拥有60辆机械设备的抢险救灾志愿队。为了保证战斗力，有经验的陈光标特意给每台设备配上两名熟练操作手和必要的生活用品。

“出发！”地震发生不到4个小时，陈光标率领的第一支民间救援机械队伍就从南京出发了，并在安徽合肥与另一路出发的32台机械队伍汇合，组成浩荡的铁甲雄兵，火速奔赴灾区。

“同志们，汶川的这次大地震，使我们四川的父老乡亲们损失惨重，胡总书记已经做了重要批示，温家宝总理现在已经到了灾区。所以我们要全力以赴，在确保安全的前提下，开足马力赶到灾区救人！现在，我领大家一起唱首歌——就唱《团结就是力量》吧！”通过公司的无线电话，陈光标开始领唱这支节奏强劲的歌曲，作为志愿突击队的出征战歌。

陈光标是江苏省红十字会副会长，为让车队在千里征途上畅通无阻，便及时向省红十字会做了报告，在他的车队上专门做了一个“红十字会抢救车队”牌子。这招真管用。车队从南京出发，途经武汉、重庆，千里跋涉，一路绿灯。

“你们是到四川抗震救灾的车队？！走走，放行——”所有关卡和收费站，几乎以同一种赞赏的目光为陈光标的车队放行。

具有丰富经验的陈光标为了让车队能一抵达目的地就能迅速

有效地投入抢险救灾，他从半道上改乘飞机，于13日中午先到达成都。然后马不停蹄地从朋友那里借了一辆小车，他先到了两所医院，在那里他看到了数不清的伤员……“了不得！了不得啊！”陈光标的心一阵一阵地痛，他知道灾情比自己想象的要严重得多。

“请马上给我提20万现金！”在一个储蓄所，陈光标让银行职员从他卡上刷了一笔钱。然而背起装钱的包，直奔都江堰……

雨，哗哗地下个不停。此时从成都到都江堰的一路上，尽是无家可归的灾民，老的、小的、男的、女的，几乎都是双手空空、满脸恐惧地艰难地往成都方向逃奔。有的衣服上留着血迹，有的在路边向人行乞要水喝。“家全塌了，啥也没有了。求求你给点吃的，等有钱了我再还你们……”陈光标看到一位花季少女伸着双手在向行人乞讨，鼻子直酸。

“小妹妹，拿着！”陈光标上前将两张百元的钱票给了那女孩。当他转过身去，发现已有一大帮人围着他，那一双双恐惧未定、可怜又无奈的眼睛看着他，让陈光标心头直难受——他知道他们都是刚刚从死里逃生的灾民。

“大家都有份，别着急。”陈光标庆幸自己从银行里提取现金的想法是对的。于是他开始向一路走来的那些需要帮助的灾民发钱……一直发了长长几里路。

“好人！”“大好人！”这是四川灾民第一天认识陈光标，尽管他们不知道他的名字，但却记住了他的长相——平头、胖乎乎的，一脸憨厚。

到了都江堰，到了聚源中学坍塌的现场，看到一排排从瓦砾里扒出来的学生尸体和家长们哭天喊地的悲惨场面，陈光标跟着大哭起来，两眼肿肿的，仿佛像是自己失去了亲人一般。

“你们给我想尽一切办法，火速往这边赶！越快越好！”陈光标离开都江堰，又向灾情严重的绵阳、什邡方向前进，他要探明灾情，以便让自己的机械队伍更有效地展开抢救。一路上，陈光标用手机不停地催促自己那支正在赶路的救援车队快速前进，自己则在巡视和观察沿途的灾情：太严重了，到处是倒塌的楼房，消失的乡镇，特别是整栋大楼坍塌的学校……

14 日凌晨 4 点左右，陈光标到达什邡和附近的几个镇，这里的灾情比都江堰要严重。7 点左右，他驾车向北川飞奔。然而到了安县的安昌镇后，再也无法前行。巨大的山石，早已将公路阻塞，不时还能听和看到从山坡上滚下飞石砸在路上……

“进不得，进不得了，千万别往里走了！”从北川方向走出来的逃生者惊恐地告诉陈光标：“里面的路塌了，城埋了，进不去！”

“死伤的人多不多啊？”

“你就别问了呀！哇——”

一个中年妇女当胸打了陈光标一拳，然而突然疯似的奔跑起来，她的腿上不停地甩着鲜血……陈光标的眼泪又一次浸湿了衣襟。

“张宏德，你们现在到什么位置了？什么，已经出重庆了！好，注意安全，全速前进！”陈光标一边抹着脸上的泪水，一边继续在遥控指挥着车队，“这边的情况非常严峻。注意听我的指挥：你们到达成都后，往都江堰开 15 台挖掘机，在什邡留 10 台，绵阳留 5 台，其余的全部到北川……听明白了没有？这几个地方都十分紧急！汶川那边我们一下进不去。所以先到情况最严重的北川，那里的县城被崩裂的山体全埋了，路又被堵死。总理都急坏了！我们必须发挥机械队伍的优势，帮助部队和其他抢救队伍快速清除山路上的阻塞。你们到了马上通知我！”

14 日傍晚 6 点，陈光标的挖掘机车队到达聚源中学。同时到达的解放军某部指战员，以及正靠双手及木棍、铁锹等轻便工具在现场抢救的群众见了陈光标的挖掘机，无比激动。“太好了！有挖掘机和吊车，就能把压在孩子身上的楼板搬开了！”

45分钟后，当陈光标的6号机械手，轻轻移动起一块断残的楼板，几位解放军官兵迅速俯身将一位浑身是血的女学生从废墟里托起时，全场一片欢呼：“还活着！活着——”

陈光标一听，热泪夺眶而出。但他丝毫没有时间去庆贺这一胜利。这个学校的废墟里还有无数孩子，其他地方倒塌的学校和民居楼里，还有更多、更多的生命急需有人去救！

“宏德，你们继续在此抢救。我上北川！”陈光标用拳头向都江堰“战区”的爱将挥了挥，然而驱车直奔仍与外界阻隔的北川……这一夜，陈光标没合眼。他指挥的30辆大型机械化车队，一路为几千名向北川进发的解放军官兵和部队车队扫石开路。

那是争分夺秒的战斗。那是生与死的搏杀。在余震不断、飞石随时可能从天而降的山道上，陈光标一手拿着喇叭，一手不停地指挥自己的机械队伍搬石开路。他随行率领的“炮头机”此刻发挥了超常作用，将一块块拦在部队和抢救人员面前的巨石凿碎，再由后面的挖掘机推走，使得道路畅通。每掀掉一块巨石、凿开一段道路，抢救的队伍都会传来一阵欢呼，马上又急行军一程。而这个时候，成百成千的救援部队、公安干警和医生及志愿者往里走，成百上千的灾民们则从山里往外走，狭窄的山路通行十分缓慢。缓慢的结果，一是耽误救援，二是在山体旁的部队和行人又面临随时可能的余震与山体滑坡的袭击。时间就是生命。这个时候，陈光标便义务当起了“交通总管”。他不顾个人安危，不停地穿梭在各种车辆和滚石之间指挥着来往的人流与车流，一站就是三四个小时。

“首长好！首长辛苦了！”官兵们这样向他招呼。

“救命恩人！谢谢你了！我们一辈子忘不了你！”逃生的灾民们这样感激他。

抢救现场　以命救命

通向北川的路终于在陈光标的“铁军”和其他抢险友军的一路拼杀下打通了！

15日早上，陈光标志愿救援的机械队伍抵达北川中学，这对现场主要靠双手抱和用简易的棍棒工具参与抢救的百姓和解放军官兵来说，是个巨大鼓舞。那些被埋学生的家长纷纷跪倒在陈光标的跟前，恳求他快快用吊车和挖掘机搬掉压在他们孩子身上的楼板……

“兄弟们，你们一定要迅速、科学、稳当地进行抢救，争取每一分、每一秒时间！现在，全部进入现场。”陈光标一声命令，十几台挖掘机、吊车，轰轰地驶向已成废墟的中学倒塌现场。

现场的灾情让陈光标触目惊心：浅层的遇难者已经被先期到达的学生家长和救援群众抱了出来，尸体放在一边的操场上，叫人心寒。而楼板下压着的学生在他每次指挥吊车或挖掘车移走楼板及断墙残壁时，又让陈光标看后更加揪心：成堆成群的孩子们多数已经死亡，他们被断墙残壁压得或肢断脑开，或七窍出血——那血早已凝固成黑黑的黏结物，半掩半露地沾在孩子们的脸上、身上……其情景惨不忍睹。在这样的情景下，一些现场抢救的胆小一点的人都不敢去搬运尸体。陈光标便毫不犹豫地躬下身子，伸出双手，或将遇难的学生双手抱起，或将尸体搁在肩上扛出废墟……其中一个女学生的尸体一搁到陈光标的肩膀上，从死者口中突然喷出一股污渍的血水，一下喷在陈光标的脖子上，顺势流进了他的内衣。

“陈总，快去换洗一下，会有危险的！”现场的官兵和自己公司的同事忙将放置好尸体的陈光标拉住。

陈光标用力将胳膊一甩，说：“现在是什么时候？是争分夺秒的时候！那么多孩子已经在里面压了几十个小时了！救命要紧！”陈光标有些生气道。

“救命也得注意自己的安全嘛！”

“别废话。没看到那么多孩子埋在里面吗？我们要以命救命！明白吗？”平时待人总笑呵呵的陈光标突然大声吼道，随即又冲到了废墟上。

“有人吗？这里有人吗？”陈光标手持喇叭，不停地行走在废墟之间，只见他时而伏在断残的楼板上倾听着废墟底下的细微声音，时而又使劲地在断墙残壁间有力喊着。

“叔叔，救我——”突然，一个数层的楼板底下传来一声微弱的呼救声。

“快快，这里有人！吊车！吊车先过来！”陈光标立马命令自己的吊车操作手，小心翼翼地将一块又一块断墙残壁慢慢搬走，然后与几位解放军官兵轻轻撬开压在孩子身上的阻碍物……“小心！好，好——出来啦！”又一个学生终于得救了！

抢救现场一片欢呼。

“恩人！那边好像还有声音，你快去看看——”家长们立即把更多的希望寄托在陈光标和他的机械队伍上，纷纷向他提供线索。

“好的，我们会全力以赴！请大家相信我！”陈光标的心，深深地被遇难学生的家长们那一双双痛苦而焦虑的目光所灼痛，他泪水横流地安慰他们一声后，又猫着身子爬上废墟……

在北川中学的抢救现场，陈光标整整战斗了15个小时，亲手救出活着的学生11名，背出遇难者尸体达40多具。

“陈总，县城内的情况还要惨烈得多！您是拆迁专家，救援楼板下的被埋群众有经验，想请你带部分机械队伍立即开进北川县城去。”16日，解放军某部首长前来向陈光标求援。

“没说的。就出发！”陈光标马上在现场吩咐自己的机械队伍留一部分在北川中学现场继续帮助搜救和清理工作，自己则率 13 辆挖掘机和吊车直奔北川县城。

北川中学与县城约相距两公里。这段路程几乎全被崩裂的山体掩埋，巨大的滚石封死了进城的道路。为了保证后续的救援队伍和大型机械设备能进得去，陈光标指挥他的“铁军”整整清理了一天一夜，终于将通往北川县城的“生命线”，彻底地打通了。

站在县城脚下，陈光标的眼泪哗哗而流：这里已夷为平地，到处是山体掩埋的废墟，而且现场的死尸味与各种消毒水味混杂在一起，整个城内的空气和环境十分恶劣……他已经没有时间去顾这些了，因为他看了看现场，所有的救援队伍里还没有一支专业抢救机械队伍，于是立即下定决心：必须发挥机械优势，争取尽可能多地抢救生还者。

“有人吗？”

“这里还有人吗——？”

陈光标冲到一个又一个废墟旁，用他那只救命的喇叭一遍又一遍地呼喊着、寻觅着可能还活着的生命。

此刻离大震的 5 月 12 日已经数天了，一般性的搜索很难发现生还者。陈光标凭着经验，专门在那些倒塌的断墙残壁的裂缝间寻找。果不其然，又一个微弱的“救命”声音传到他的耳朵里……

“这里有活人！吊车快过来！”每逢这样的时刻，陈光标就会兴奋异常。

在一堆废墟里，陈光标听到深埋在楼板下的是位女同志。他便立即调来吊车，同时指挥几位解放军战士，与他一起轻手轻脚地撬开阻碍物——那需要格外地小心，不说随时发生的余震，单凭在这种险恶的条件下救人，就得有专业本领。经过两个小时的紧张抢救，被埋近 100 小时的 37 岁的北川茶厂女工尚翠兰成功得救了！这位幸运的女职工，她在大震时躲到了床底下，陈光标救她出来时，竟然身上没有一点伤。被救的那一刻，将其抱出废墟的陈光标给她连喂了三口矿泉水。不想尚翠兰猛地抢过矿泉水瓶，要自己喝个痛快。陈光标连忙一把夺过水瓶，说你现在不能这样喝，要不胃就可能坏了。尚翠兰明白地点点头，朝陈光标感激地笑了笑。

“看到这生命的灿烂一笑，我感到无比幸福。”陈光标事后对我这样说。

18日，前线指挥部又有人来向陈光标求助，希望他带队伍到震中的汶川县映秀镇参加更艰巨的抢救。

“没问题！”陈光标对部队首长说。这时他的机械专业抢救队伍，已经在灾区一线名声显赫。

“恩人啊，求求你帮助我们给孩子刨个坑……”正当陈光标聚集挖掘机、吊车队伍准备离开北川、开赴汶川时，不知哪儿来的一群学生家长围了上来，他们恳切地向陈光标提出这样的请求。

陈光标得知这些群众都是曲山镇幼儿园遇难学生的家长，他们大多是从打工的成都赶回老家北川的。现在活泼可爱的心肝宝贝没了，家长们唯一的安慰是想让孩子们最后有个安身地。陈光标听后很悲恸，他低着头，发誓地向孩子的家长们保证道：“放心，我一定做得最好！”

告别北川前的最后两个多小时里，陈光标带领他的志愿机械救援队，为遇难的孩子们挖了34个坑……

陈光标和他的队伍在北川共战斗了三天三夜，救出生还者20多名，挖出遇难者尸体200多具，为后续抢救队伍扫清了交通障碍，立下大功。而陈光标则说：“在北川的日子里，我的心最痛，我和我的队伍没能救出更多的孩子和父老乡亲……”

打造生命线　映秀建奇功

也许这里的滑坡、泥石流太多，也许是挖掘现场缺少专业技术。从都江堰到通往地震中心——汶川映秀镇的公路，在18日前，一直处在无法让大部队通过的时瘫痪、时半瘫痪状态，这让抗震救灾总指挥部十分着急。当时在映秀镇仍停留着近万名被困灾民和伤员，周边的许多乡村还处在与外界的隔绝之中。于是总指挥部得知陈光标的这支专业志愿机械队伍在前期的抗震救灾中，屡建战功，便请他从北川抢救现场抽调部分机械设备，支援映秀镇。

“我们是从都江堰市的虹口镇向汶川的映秀镇进发的。这一段山路，山体滑坡极其严重，一路上我们看到很多车辆被压在大石头底下，还有不少驾驶员的尸体仍在车上没搬走。而在我们之前，一些开路先锋的挖掘施工队伍也有非常严重的伤亡。当时的情况十分危险，可总指挥部下达了死命令，必须保证在最短时间内彻底打通这条生命通道。当时映秀镇除了成千上万的灾民困在里面，还有五六千名参加救援的解放军官兵和各路干部群众，他们每天都得有后勤供应才能活下去和坚持战斗。同时防止疫情也到了关键时刻。在这种情况下，我便指挥自己的人马立即投入开凿挖路的战斗，虽然我们是志愿队，但在施工现场，我们一点也不比其他施工队和部队的官兵干劲小。凭着经验，我们担任的那些路段挖掘得又快又好。通过连续48小时左右的苦战，我们的队伍先期到达映秀镇。当部队首长带着队伍通过我们在岷江江边铺设的一条新路时，高兴地拍着我的肩膀夸我们非常了不起，非常专业！”陈光标讲起这段经历，很是自豪，他说作为一个民间救援队，能够与大部队并肩作战，参与救援几千人，甚至几万人的大战役，并在其中发挥特殊作用，这是值得骄傲的事。

陈光标到达映秀镇后，一方面协助前线指挥部迅速投入清理废墟和掩埋尸体的工作，同时承担为在场的救援及医疗队平整战地医院地址、开辟后勤保证供应基地的停车场和运送伤员的直升机坪等艰巨工作。“只要哪里用得着，他就带着机械队伍往哪里冲，真是一支名副其实的抗震救灾突击队。”成都军区的一名高级指挥官当着我的面直夸陈光标。

19 日这一天，刚刚在现场参加完全国性默哀仪式的陈光标，突然见山坡上走来一位 60 多岁的老婆婆，他上前还没有来得及询问，那老婆婆就“扑通”一声跪倒在他的面前，双手紧紧抱住他的腿，哭着告诉陈光标，她是从山上跑下来的，山里面有一所学校的 100 个孩子，被困了好几天，已经饿死 3 个了。“我跑了 7 个多小时，求求你快去叫解放军上山救孩子！”老婆婆认定陈光标是个好人，非要他出面去找部队领导。陈光标二话没说，立即报告了正在这里视察的军委领导。当时一名上校军官主动请缨，带着七八个官兵，背上干粮和矿泉水，火速向山里进发。

“那一天晚上我要回成都接受新的任务，临离开映秀时，对我的员工讲，把所有吃的、用的聚在一起，等孩子们下山后都给他们，不能让饿了好几天的孩子再挨饿。”陈光标说。而他的员工告诉我，陈光标其实当时还把准备给他的队伍留作买油和生活费的十几万元现金也交给了当地灾民，希望他们能够照顾好从山上下来的孩子和其他灾民。

回到成都的陈光标一直在惦记这些孩子，当他知道山上下来的孩子平安无事后，才放下心。当晚，他与留守在成都公司的两位工作人员一起到火车站接收从南京运来的 10000 台收音机。第二天一早，他亲自押运这批灾民们十分需要的物品，到了绵阳九洲体育馆，向渴望已久的灾民们发放一台台崭新的熊猫牌收音机。这一天，温家宝总理正好来到九洲体育馆，看着长长的领取收音机的灾民队伍，总理感动了，走过来握着陈光标的手，说：我听说过你，知道你。你是个有良知、有感情、心系灾区的企业家，我向你表示致敬。企业家都要像你一样，既有经营观念，还要有爱心、有灵魂。

那一刻，陈光标格外激动，他向总理汇报：我是靠党的政策致富起来的，没有党的改革开放，就没有我。现在灾区的人民受了难，我尽一份力是应该的。

温总理满意地笑了。

第二天，我正在距唐家山堰塞湖不远的擂鼓镇采访，这一天是个难得的好天气。突然从我们的头顶响起“隆隆”的声音，抬头一看，是红色的大型直升机正吊着挖掘机向唐家山堰塞湖方向飞去。那几日，前线特别紧张，人们都知道如果不及时将大型挖掘机械运至唐家山，一场比地震更可怕的堰塞湖水泄泻灾难随时可能发生……正在此时，我的手机响了。

“何作家，我现在已经到唐家山堰塞湖坝上啦。我和公司的三台挖掘机将参加这里的战斗……你听得见吗？”是陈光标来电！

哈哈，他太神奇了！“祝你成功！祝你再建奇迹！”在隆隆轰鸣的飞机下，我对着手机、对着大山、对着飞鹰、对着整个灾区大声喊着，并行了一个庄严的军礼。

心声

那一个早晨，我站在东海岸头，只见一轮旭日跃出地平线，海上顿时霞光万丈，飞鸥的尖脆歌喉推着排山倒海的涛声，一波又一波地拍着岩岸、惊着天地，似在奏击一曲曲前人从未听过的战斗进行曲，令人无法不心潮澎湃！

回首神州江山，但见“三万里河东入海，五千仞岳上摩天”。今天的中国，我们犹如站在深水前岸，是观望还是叹息？是前进还是等待？一切都在你我的行动与态度之间。

海涛似歌，歌声激扬。

140 多年前，当法国大革命进入关键时刻，革命导师马克思和恩格斯写下了著名的《共产党宣言》。两位时代巨人这样说——

> 人们的观念、观点和概念，一句话，人们的意识，随着人们的生活条件、人们的社会关系、人们的社会存在的改变而改变，这难道需要经过深思才能了解吗？
>
> 当人们谈到使整个社会革命化的思想时，他们只是表明一个事实：在旧社会内部已经形成了新社会的因素，旧思想的瓦解是同旧生活条件的瓦解步调一致的。
>
> 无产者在这个革命中失去的只是锁链，他们获得的将是整个世界！

20 世纪 50 年代末的 1959 年，当新中国的社会主义建设进入十年期时，各种复杂矛盾频繁而出，作为掌舵人的毛泽东同志站在庐山俯瞰神州大地，心潮起伏，写下了“冷眼向洋看世界，热风吹雨洒江天”的豪迈诗句，并且动员党内同志重新学习《论十大关系》，进而强调正确处理这些关系的目的，就是为了把党内外、国内外一切积极因素都调动起来，把我国建设成一个强大的社会主义国家。

1992年春天，当中国的社会主义现代化进程再次进入复杂而多变的时刻，邓小平同志来到了南海边的深圳、珠海等地，铿锵有力地指出：

> 革命是解放生产力，改革也是解放生产力。
>
> 不坚持社会主义，不改革开放，不发展经济，不改善人民生活，只能是死路一条。
>
> 能发展就不要阻挡，有条件的地方要尽可能搞快点。
>
> 没有一点闯的精神，没有一点“冒”的精神，没有一股气呀、劲呀，就走不出一条好路，走不出一条新路，就干不出新的事业。

依然是在大海边。2000年初春，江泽民同志来到广东高州，首次提出：我们党所以赢得人民拥护，是因为我们党在革命、建设、改革的各个历史时期，总是代表着中国先进生产力的发展要求，代表着中国先进文化的前进方向，代表着中国最广大人民的根本利益。“三个代表”重要思想从此成为全党的共识，中国现代化发展的航船又一次快速猛进。

2003年7月，当经历了一场突如其来的“非典”灾害的袭击之后，胡锦涛同志严肃而又高瞻远瞩地指出：“我们讲发展是执政兴国的第一要务，这里的发展绝不只是经济增长，而是要坚持以经济建设为中心，在经济发展的基础上实现社会全面发展。我们要更好地坚持全面发展、协调发展、可持续发展，坚持在经济发展的基础上促进人的全面发展，坚持促进人与自然的和谐。”日后他又进而指出：“经验表明，一个国家坚持什么样的发展观，对于这个国家的发展会产生重大影响，不同的发展观往往会导致不同的发展结果。”

在科学发展观的指导下，中国新一轮的稳步发展使得国家处处新景象，国力迅速崛起，经济总量世界第二，人民生活与生活质量都得到全面提升，中国特色的社会主义航程更加前景无限。

依然是海——这海是全中国人民向往的祖国心脏“中南海”。在党的十八大上，习近平总书记给全中国人民展现了一幅无比绚丽的“中国梦”画卷。当他迈着矫健的步履登上“辽宁号”航母时，他号召全体官兵“牢记职责，不辱使命”。

那一刻，习习海风吹拂着这位中国新领导人的宽阔胸膛，他深深地凝视了大海片刻，目光凝重而坚定。“牢记职责，不辱使命”这八个字，与其说是他对官兵们说的，还不如说是他对自己和全党同志说的。

是的，东方中国，如今雄狮已醒。当我们一路高奏凯歌而来时，发现身后的许多事情已需“而今迈步从头越”！

这是一个十分有意思的时代：比如诺贝尔文学奖评委会把《蛙》评上了奖，可莫言说这并非是他最好的作品。然而当你真把《蛙》看明白了，你就知道为什么这部作品让中国作家和全国人民好一阵庆贺：我们从此有了一位国际级的文学大师。

《蛙》里有个莫言的“姑姑”，这“姑姑”其实是千千万万普通中国妇女的形象，她们是我们的母亲和姐妹，她们生活在一个特殊的时代——人口越来越多而必须严格地节制生育。“姑姑”六亲不认，为了制止一个孩子超生，她把自己锤炼成聪明绝顶、脑里满是机关的高人，她因此家里和心里都挂满了各种奖牌，整整充实了大半辈子。然而“姑姑”在晚年内心又充满了纠结。

读者都能明白，莫言有许多心里想说又没有或者不能说出的话，他笔下的“姑姑”便是作家的“代言人”。内心与现实的反差，正是当今社会许多事情让人感到几分无奈，甚至压抑的一些痛苦。

这是中国的现实：我们一方面享受和感受着从未有过的种种满足：物质的、文化的、教育的、出行的，以及宽松的言论环境等，比如南方和沿海农民们住上了别墅；赶马拉驴的黄土高原上的山民有了私家汽车；祖祖辈辈种地为生的湖南伢仔到了联合国工作……但同时，我们又时常感到极大的不满足：公路和高速路四通八达了，可为什么又有无数家庭因亲人丧命于车轮之下而抱憾终生？飞机飞得快，北京到广州很快，可晚点、晚点，乘客对民航不断给出的“空中管制”理由愤怒至极，为什么连彬彬有礼的教授都想把眼镜掷向空姐？我们向往首都、向往城市，哪知出现了越来越严重的雾霾……

吴仁宝，一个名气大得全中国都知道的农民。他多么不易：60余年奋斗拼搏，将一个贫穷村变成“天下第一村”，农民家家住上“洋房”并有几百万、几千万的存款。他吴仁宝的华西村是啥样我清楚，吴仁宝也清楚，如果不是改革开放、如果不是借着邓小平南方谈话精神的东风，他吴仁宝并不比同是村干部的我的父亲强多少，但吴仁宝成功了，他始终走在70多万村干部的前面，因为他对党的政策的掌握和理解十分正确与透彻，同时又能灵活并且充分地根据自己村里的实际，进行有华西特色的社会主义道路建设。80多岁时，吴仁宝站在一边是稻谷飘香的田野、一边是犹如美丽城市的村庄边，思忖着华西的未来，于是他突发奇想，告诉村民：华西要造一座“不能高过北京最高楼的”华西农民高楼。两年后，这座72层、高328米的大厦拔地而起。好家伙！庄稼地里建摩天大厦，有人惊喜，有人嘲笑，还有人骂吴仁宝“神经出了毛病”。

2012年夏天，我与吴仁宝一起站在华西摩天大厦内那只一吨重的金牛前，他老人家带着几分自信地对我说：建这座大楼的目的，我是想证明我们华西几十年来走过的道路没有错，并且希望华西村农民的子子孙孙都能像这座大楼一样，高高地耸立在中国农村的前面，做出榜样。但我又有些担忧：为什么我吴家三代人呕心沥血为国为民建功立业，社会上仍旧有不少人总在猜测和议论我吴家如何如何地掌控了华西多少资产、多少股权？85岁的吴仁宝在今年3月初的弥留之际，一直在期待着什么，整天张着嘴喃喃地说着谁也听不清的话……突然有一天秘书小孙告诉他：全国“两会”正在北京召开，习近平总书记再次阐述了“中国梦”的具体方向与目标。吴仁宝突然睁开了双眼，十分清晰地喊着：“赶紧把村干部都叫来，我要开会！马上开会……”两天后，这位农民伟人与世长辞。

吴仁宝享受了一个中国农民最隆重的追悼仪式：党和国家领导人为他送来花圈，十余万人为他送葬。然而，网上也有数百条骂他和骂华西的声音，有的说他的死是“农民帝国的谢幕”，有的说华西村是“当代封建世袭的典型”，云云。我还亲眼看到数路小报记者在吴仁宝葬礼的现场屡屡堵住吴仁宝的四儿子、接班人吴协恩。这一场景令许多人不平和愤怒。当时吴协恩泪流满面，但我知道他的泪并非全是为父亲的去世而流的，还有是为一些人对一个社会主义新农村和一个赤诚无私的农民共产党干部如此误解而流的。

一个多月前，我怀着看一眼“没有吴仁宝的华西村”会是什么样的心境，再度来到华西。之前，社会上有人曾预言：没有了吴仁宝，华西“天下第一村”的神话将宣告终结。然而我在华西的所闻所见，则得出了完全相反的结论：华西村依然蒸蒸日上，生机勃勃。吴仁宝的儿子、华西村现在的掌门人吴协恩明白无误地告诉我：华西村是老书记（他和华西村民都这样称呼吴仁宝）一手缔造起来的，是坚定走社会主义共同富裕道路的中国新农村，吴仁宝“上听中央、下为百姓”的华西精神已经深入人心，不会因为哪个人的存在与不存在而改变他们所选择的华西特色的社会主义道路，因此华西不仅不会垮，还会继续前进，让百姓的生活更加幸福美满。

有人对华西那座摩天大厦里因为客源少而住上了很多自己的村民有种种看法，吴协恩回答说：华西现在的经济发展不再是传统产业了，我们的其他产业迅速崛起和增加，比如这几年金融市场上的收益就有几个亿。

吴仁宝的后代和新华西人与前人很不一样了，他们的思路、他们的观念、他们的行为方式都与这个新时代同步前行。如今，吴仁宝儿子的一只眼睛在华西村，另一只眼睛则紧紧盯向全国、盯向世界。当下他最关心的一件事还是中国的改革问题，他说：“我对老书记所讲的‘解放思想要有思想，改革开放要有方向’这话在今天有了更深的认识。我认为，一切思想、一切方向，都要有一个原则和一条底线。如果打破了这个原则和底线，解放的思想可能会变质，改革原方向可能会走偏。”

“现在你最关心的是什么？”我问。

“我比较关心金融体系的改革。”吴仁宝的后代直言，“最近经国务院批准，中国人民银行决定，自 7 月 20 日起全面放开金融机构贷款利率管制，这是我们金融事业的机遇，也可以说给资本运作创造了有利的发展环境。但目前金融市场还没有完全对民营企业开放。比如我们的村镇银行只有 10% 的股份，大股东还是国有大企业。”在谈到经济转型升级问题时，吴协恩说：“华西村经过十年左右的转型，我们深切地体会到，产业转型不是一年、两年的事情，是需要长期投入、逐步转型、逐步完成、逐步提升的。希望中央出台的政策不是一刀切。比如有些产业以前是合法的，如果今后政策一调整变成不合法了，那我们企业的损失就比较大。像传统产业的发展，过去是靠投入再扩大，现在要靠巩固和提升。华西有一块是冶金等传统产业，对于装备的改造，年年在提高，中间的投入不是一笔小数目，如果政策突然变了，那损失确实很大，难以承受。因此希望中央在政策上对这类产业给予关心和扶持，最好的办法是让市场规律来决定和解决企业与产业的优胜劣汰。”

仲秋的江南大地，到处桂花飘香，雪白的棉花与金黄色的稻穗烘托着田野的另一种秀美。那些已被勤劳的人们踩实的田埂，似乎有些干裂，也似乎在期待又一场春雨……

这里是我的故乡。这里是改革开放后发展得非常快的地方，昆山、常熟、张家港、江阴……全国百强县（市）的前几名都在此。与我儿时相比，与我离开家乡时相比，早已是翻天覆地的变化：高速路、高铁线、工业开发区、农业示范区、生态旅游区，比比皆是，而更多的是星罗棋布、规模不一的大大小小的农庄与家庭企业，有世界级的，有国际品牌的，也有生产百姓日常生活用品的企业，村庄和城市已经无法分界。我当年离开家乡时的许多穷人如今成为亿万富翁，普通的百姓家也实现了小康。然而他们的实际工作和生活中也有不少烦心事。

刚刚获得全国道德模范称号的钱月宝，是梦兰集团的老板。在我的家乡，钱月宝的名声与“阿庆嫂”一样大，人们称她是“当代阿庆嫂”。钱月宝的名声如今已经远播全国，她是第九、十、十一届全国人大代表，中国家纺学会副会长。这位用40年时间完成了一个普通中国人求富与创富梦想的农村妇女，如今她的“梦兰”仅品牌市值就达100多亿元，现在她正在朝着年产“千亿元”的目标奋进。

我认识钱月宝的时候她也就40来岁，与共和国同龄的她，当时丈夫刚刚去世，她的“梦兰”还在创业初期，可她给我讲起自己的“梦兰”故事时，就让我感觉这位农村妇女与众不同——

我和丈夫是一个队上的人。17岁时我就没了父亲，与母亲一起挑起了一个七口之家。后来丈夫进了我家门，他当队里的会计，几年后我接了他的班，我们俩成了队上的积极分子。可村里很穷，我是个爱做梦的人，有一天我问丈夫：为啥我们不能像别人家一样富裕起来？他说人家把集体经济搞得红红火火，所以富了。这话对我触动很大，当时我们苏南地区乡镇企业遍地开花，我就把其他七位村上的妇女组织起来，办了个绣花小作坊，其实也就是帮人家做些加工的小活，一年忙碌下来挣不到3000块钱。后来我想为啥非要为人家干活不可？如果我们自己办个厂，好坏也是自己的嘛！跟村干部一说，竟然同意了。

就这样，连我在内八个“村姑”撑起一个小厂。记得有一次开着拖拉机去苏州送货，半夜才到城里，收货的公司天亮八点后才上班，我就在那条人民路上来回地走了一夜。“那一夜我真当了一夜‘人民’”。做着做着，我们的厂子慢慢大了起来，生意越来越好，我们靠一针一线让村上的人都开始过上了好日子。后来我们要给厂子起个名字，丈夫就说：你这人爱做梦，你做的又是床上用品，就用“梦兰”吧。

梦兰好听，我喜欢……

这是20多年前钱月宝给我讲的事。20多年后的今天，我再次见到钱月宝时，不曾想到这位当年的农家妇女、如今全国闻名的大企业家，竟然不见岁月的风霜在她脸上留下沧桑，气质越显华贵而端庄。钱月宝羞笑，说可能是爱做梦的缘故。

钱月宝能够被评上全国道德模范，是因为她在领导“梦兰”创造中国家纺业一个个奇迹、让自己的穷村变成远近闻名的富裕村庄后，依然不停地做着一个个更大的梦想：她与清华大学一起创建了“中国龙芯”计算机基地，为千万所中小学配备中国自己的学习电脑；她与云南等灾区和贫困地区一起建立了一所所“梦兰孤儿院”，至今她已被上千名孤儿亲昵地称为“梦兰妈妈”。

爱做梦的钱月宝还在不停地做梦，她想让所有用上“梦兰”床上用品的家庭都能够成为和谐美满的幸福“小两口”或“老两口”，她要把企业做得更大，于是她要招收更多的员工。但有一件事在近几年里越来越让钱月宝有些不踏实：她企业里的那些来自全国各地的打工妹、打工仔们似乎越来越不安稳了。“回自己的老家办厂做活我双手欢迎，可许多人还是留在我们这一带打工，但却不像以前那么安分了，工作挑三拣四，给他们一次次加薪，可还是拢不住这些人。民营企业的用工已经面临巨大压力……”钱月宝的副手心疼地告诉我：“我们的老板这些年操心最多的事就是如何把企业招收的人和骨干留住的问题。”

“国家应该及早出台一些制度规范，比如规定所有大大小小的企业都要对用工人员建立社会劳动保险和养老保险。”说这话的是另一位“服装大亨”马金元。

老马干服装生意 17 年，现在他的“金牛华尔车服装”已经在全国设有 1500 多家专卖店，并且网上销售也很火，是中国男装服饰的龙头企业之一。但老马这些年遇到的烦心事也频出：全企业 600 多个用工，30% 是本地工，70% 是外地工，“头痛的是这 70% 的外地工。他们有的在我厂里干了一二十年，基本都是骨干了，但这几年有人想走就走，没有走成的人都因为是孩子在这儿读书才留下来的。”老马说。我问为啥？他说他们总不断地嫌工资收入比其他的厂子少。

“是你抠？”

“我一点也不抠。不仅工资收入不会比一般企业低，而且还给他们上各种保险。最近我还拿出近千万元盖了72套两室一厅的公寓房供夫妻俩、姐妹俩和单身的打工者无偿居住。”老马指着办公室窗外可见的一栋新楼对我说。

“有这么好的事他们还不满足？”我感到有些不可思议。

老马摇头：“你不知道，一听说我加了工资，那些跟我一样搞服装的小厂老板们也赶紧跟着加工资，月工资、年收入都是差不多时，我这里的骨干就是留不住，依然跑到人家企业去了……”

我更加摸不着头脑：“又为啥？”

“因为我被挤压得气短、气喘！”老马显然生气了，从椅子上站起说道，“就是养老保险这一块。我的企业用工人员按国家政策全都要给他们上养老保险，但人家二三十个用工的小厂是不给打工者上养老保险的。这一块不是个小数，外来打工者一比自己的工资额，总觉得我这儿就是少人家厂子几十元、几百元，他们就跑了，你好说歹说，人家打工者说，我不看够不着边的‘以后’，我看重眼前的钞票到底多还是少。于是，我企业的骨干一个个这样跑了，你有苦朝谁去说？”

“是个问题。”

“早就是问题了！”老马又激动了。“国家应当立即出台一个政策：对大大小小的企业，不管你用一千人、一万人，还是一个人、两个人，在社会劳动保险、医疗保险等问题上，都必须一种法律、一种制度给固定下来，这样才能做到既保护了企业相互之间的正常合理和公平的竞争，又切实保护了劳动者的权利，我们做企业的才感到踏实和尽心尽职，事业越做越大。”

是啊，又是一件必须做的事，又是一个强烈而迫切的呼声！

“你们以为我们愿意跑东家走西家地跳槽？没有办法，有些老板心太黑，他想什么时候给你工资就给你，想不给你就不给你，想扣多少就多少，所有的名目在他那里都是合理的，而我们说出来的话都是‘无理取闹’。谁来保障我们的权利呢？《劳动法》在国有企业里管用，在那些知名大企业和要面子的私营企业主那儿管用，小老板、黑心老板才不管这些呢！”从马金元的厂子出来，正好见一位外来打工的河南商丘老潘，他的话匣子一打开，喷出来的尽是火焰。

老潘是带着老婆孩子来到上海市郊的“老打工”。为了一家能在一起生活，租下了当地农民闲置的一户农家小院，每月500元租金，夫妻俩在两家私营纺织厂干活，每月工资加起来6000来元，但老板并不按月发放，平时只发三分之一，到年底总结账。“开始几年还行，这两三年越来越不像话，一到年底，剩下的三分之二总也不能全数到手，七扣八扣，也就只能再拿到一半左右。老板不是说我们干活这错那错，就说是企业这几年受市场影响，效益低迷下滑。你要跟他闹，结果交情没了，饭碗也丢了，我一家人长期下去咋过？孩子要上学念书花钱，一家人在一起过日子总还有些其他开销吧？辛辛苦苦干一年，到头来依然两手空空，还不如回老家种地！”

老潘是许多返乡的打工者之一。打工者有打工者的苦处，老板有老板的难念经，经济发达区的广东、浙江、江苏等地“用工荒”的现实铁面无情地摆在面前……业主和劳务者都在共同呼唤一个能够保障双方权益的政策与制度的早日出台。

老潘要走了，三轮车将带着他一家三口离开这块已经让他怀有一份感情的江南大地。

“回老家你干什么呢？”我问他。

“看吧。”老潘似乎对以后的日子并没有具体的目标。

“还有地吗？”

“有。都是山坡荒地，累十年也挣不出孩子的读书钱……”

“河南那边现在也有办企业的吗？”

“有。但比不上江苏这一带。我有个战友让我回去，他在市区开了一个小店，让我给他搭搭手。”老潘总算说出了他的未来。

“你战友的生活咋样？”

“别提了。”老潘摆摆手，双眸突然红红的，泪珠在眼眶里打转。

“怎么啦？”我不由追问起来。

“有烟吗？”老潘干脆搁下三轮车，从我手里要过一支烟后，一声长叹，说：我的战友他原来的家境比我强，在市郊。前些年“城市化”扩容，划进了市区，后来要拆迁搞啥工业园区，说好的每户给多少多少补贴、成人还要安排啥工作，结果临拆房时还没有落实。我战友脾气暴，跟人家拆迁的人打了起来，他老婆上前劝，结果不小心被自己的男人撞翻倒在地上，后脑勺正好碰在一扇门的钉子上……没有抢救过来。

老潘继续说：老战友的家从此衰败了。几年后，拆迁补的那些钱用光了，他原来可以维系全家生计的口粮田早已没了，变成了水泥马路。“当年在部队里虎虎生威的神枪手，如今才50岁刚出头，却头发斑白、双目呆板。今年春节我回去见了他，心里太不是滋味了。所以他说为了解决孩子的学费，准备开个面食店，恳求我这个战友帮忙。还用说嘛，我自己在外面打工也没啥前途，便答应了他……”

“你是大作家，我想问问：现在到处都在搞城市化，多少像我战友这样的农民被城市化了，最后田没了、老家院子没了，工作一时又没有合适他们干的，你说说他们咋过日子？你说说。”

我默默无语……几年前我在山西采访一户农民，因为老宅基地问题，夫妻二人上访打官司整整跑了13年，假如不是遇到“百姓书记”梁雨润的话，这户农民家里必定在两个男人去世后又说不定再添一口棺材……我的《根本利益》一书里记载了这件事，主人公叫畅春英——其实她的生命一点儿不畅，一点儿不春，只有流不尽的泪水。

在北京，我认识另一个春英，她是浙江“北漂”来的小商品贩，夫妻俩在红庙一带已经有十几年了，他们的孩子出生在北京的医院，吃了十几年的北京饭，能说一口标准的普通话，浙江老家的话孩子不会说。可就是这样一个孩子，他一直不能进北京的正规学校，从小学到初中，孩子都在浙江老乡自己办的“民工希望学校”完成的。春英说起孩子读书的事，有一肚子苦水要跟我说：孩子上小学时，我们“浙江村”自己还没有“民工学校”，我想尽办法到处找啊，求人托人，可就是进不了北京的学校，好不容易找到一所学校，可人家提出至少五万元的赞助费。咬咬牙我们出了这个费，但后来这个学校被区里合并了，我的孩子就再也进不了新学校了。结果孩子只能辍学，三年后“浙江村”自个儿办起了民工希望学校，我孩子才重新进校门。去年孩子初中毕业了，找高中学校在北京更是没有啥希望，可孩子又不愿回老家上学，他说他从小在北京，早就是北京人了，回浙江干吗？上不了高中的孩子又一次辍学，这回孩子再不愿进校门，那我们就叫他跟着大人做生意吧，他说他没兴趣，整天跟着一帮跟他一样的农民工后代瞎逛游。“我们这一代也就罢了，我们的孩子从出生到现在，里里外外都是北京味了，他们的根和叶都长在北京，不可能飘到哪儿去，如果北京啥事都排斥他们，我真担心这些孩子早晚给惹出麻烦来……”春英说她现在整天为儿子提心吊胆。

像春英这样的农民工孩子在北京约有三四十万，前四年时，他们中间仅有30%左右的人能够就读正规学校，这几年政府加大了力度，多数可以享受公立学校的义务教育，但仍然有三分之一的农民工孩子在条件十分简陋、教育资源非常差的民工学校里就读。三四十万中的“三分之一”就是十来万人，这十来万孩子背后就是几十万的父母，他们和孩子加起来又回到了三四十万，一个城市如果有这么多人对政府和现实不满意的话，这个城市再漂亮都无法保障它的安宁与和谐。全国几千个城市，又有多少像春英家这样的孩子和像春英这样的农民工的忧愁呢？而两亿多中国农民工走进城市后面临的又何止孩子上学一件事！流血流汗了一年却不能按时拿到工资、看病就医因为没有“本本”而花费高昂……

等待吧！看着身边的城市一年比一年美丽漂亮，看着身边的人群一年比一年富有与幸福，可就是见不到自己的命运发生一点点的改变，于是愤怒、不满的情绪在四处积溢，看什么、听什么都不再顺心，“总而言之，我一直深爱的这个城市，它就根本上没有爱过我，为什么现在我还要去爱它呢？”一个特大型的中心城市，如今至少都有百万以上这样的外籍户口但又是在本土生长的人，他们的生存和心态值得关注。

“我们不愿看到自己的孩子恨这个城市，就像不愿看到他们举起拳头对准用乳汁喂养他们长大的母亲一样，所以我们在苦苦等待着相关的政策尽快出台。我们是农民工，但我们已经在这个城市生活和工作了几年、十几年，甚至更长时间，我们不应该还是这个城市的陌生人、附属品，我们的孩子更不该成为这个城市的弃儿，他们的生命和血液已经与这个城市融为一体，给他们应有的权利和义务吧！”我听到这样的声音，发自城市的每一条街道上、每一座房屋里，因为两亿多农民工和打工者住遍了城市的每一条街道、每一座房屋，他们的每一声低泣与呻吟都会颤动这个城市的神经……

焦三牛和蔡程程等七名清华大学学子，2011 年 7 月从清华园毕业后，他们没有留在北京或出国，“到国外去发展不是我们的志向，留在北京打破头去争一个到中央国家单位当公务员或在国有大企业工作的岗位，我们觉得有些对不起自己。西部太缺人才、太缺科技，也缺文化，为什么我们不能去呢？”焦三牛和蔡程程等意气风发、才华横溢的清华学子放弃优越的京城就业条件，毅然来到陌生而荒凉的西部甘肃基层，他们再次就读——这回他们就读的是贫穷的农村大学，他们的老师是农民和农田，还有的是寒冷与孤独，然而他们的志向和毅力使他们度过了一道道难关，并且得到了当地人民的接纳与认可。2012 年初，这几个仅有半年工作经历的清华学子，在严格的公考中脱颖而出，成为武威市相关部门和单位的副县（处）级领导干部。半年工作经历就成了“火箭式”干部，一时间，“三牛现象”轰动全国，赞成的、反对的，好不热闹。最后还是中央领导和中组部出面肯定了武威“不拘一格选人才”的做法，才平息了这场“三牛风波”。

23 岁的焦三牛直升副县级成为“名人”。而我知道，与焦三牛一起选拔为副县级的另一位清华人蔡程程也才 25 岁，且她是七位自愿到武威工作的清华学子中唯一的女生。蔡程程不仅是清华硕士毕业生，而且长得清秀漂亮，又有良好气质，父母都在辽宁锦州市工作。蔡程程在家里是独生女。与出生于山西的焦三牛相比，蔡程程这样的女孩子自愿到甘肃贫困地区工作，简直有些不可思议。

为什么呢？现在蔡程程就坐在我面前，对于我的疑问，文静的她微微一笑，道：我本科是在辽宁大学上的，在那里我拿了两个学位，都是国际商贸专业方面的，当时出国机会很多。后来进了清华大学，我所受的教育和熏陶使得我的人生观发生了变化。清华大学的教育是十分强调学生要有国家意识，要有对社会的责任感，我在清华是系学联秘书长、班级党支部书记，那时我就萌发了到西部干一番事业的想法。

“来时很简单，也很单纯。但来到这儿后，看到和感受到了所有一切后，我才真正知道了什么是西部、什么是艰苦、什么是这里最需要的东西。”蔡程程微笑着对我说，现在“三牛风波”已经静下来了，也许再过一年两年，再也没有人还记得他们这些曾经“红”过的清华毕业生了，她和焦三牛等也许除了在西部奉献他们的青春与知识外，或许什么都不会惹人注意和关心了，“我们的皮肤变得与当地百姓一样黝黑粗糙，甚至无声无息地慢慢变老死去……但我们丝毫不后悔，因为我们相信以我们所学到的知识和信仰，一定多少能让这里的荒野减少一些，让这里的百姓生活过得好一些。我是从个人的亲身感受中，特别期待中央能够出台更多具体的政策，动员和组织更多的大学生来西部。现在高校每年有几百万毕业生，但专业不对口、理想的岗位没找到的几乎占了毕业生中的三成，如果有一个很好的机制让这部分毕业生到西部来工作，哪怕是让他们干上三五年，这对西部建设、对大学生们的一生都可以产生巨大影响。西部什么都有，就是缺人才，如果西部有像内地城市一样拥有密集的人才，西部绝对不比内地城市差多少，因为这里自然环境好、资源又丰富，文化底蕴更是了不得，荒芜的高原只缺清泉溪流，而知识和人才能使荒漠变绿洲。有时我真想放下手头的工作，多回几次校园，去动员一个个我的校友们，希望他们跟我们一样扎根西部，轰轰烈烈干一番事业。可我觉得现在国家对到西部来的人才，政策上还不够配套，我们心头真着急啊！十年二十年对荒漠高原而言也许是一阵风雪的过场，可对一个人的人生来说则极其重要和关键，让青年人能够抓住时机明确人生方向、奉献青春力量是刻不容缓的大事。”

今年也才 26 岁的蔡程程，如果继续留在京城或者留在父母身边，她可能还是个连起床上班都要靠别人帮助的娇滴滴的女孩，然而西北的苍茫的荒芜与透骨的风雪已经将她炼就成一位意志和志向同等坚定的新一代年轻女干部。从她身上，让我看到了“国存吾存，国亡吾亡”“民族复兴，大业我当”的清华精神。清华精神是什么？就是爱国精神，就是学子们在爱国中实现自我理想和价值追求的精神真谛。这种精神真谛，如春风细雨般沐浴，似阳光月色般照耀，可唤醒和点燃久蛰心底的理想，让灵魂的高贵者更加高贵，令低吟踏步者扬鞭策马……

呵，漠地、绿洲、海疆、椰林……祖国大地处处在高歌猛进，处处又在顾前思后、瞻左察右，勇敢者在继续勇敢地朝前奋进与探索，实干者在继续流汗夯力，疑惑者也在继续等待观望，然而历史则像一列刹不住的火车，滚滚轰鸣，飞旋而驶。一切正确的与暂时不确定的结论都在前行的轨道上摩擦着、滚动着，时而擦出火星，时而撞出声响，时而阻挠着列车的速度，时而又润滑着驰骋的车轮。

人们将观望和期待的目光都聚焦在火车头上，看着它高高地昂首，看着它炯炯地闪神。

有人说，中国的发展到了爬坡期；有人说，中国的改革进入了深水期。爬坡须尽力，深水腾蛟龙。

何处是深水？碧波荡漾、巨浪翻滚的大海里才有最深的地方。海，对胆怯者一定是可怕的地方，而对喜欢搏击者是最可舒展英雄豪气的地方。

蛟龙搏浪，深水处方显英雄本色。

改革开放，才是中国命运的必由之路！

让我们期待吧，期待大海再一次掀起惊天巨浪，而我们的心、我们的情、我们的才华与理想，一切的一切方能在这深水的搏击中见到光明与前景……

来吧，我们一起跃进深水区的中国改革大潮之中！

雨花台的那片丁香……

是丝丝的春雨？还是涓涓的泪雨？当我踏进南京革命烈士陵园的那一刻，我的灵魂和思绪出现了某种幻觉……喲，原来是一片片飞舞的花瓣贴在了我的脸上！

白白的，嫩得滴着露珠，像水晶般映出人影。

“这不是白丁香吗？”我惊喜这冷垂玲珑、千结苦生的丁香花竟然不请自来。

“是。你看——这里有好多丁香树哩！”陵园工作人员小孙指着前面的那片盛开艳花的丁香园，告诉我了一个更加惊人的事：这片丁香树就是为了纪念一位叫“白丁香”的女革命烈士，她还是你们苏州老乡呢！

真的呀？我无法相信，然而在烈士纪念馆的展示厅里，确实找到了一位美丽如花的“丁香”老乡的照片。那照片上的丁香，齐肩短发，白皙的脸蛋上，扑闪着一双大大的眼睛……尽管是张已有年头的黑白照片，但依然能让我感受到一位20世纪30年代姑苏美女的无比魅力！

在丁香像的下面，有一段烈士的简介：

> 丁香（1910—1932），原名白丁香，江苏苏州人，曾就读于苏州东吴大学。1930年4月加入中国共产主义青年团，次年转为中共党员。1932年9月，被派往平、津一带秘密工作，不幸被捕，解来南京，12月牺牲于雨花台，年仅22岁。

“这是丁香烈士唯一留在世上的照片，是20世纪80年代在她爱人的老房子里无意间寻觅到的。”小孙还告诉我，丁香和她爱人都是我的苏州老乡。

“那么巧啊？”我又一次惊诧。

“是的，你不是苏州人吗？在你们苏州平江区不是有一条‘丁香路’吗？丁香就是从那个小巷来到人世的……”

啨，我不得不再一次发出轻轻的而却强烈震荡我心坎的咏吟：那是一条“千结苦粗生”的小巷子，在我幼小的时候，外婆就告诉我，她三岁时有一个小妹刚出生，正遇她的父亲家业破落，因此外婆的小妹不得不被遗弃在小巷弄堂口，从此再不知音讯……新中国成立后，小巷因为出了个牺牲在雨花台上的革命烈士叫丁香，所以政府将小巷改成了“丁香路”。我的外婆在 20 世纪 80 年代末去世，她说她的小妹或许就是那个不在了的“丁香”，外婆的理由是她的一个姐姐后来也跟着谭震林的新四军队伍跟日本人打了许多年游击。信天主教的外婆悄悄告诉我：家里人就是害怕她也出去“弄刀舞枪”，所以让她信了洋教。

外婆留下的故事发生在我童年的时候，她的那位丢失的小妹是否就是“丁香”，我无法考证。然而，故乡苏州的那条“丁香路”却是我以前常去的小巷，而我一直并不清楚在那个小巷里竟有一位牺牲在雨花台的美丽而多情的革命烈士。

烈士陵园的小孙是位革命历史专家，她介绍，革命烈士丁香确实是位弃婴，当年被苏州基督教监理会的牧师收养。“太美了，像丁香一样美哟！”收养女婴的是位美籍女牧师，她喜欢中国，更喜欢盛开白丁香的园林姑苏，于是她给自己起了一个“白美丽”的名字。洋牧师白美丽是位精通文史和音乐的知性女士，更有一颗善良的心。弃婴由她抚养后，她给孩子起了个温馨而浪漫的名字：白丁香。丁香从此在姑苏平江的一条小巷内绽放美丽的人生。

“淅淅沥沥的细雨下，小巷里飘出阵阵清淡的幽香，袭得肺润心醉。我的宝贝小丁香，你睡你醉你开心。妈咪给你弹一曲《浣溪沙》……”于是，小巷的教堂里传出古典伴洋味的抒情乐：“揉破黄金万点轻，剪成碧玉叶层层。风度精神如彦辅，太鲜明。梅蕊重重何俗甚，丁香千结苦粗生。熏透愁人千里梦，却无情。”

小巷是宁静的。宁静的小巷里总见一对天仙般的母女在丁香树下嬉戏和读书，那夜莺一般的笑声和清脆的朗朗声，伴着姑苏的小桥流水，仿佛是幅活脱脱的天庭圣母圣女图。小丁香天生丽质，又聪慧过人，白美丽看着养女一天天成长，喜上眉梢。她专门请来导师教小丁香学英语、读《圣经》和史书、弹练钢琴等课目。15 岁时，白美丽将小丁香送到东吴大学学习生物和代数。

自由而思想解放的大学校园，让美丽的小才女插上了理想和爱情的翅膀。当一场大革命的疾风骤雨袭来时，激情而又单纯的小丁香如痴如醉地倾听着萧楚女关于反革命军阀统治下的中国向何处走的演讲，热泪盈眶，从此坚信革命是拯救中国的唯一出路。后来丁香听说所敬仰的萧楚女被国民党反动派枪杀，于是不顾养母白美丽的劝阻，挺起瘦弱的身子，跑到革命学生聚结的地方，在镰刀和斧子组成的红旗下，庄严地将理想献给了共产主义——她加入了共青团，次年又转正为中国共产党党员。

从此那条狭长而幽深的小巷里，总有一个美丽的身影举着“打倒帝国主义”“打倒反动统治”的小旗子，在奔跑、在呐喊。有一天，教会的大门突然紧闭，丁香挥泪告别养育她的美籍母亲，踏上革命道路。

“我们是老乡呵！”一天，东吴大学的校园内小径上，丁香被一位高大英俊的男同学挡住了道。

老乡？谁是你老乡？丁香抬头的那一瞬，脸红了：他长得好标致喔！

“是，我祖籍苏州太仓的，后来我们家搬到了南京。我们认识一下……”他把手伸过来，又说：“我叫乐于泓，大家都叫我阿乐。”

“你就是阿乐呀?！”丁香眨巴着那双美丽的大眼睛，羞色满面，因为她常听人说，有个叫阿乐的共产党员，不仅参加罢工闹革命勇敢，而且能拉一手好二胡。

“我就是。”一双温暖的手握在一起。两颗火热的心撞出了爱情的火焰。

从此，在东吴校园，在姑苏虎丘塔下，一个宛如青瓷质地的姑苏美女，与一个君子如玉的伟岸俊男，缔结连理，常形影不离地依偎在丁香树下，谈革命、谈爱情，也谈世界上最美的音乐与古今中外的有关丁香花的诗篇。

“春夜阑，春恨切，花外子规啼月。人不见，梦难凭，红纱一点灯。偏怨别，是芳节，庭下丁香千结。宵雾散，晓霞晖，梁间双燕飞……”由于阿乐家境出现困难，被迫辍学，后到上海从事职业革命。这时的阿乐，每逢深夜，总将一曲曲古人的“丁香”辞赋，谱成悠长而动听的乐曲，然后通过他的二胡，借着寂静的夜光，传给远在金陵的恋人听。

“楼上黄昏欲望休，玉梯横绝月如钩。芭蕉不展丁香结，同向春风各自愁……亲爱的人，其实我更爱李商隐的这首诗。吟着此诗，丁香的心早已飞向了黄浦江边。”丁香回信说。

“丁香，在上海的地下党由于内部出了叛徒，组织惨遭破坏，党决定派你去……眼下形势非常严酷，你要做好各种准备。”在丁香毕业不久，党组织找她谈话。

“请组织放心，丁香不怕任何风霜侵袭！”那一天，她收拾箱子，连夜赶到了上海，紧紧地依偎在阿乐的怀里。在外滩码头上，他们牵手奔跑着、欢笑着，与江上的鸥鸟比赛朝霞下谁更美丽、谁更欢畅。

白色恐怖下的地下工作，异常艰辛和危险。早春的上海，阴冷又潮湿，阿乐去闸北区一工厂组织罢工，不想遭到反动派突然袭击，数名工人师傅在战斗中牺牲和被捕，阿乐侥幸逃脱。回到宿舍，悲愤异常的他拉了半夜二胡，直把心爱的胡弓都给拉断了。

丁香便默默将一根根弓丝接上……望着粉色衣裙的婀娜身姿，阿乐情不自禁地将恋人搂在怀里。

1934 年 4 月，组织批准了丁香和阿乐的结合，俩人在简陋的小屋里秘密成婚。

新婚是甜蜜的。新婚给从事地下工作的他俩也带来不少方便。从此他们借着阁楼小巢，为党组织传送情报，召集秘密会议。而丁香的钢琴、阿乐的二胡，则成了他们向同志们传递平安与情况的工具。每当丁香的《圣母颂》响起，同志们的心情是舒坦和安宁的；每当阿乐的《二月映泉》传出，同志们便警惕地远远散去。

5 个月后的一个深夜，丁香在幸福地告诉爱人自己已经有了三个月孕后，便坐在钢琴前，弹奏起了一曲贝多芬的《命运》……

“亲爱的，明天你就要到北平了，什么时候回来？我有点不放心。”阿乐抚摸着娇妻的柔软长发，摩挲着、忧心着。

妻子仰过美丽的脸庞，温情地摇摇头：“我也不知道。但丁香会早些回来，为了你，也为了他……”她轻轻地拍拍小肚子。

那一夜，阿乐长久地吻着丁香的唇，仿佛要把妻子的香味永远地留在身边。

丁香走了。走了后再也没有回来。

卑鄙的叛徒把刚到北平的丁香给出卖了。

“小姐这么年轻，这么美丽，连名字都是芳香的，而且还是大学生，为什么一定要给共产党卖命呢？”敌人以种种理由诱劝她。

丁香告诉她：“因为共产党是为劳苦大众服务的，他们要推翻你们这些反动统治者。”

“可你也是由教会养大的，听说还是吃白米饭长大的嘛！”

“但我的血液也是穷苦人的。”

“你知道，人的生命不可能有两次。当花朵飘落在地上后，就永远不可能再有芳香了。”

“革命者只求一次有意义的生命绽放，要杀要毙，别再啰嗦了！”丁香昂起高傲的头颅，说。

无果又无招的敌人只得将丁香押至南京，作为“共党要犯”关进铁牢。不日，又秘密杀害于雨花台。

这年丁香才22岁，有三个月的身孕。

“丁香！我的丁香——！”12月3日，这个日子对身在上海的阿乐来说，如晴天霹雳，悲痛欲绝。当地下工作的同志将噩耗告诉他后，阿乐的泪水变成了黄浦的滔滔江水，那一夜小阁楼上的二胡一夜未停，一曲悲情如泣的“祭丁香”，感震了苍天一场冬雨……

次日，阿乐冒着异常风险，只身来到南京雨花台，他披着蓑衣，伫立在大雨中，跪伏在血迹未干的丁香就义的泥地上，紧握双拳，向苍天发誓：“情眷眷，唯将不息斗争，兼人劳作，鞠躬尽瘁，偿汝遗愿！”

“……愁肠岂异丁香结？因离别，故国音书绝。想佳人花下，对明月春风，恨应同。”失去年轻美丽的妻子丁香后，阿乐并没有倒下，他把对敌人的仇恨化作战斗的豪情。之后，阿乐被派到青岛任共青团山东临时工委宣传部部长。1935年被捕，关进国民党监狱。两年后的1937年4月21日，被押至南京国民党晓庄的“首都反省院”。

在敌人的“反省院”里，阿乐与关押在那里的共产党人和革命志士们并肩与敌人展开特殊战斗。为了抗议国民党反动政府不抵抗日本侵略者的行径，阿乐和难友们在狱中借着“放风”的机会，进行了一场抗议当局的音乐会。阿乐借他高超的二胡艺术，给难友们鼓劲。他的二胡像战斗的冲锋号角，震撼了监狱。阿乐后来这样回忆当年的情景：“我面前仿佛站着在冰天雪地浴血抗战的战士们和脚上拖着沉重铁镣、关在黑牢里受苦难煎熬的同志们！

我低着头，噙住两眶子泪水，全神贯注地听着琴弦上吐出的苍凉悲壮的颤音。抑扬婉转的琴声浮动在晚晴的草坪上，每个音符都触动着难友们的心弦，大家在肃穆无声中被深深地感染了。我拉完最后一个音符便站了起来，提议大家一起唱《义勇军进行曲》。大家要求我教唱，我虽从来没有教过唱歌，可还是清清嗓子，挥着手，领着大家唱：'起来！不愿做奴隶的人们……'我一遍一遍地教大家唱，群情激奋，越唱越来劲，连'反省院'的'导师'们和院方人员都被这威武雄壮、气势磅礴的歌声所吸引，纷纷出来观赏……"

阿乐的这一表现，感动了当时许多狱中同志，其中有一位在新中国成立后任沈阳某师范大学校长的佟汝功同志，当天在狱中专门为阿乐的表现写下一首《胡琴曲》的长诗：

东海少年挺不群，指间微动生风云。江州司马嗟已逝，请君侧听胡琴吟。初闻涧底发幽鸣，泠泠一派秋泉清。满座屏息声不动，耳中只有胡琴声。忽觉风雷拔地起，鱼龙悲唱惊涛里。天马行空不可追，长飚一逝三千里。此是中华大国魂，江河泻出哀弦底……

在周恩来亲自干涉和关怀下，1937 年 9 月，阿乐和难友们终于被当局释放。重新回到革命队伍的阿乐，一直随彭雪峰领导的新四军第四师转战江南大地。然而在枪林弹雨下的阿乐，始终不减对牺牲的爱人丁香的思恋之情，且越是解放战争节节胜利时，阿乐的这份思妻之情越加强烈。他一有空，就独自坐在一个地方，用他的二胡拉起自编自吟的一首首"丁香曲"，那情那意，无不让人感叹和感动。数年过去，朝朝夕夕如此，一生驰骋疆场的血性将军彭雪峰也为阿乐的爱妻深情所感染，写下了平生少有的一首自由体诗：一个单薄的朋友，十年前失去了他的爱人……如今呵，何所寄托，寄托在琴声里头……

1951 年，当南京雨花台革命烈士陵园的奠基仪式在致敬的礼炮声中举行时，阿乐正在雪域高原的进藏部队的行军队伍中。那时，他已经是中国人民解放军第十八军宣传部长。为丁香守身 18 年的阿乐，让他的战友和首长们发愁：到底他还想不想成家了？

没人敢去碰阿乐的那颗伤痛的心。但意外的事却这样发生了：有一天，阿乐兴奋得跑跳着告诉自己的几位好同事："我要娶她为妻！娶她为妻！"

你？没有疯吧？战友们看着阿乐从未有过的疯狂劲，以为他神经出了毛病。

"我没事！真的没事。"阿乐笑着拉起同事的手，跑到军部通讯报道科，指着一位姑娘，说："你们看，她长得像不像我的丁香？"

同事们惊喜地发现：真的很像呵！

这个与丁香长相十分相近的女兵叫时钟曼。关于阿乐为烈士之妻 18 年守身的忠贞爱情故事，十八军上上下下无人不晓。当钟曼得知自己的"首长"阿乐部长要向自己求婚的消息后，那颗年轻的心一下颤动了……1954 年 5 月，阿乐与比自己小 23 岁的钟曼结成伴侣。

阿乐后来转业到地方，先后任西藏工委办公室主任、新华社西藏分社社长。后又因工作需要举家到了安徽、东北，且与钟曼有了宝贝女儿。当妻子问他给女儿起什么名字时，阿乐的目光久久地停留在桌子上那盆插浸在雨花石里的丁香花……末后，他说："就叫丁香吧！"

"乐——丁香。好，我闺女长大后一定也会像丁香那样美丽芬芳，更要学她为国家献身的无私精神。"妻子钟曼深情地依偎在丈夫那宽阔的肩膀上，感受着一个男人的崇高而至纯的爱慰。

"苏小西陵踏月回，香车白马引郎来。当年剩绾同心结，此日春风为剪开。"妻子善解人意，常为夫君朗诵他喜爱的"丁香"

诗篇，并且在每年12月3日丁香的殉难日，专门为丈夫备好一瓶好酒，取出二胡，让他独自尽情地抒发对已在天国的爱人丁香的思念。

年复一年，阿乐对丁香的思念之情愈加浓烈。当年因为地下工作的特殊性，他手上没有留下一张丁香的照片，于是阿乐根据自己的印象，自绘了一张丁香像，并且挂在家里的客厅墙上。“墙上的丁香阿姨，跟我妈妈年轻时的照片一模一样……”女儿乐丁香这么说。其实，在阿乐的眼里，丁香就是妻子，妻子就是丁香，烈士妻子丁香和现实中的妻子钟曼就这样相似相近，更令阿乐情深意长。

1982年，在丁香牺牲五十周年的日子，阿乐带着女儿乐丁香来到雨花台，在丁香就义旁的一条小路边，亲手种下一棵丁香树。之后，陵园的工作人员和参观的人听说阿乐和丁香的爱情故事后，感动之余，也跟着栽种起一棵棵丁香，后来便连成了我们今天所看到的一片丁香树……那丁香每逢春天季节，便会绽放出异彩的白色花朵，散发出阵阵清香。阿乐先生自在雨花台种下那棵丁香后，每年清明节都要带着妻儿前来雨花台给丁香祭奠。

“行程前，他都要理发，整装一新。”妻子和女儿这么说。

1989年，阿乐最后一次来到雨花台，这年他81岁。身体久病的阿乐自知来日不多，看着自己种下的丁香树枝繁叶茂，丝丝飘香，不由声泪俱下。片刻定神后，他端坐在丁香树下，接过女儿递来的二胡，只见高昂的头颅猛然一低，那执弦的手臂顷刻间左右开弓，二胡顿时传出如歌如泣的万千思恋之情，让无数游人驻足拂泪……

1992年，阿乐在沈阳病逝。次年，妻子钟曼带着女儿，捧着丈夫的骨灰，在绵绵春雨中来到雨花台，将阿乐的骨灰和灵魂一起埋在了那片丁香树下。

“丁香花叶是苦的，可她的花是香的。而作为女人，丁香阿姨其实很幸福，一则她是为建立我们今天的新中国而献身牺牲的，二则她获得了一个男人一生的至贞至爱。”阿乐的女儿乐丁香，现在每年都会在清明节的时候来到雨花台吊唁她的父亲和与她同名的丁香烈士。每当有人问起她父亲与丁香的爱情故事时，她总是这样说。

雨花台的丁香树如今已成片成林，那条幽长的“丁香路”也成一景，每每参观者步入烈士陵园，总要在此驻足留影，而烈士丁香的革命事迹与跟阿乐的爱情故事，则更像一曲经典歌谣，不停地在人们的口中广为流传……

我要补充一句的是：当年丁香还是个弃婴时，她亲生父母唯一留给她的是一张纸，上面写着丁香的生辰时间：“宣统二年庚戌年二月十五午时出生”。这个时间，应为 1910 年 4 月 4 日。如果丁香能活着，今年正好是 104 岁。在今天，能活到 104 岁的并不是没有可能。然而我的老乡——美丽芬芳的丁香只活了 22 岁，她是为新中国、为今天我们这些能够过上好日子的人才活了 22 岁。在南京雨花台革命烈士碑上，比丁香年少和同龄的人还有数百、数千……他们用自己的鲜血染红了国旗、铺筑了我们今天的幸福大道。让我们永远记住雨花台上英勇牺牲的千百个“丁香”吧！

一盏灯点亮的世界

或许因为你没有到过这个神奇的地方，所以你无法相信在这片仅有 47 平方公里的热土上，正创造着一个让全世界为之震惊和振奋的事实：那些被称为“泥腿子”的共产党人，带领农民以自己的聪明才智和辛勤劳动，撑起了一片多彩而炫目的光明世界。

这片热土最明亮，火神普罗米修斯为之动情。

这片热土在中国、在广东、在中山的一个边远小镇。

小镇的名字叫古镇。其实她不古，二十多年前的小镇只有一条小街紧贴在珠江三角洲那条著名的西江边上。而今，小镇高楼林立，车水马龙，人声鼎沸，无时不在彰显着迷人的魅力。她把全世界所有的光明使者吸引到自己身边，又将更加绚丽明亮的世界赐给了地球的每一个角落……

党的与时俱进光辉典范

古镇之所以成为世界最明亮的地方，是古镇镇党委坚持“立党为公，执政为民”方针的努力实践。无论是古镇镇党委书记吴润富，还是古一村的苏德添书记等一批村干部，这一群共产党人，他们放弃大老板的地位，甘当乡镇级的芝麻官，不仅充分发扬了共产党员的先进性，而且开创了党员弃商从政的模式。这一模式，对于我们准确认识中国共产党与时俱进的自身演进与完善，坚持科学发展观，具有一定的时代价值。

古镇之路，是中国共产党一级基层组织，在探索新的历史时期建设社会主义新农村的伟大实践中所创立的一种全新的执政举措与执政理念，它的意义无疑将是深刻而广泛的。

在中国共产党走过的 85 年的光辉岁月中，党一直充满着生机和活力。这生机和活力，源于党的实事求是的思想路线，源于与时俱进的开拓精神。今年5月，在中山市委宣传部工作人员的陪同下，我们踏足享有“中国灯都”美誉的古镇镇，从古镇镇党委的一个个充满创新精神的举措中，深深地感受到了党的生机和活力，以及在为人民执政的实践中，闪烁出的耀眼光芒。

第一章 爱迪生 中国 古镇人……

古镇的第一盏灯是由谁制作的，我们已无从考究了。袁达光等人，作为古镇最早的做灯人，他们的第一盏灯——也可以说是古镇作为“中国灯都”由民间自制的灯，是在 1982 年底正式出品的。那盏灯尽管非常简易，更谈不上美观，但它却改变了袁达光们和古镇人“面朝黄土背朝天”的农耕命运！

全民性的古镇灯饰产业就是从此开始的。它的意义不能用现在的商品意义去看待，它是一个历史，一个中国农民想走出一条致富之路的历史开端，一个后来让全世界为之惊叹的“灯都”形成的历史产物！

我们的人类有无数值得纪念的事。但谁能说出还有比征服黑夜更伟大的事来？设想一下：假如我们人类只有白天能够生活和活动，那么黑夜将使我们的生命演变成什么样呢？

由此，1931 年 10 月 21 日在地球西半球的美利坚合众国发生了一件让历史永远记载的事情：那天下午 6 时，全美国所有灯光突然熄灭，甚至连高高耸立在纽约湾的自由女神手中的那盏从不曾熄灭过的火炬也隐去了光芒……黑暗持续了一分钟后，所有灯光重归明亮绚烂。于是美国和全世界的人从那一刻都知道了征服黑夜的伟大，和那个征服黑夜的巨人——爱迪生。

关于爱迪生发明灯的故事，我们在孩提时代都知道了：

爱迪生这位伟大的发明家在一生中，发明了许多东西，然而，能够立即得到人们热烈欢迎的，却只有电灯。因为电灯的好处是人们看得见摸得着的。它的出现，意味着人们又有了一轮太阳，人们的活动不再受到黑夜的制约了。早在1821年，英国的科学家戴维和法拉第就发明了一种叫电弧灯的电灯。这种电灯用炭棒做灯丝。它虽然能发出亮光，但是光线刺眼，耗电量大，寿命也不长，因此很不实用。“电弧灯不实用，我一定要发明一种光线柔和的电灯，让千家万户都用得上。”伟大的发明家爱迪生暗下决心。

像进行其他发明一样，电灯发明的路程也很漫长。爱迪生从试验灯丝的材料开始：他先用传统的炭条做灯丝，可一通电灯丝就断了；后改用钌、铬等金属做灯丝，通电后，亮了片刻就被烧断；接着他又改用白金丝做灯丝，效果仍不理想。就这样，爱迪生试验了1600多种材料。一次次的试验，一次次的失败，很多专家都认为电灯的前途黯淡。英国一些著名专家甚至讥讽爱迪生的研究是“毫无意义的”。一些记者也报道：爱迪生的理想已成泡影。

面对无数次的失败，面对有些人的冷嘲热讽，爱迪生没有丝毫退却。他明白，每一次的失败，意味着向成功又走近了一步。一日，爱迪生的老朋友麦肯基来看望他。望着麦肯基说话时一晃一晃的长胡须，爱迪生突然眼睛一亮，说：“对不起，麦肯基先生，我要用您的胡子……”麦肯基先是一愣，继而爽朗大笑，说：“我知道你又在为你的发明想事了！行，拿去吧！”老朋友当即剪下一绺胡子，交给爱迪生。

爱迪生满心欢喜地挑选了几根粗胡子，然后进行了炭化处理，再装在灯泡里……可令人遗憾的是，试验结果也不理想。

“那就用我的头发试试看，没准还行。”麦肯基一不做二不休地鼓励说。爱迪生被老朋友的精神深深感动了，但他明白，头发与胡须性质一样，于是没有采纳老人的意见。爱迪生起身，准备为这位慈祥的老人送行。他下意识地帮老朋友拉平身上穿的棉线外套。突然，爱迪生又惊叫起来："棉线！为什么不试棉线呢？"

麦肯基一听，毫不犹豫地解开外套，撕下一片棉线织成的布，递给爱迪生。"谢谢。"爱迪生把老朋友递过来的棉线放在U形密闭坩埚里，用高温处理。进入实验室后，爱迪生用镊子夹住炭化棉线，准备将它装在灯泡内。可由于炭化棉线又细又脆，加上爱迪生过于紧张，拿镊子的手微微颤抖，因此棉线被夹断了。最后，费了九牛二虎之力，爱迪生才把一根炭化棉线装进了灯泡……

夜幕降临，爱迪生的助手把灯泡里的空气抽走，并将灯泡安在灯座上，一切工作就绪，大家静静地等待着结果。接通电源，灯泡立即发出金黄色的光辉，把整个实验室照得通亮……

"成功啦——！"爱迪生和助手们欣喜若狂地欢呼。

13个月的艰苦奋斗，换用了6000多种材料，试验了7000多次，终于使电灯发明有了突破性的进展。然后这灯究竟会亮多久呢？1小时，2小时，3小时……这盏电灯足足亮了45小时，灯丝才被烧断。这是人类第一盏有实用价值的电灯。

这一天是1879年10月21日，后来被人们定为电灯发明日。

"45小时，还是太短了，必须把它的寿命延长到几百小时，甚至几千小时。"成功后的爱迪生并没有陶醉在胜利的喜悦之中，而是给自己提出了更高的要求。夏日的一天，天气闷热，爱迪生顺手取来桌面上的竹扇，一边扇着，一边考虑着问题。

"也许把竹丝炭化后效果更好。"发明家简直是见到什么东西都想试一试。试验结果表明，用竹丝做灯丝效果很好，灯丝耐用，灯泡可亮1200小时。经过进一步试验，爱迪生发现用炭化后的日本竹丝做灯丝效果最好。于是，他开始大批量生产电灯。他把生产的第一批灯泡安装在"佳内特号"考察船上，以便考察人员有更多的工作时间。此后，电灯开始进到寻常百姓家。再后来，人们便一直使用这种用竹丝做灯丝的灯泡。几十年后，有人又对它进行改进，即用钨丝做灯丝，并在灯泡内充入惰性气体。这样，灯泡的寿命又延长了许多。如今我们使用的正是这种灯泡，它可以使黑暗变成白昼……

一位著名诗人曾经写过这样的诗句：我本可以容忍黑暗/如果我不曾见过太阳……

爱迪生发明了电灯，使人类在暗夜中有了“太阳”，使人类再也无法容忍没有电灯的世界。

工业革命是以生产规模和劳动利润作为成功与发展标志的，电灯产业从此如同初升的万丈霞光，将每一位有头脑的商贾照得雄心勃勃，欲誓死一搏。

聪明的意大利人和西班牙人很快占据了灯饰制造的艺术顶峰。祖先的精湛手工技术与18世纪工业革命带来的机械化生产的完美结合，使爱迪生所在的美国反而远远落后于欧洲灯饰的各路豪杰们以及他们创造的光明市场。

此时此刻，当欧美充分地享受着光明的照耀时，处于地球的另一端的东方又是处于一个怎样的世界?

其实，早在爱迪生发明白炽灯的几千年前，东方人的祖先就发明了火药，然而农耕式的生活方式并没有让火的焰光变成工业化的长明灯光。油灯让这个古老而文明的民族一直在半明半黑的世界里走过了漫长的岁月。直到20世纪中叶，仍有半数中国人靠着煤油灯在黑夜中摸摸索索地期待天明……

又过了近半个世纪，日历翻到20世纪80年代初。这个时候，美国和欧洲人，还有中国的邻近日本人已经在天上建起人造太阳了，而我们多数中国人却还在为着能够买上一台14寸的黑白电视拼上血本。

中国太落后了，比别人落后了整整几十年，甚至上百年……

1982年秋。香港。

两位身着皱巴巴的中山装的内地农民在一家商场内被琳琅满目的各种商品所吸引，他们如痴如醉地观赏着、评说着，并不时地从口袋里掏出小本本记录着什么。

“灯！看这里的灯多美！”

“嘻，瞧这灯还能挂在墙壁上呢！”

在一个灯柜前，两人爱不释手地指点着那些玻璃灯。其实这样的玻璃灯是非常低档的，只是简单的壁灯而已，可在这两位中国内地的农民眼里简直就是“洋灯”了。

“洋灯”让这两位比普通中国人早具备了几年商品意识的内地农民心头发痒：如果我们也能做出这样的灯，一定会发大财！

买几盏回去？

买！

谁也不会想到，这一个“买”字，使中国内地一个边远的南方小镇在日后成为扬名天下的“中国灯都”，年销额达150多亿元，产品占中国灯饰市场的60%，并跻身世界灯业之王……

这两位内地农民来自广东中山的古镇。他们都是古镇海洲村人，一个干部模样的“负责人”叫袁达光，另一位看起来很精明的叫袁玉满。袁达光的确当过干部，不过他的最大“官职”是大队窑厂厂长。一年前，在他的怂恿下，袁玉满和另一个村窑厂的侯瑞垣、袁广明、区伟松四位跑供销的农民兄弟，一起合伙“下海”做生意。倒钢材、卖水泥，一年下来虽然没赚上几个钱，不过也练就了一些生意经。本来嘛，跑供销的他们就比在地头种菜的农民兄弟脑子要灵光许多。

“这玻璃灯多美呀，放在墙壁上又好看又明亮，准有销路！”区伟松从袁达光和袁玉满手中接过从香港带来的几盏灯，左看右看，满脸闪动着金光，仿佛明天就可以当“万元户”了——那时“万元户”就是富人的代名词。

“这灯并不复杂，成本也不会高，不就一个灯泡、一根线圈、一块玻璃嘛！我们完全可以做出来！”侯瑞垣和袁广明则开始琢磨起工艺，并信心十足。

“厂长想的就是这个。现在倒钢材、弄水泥的人太多，要是我们几个能搞个灯产品来，说不准让全古镇的人都眼红呢！”袁玉满瞅一眼袁达光，示意他快把想法告诉伙伴们。

性格内向的袁达光这才不紧不慢地说道：“其他生意咱们先放一放，从明天起我们集中精力找材料，争取先把这玻璃灯仿制出来，然后我们再到市场上试试好不好卖，最后再考虑下一步怎么干……”

“行。我去搞玻璃片。”

“我去弄线圈。”

“小螺丝我来弄……”

袁玉满等几位合伙人，各领一项任务，分头寻找材料去了。

“这些小货色，怎么这么难弄？”

“可不，我的腿都快跑断了，竟然连一寸长的线圈都没寻觅到……”

几天过后，袁玉满他们拖着疲倦的身子，唉声叹气地回来向袁达光汇报。20 世纪 80 年代初的中国，百废待兴，各种原材料处在极其匮乏之时。那时中国人仍处于计划经济时代，生产资料统一分配，连买鸡蛋也要排队凭票购买。

古镇海洲村的几个农民被刚刚燃起的“发财梦”焚烧得有些焦头烂额。

“我再出去试试。小榄镇那儿有几个厂……”袁达光仍然一副不紧不慢的神色，瓮声瓮气道。

小榄镇是紧挨古镇的另一个乡镇，相比之下，是个有些工业规模的地方，这里因有一个锁厂而带动了一些配件生产小厂，加上小榄人历史上就比周边的乡村会做买卖，所以袁达光选择这个近邻是很自然的事。

袁达光来到小榄镇，不承想为找一个能制灯座的厂都找不到。好不容易，仅有一个厂说他们能做，但是必须是铜制灯座。

“估计成本多少价？”袁达光必须考虑灯的成本。

“怎么着也得10来块吧！你看我们搞一吨铜也是很不容易的。”人家说的也是实情。

袁达光掂了掂铜块，觉得灯座是铜制的，又沉又贵。他只好摇摇头。

“后来我又跑遍了小榄，总算找到一位姓汤的私人老板，他有一台制塑机。塑料灯座成本要比铜制灯座便宜得多，又轻便美观。”二十多年后的今天，我在海洲一家并不起眼的灯饰厂见到这位曾经显赫一时的古镇灯饰产业的“元勋”时，他仍然不紧不慢地回忆道。

“我们初创时要啥没啥，连螺丝配件都十分难找。最后是在佛山的张槎镇才找到了一个生产螺丝的小厂……玻璃片也难找。好不容易找到货了，又找不到磨玻璃的地方。灯饰玻璃不能太薄，又不能太厚。没法子，只好找替代品，最后是袁玉满他们说用胶片，一种茶色的玻璃胶片……”袁达光想找盏当年他们“发明”的灯饰给我看，可寻了半天也没找到相近或相似的。如今他的灯饰厂有几百种销往全球的各种精美的灯饰，但再也找不到古镇第一代灯具了。

“那个时候的灯不能跟现在比。也就是在灯泡前面安上一块玻璃什么的，稍后些就是在玻璃片上涂几个花纹，算是很美观的了。年轻人结婚能在新房里安上一两盏这样的灯就算时尚的了……”老袁的话让我们都笑起来了。是啊，不也才一二十年时间，中国的变化有多大！别说那个时候没有五彩缤纷、奇妙无比的灯饰品，就是在我们文化人的笔下也绝少用上“时尚”二字。

袁达光们的第一盏灯——也可以说是古镇民间自制的灯，是在1982年底正式出品的。那盏灯尽管非常简易，更谈不上美观，但它却改变了袁达光们和古镇人“面朝黄土背朝天”的农耕命运！

全民性的古镇灯饰产业就是从此开始的。它的意义不能用现在的商品意义去看待，它是一个历史，一个中国农民想走出一条致富之路的历史开端，一个后来让全世界为之惊叹的“灯都”形成的历史产物！

忘却了袁达光他们这些开创者的历史功绩，是对古镇“灯都”伟业现实的一种割裂。

创业何其艰难。袁达光他们的灯制作出来后，因为找不到一个像样的包装，只好存放在他们自己那间简易的茅棚子里。

时至翌年，袁达光们总算找到了一种包装，于是五个人先是进行了创业的第一个大动作——合股建厂。每人一万元，在古镇通往江门的西江边的一个码头边搭了一间茅棚，面积约一百平方米。“当时没有用厂名，先试着做。”袁达光说。

初始的卖灯比做灯要难得多。没有人手，是最要命的事。袁达光和袁玉满等五人按地区兵分五路在广东地面上跑开了……远的多带几箱，随车托运走；近的用单车驮着，早出晚归。

“那时现卖现收款，而且多数是卖给公家百货商店，虽小打小闹，销售却比较稳定。”老袁说。

江边的茅棚作业不到半年，因为生意兴隆，袁达光他们进行了第二次搬家，这回租下了海洲食品站约600平方米的一排水泥房子，作为灯具厂房，同时还招用了30多个农民工。古镇“灯都”发源地——海洲这才正式有了一个有名有姓的灯具厂——“裕华灯饰电器厂”。

“当时我们的厂名还招来当地一些农民的不解，说灯具就灯具吧，怎么叫个灯饰？其实我们也是套用了香港灯饰业惯用的‘灯饰’，连我们办厂的五个人也不是真正弄得明白灯具与灯饰到底有啥区别。”袁达光趣言道。

袁达光他们的“五人”灯厂发大财了！又是一年后，当“裕华灯饰电器厂”达到几十万元的销售额时，海洲村的农民眼睛红了起来：原来搞灯也能发大财啊！

“干吧！袁达光他们能干的事我们也能干！”“不能让他们一家发大财，有财大家一起发！”素有商业头脑的海洲人，目光瞄准“裕华”，第二天就出了个“宏泰”，再后来“丽达”“华光”等“灯饰”工厂也就如雨后春笋般诞生了。

不足两年时间，数里长的海洲街道成了灯的海洋，到处是卖灯人、灯饰店、灯具厂……尤其傍晚时分，街头灯光齐放，照得数里外清晰可见，同时也惹得周边的百姓心头痒滋滋的。

“海洲人发灯财，我们干吗还不行动？做灯吧！”先是海洲邻村，再是海洲邻村的邻村，再是延伸到海洲几里外的古镇，于是“中国灯都”从此拉开了史诗般的“建都”神话。

……是什么样的神手拨亮了
奇迹的浪涌无数的鱼龙
什么样的罡风也吹不熄
滚地的闪电　稳稳地凝定于
一千盏　一万盏　十万盏
灯　如瓶　如伞　如柱
如银河里的卵石　时间之所冲洗
向日葵的花瓣　番石榴的籽实
通通注入24小时的

阳光搓碎　再拼成
新的闪光的璎珞　挂上大地的前胸

这是古镇的万家灯火
村民的宫殿　光的狂欢节
诗　画　雕塑　匠艺与科学的盛宴
谁是主人　谁是宾客
都是一片灯光璀璨中

人生只有一次　梦也只有一次
我梦见了一万万家灯火
十万万家灯火
照亮万岁千秋所有的黑夜
这个梦如此古老
又如此年轻

这是著名诗人邵燕祥先生写给古镇“灯都”的诗，她如一幅浪漫的写实画，即使有人没机会来古镇一游，读这首诗也能感受到“灯都”那如画的光与诗……

3000多家注册灯饰企业；150多亿元的年销售额；80000余从业人员……聚集在这块几十平方公里的南国小镇，编织和绽放着世界上最光亮、最华丽、最耀眼、最精美的灯之光与诗的乐章，这便是“中国灯都”——古镇镇的风采与魅力所在！

它，小如手掌；它，大如寰球；

它，窗前一月；它，光如太阳。

它是天上的太阳兄弟，它是地上的又一轮新日。

这就是我们中国的“灯都”古镇。

第二章　点亮那盏世界上最亮的灯

政府的作为

任何一个政府，它不讲究经营是没有成效的政府，即使指导再好、服务再好，也是纸上谈兵和被动的政府。只有经营好了，才能使指导更具说服力，服务更到位。

——古镇镇党委书记吴润富

你能说出世界上哪盏灯最亮？是纽约湾的自由女神右手向前高高举起的那个火炬？是高悬在天安门城楼上夜间闪亮的那盏红绸裹着的灯笼灯？还是多伦多电视塔顶照射全城的夜光探照灯？或是横渡大西洋的巨型客轮上那盏乘风破浪的长明灯？

不，都不是。世界上最亮的灯，在中国古镇。

在那些制造照明世界的灯都人心中……

古镇人每人都有自己心中最亮的一盏灯。这灯，照亮着他们奔向展示智慧、聚集财富的征程。

时针回转至1993年那个火热的夏日。古镇的镇政府会堂里，正在举行一次影响这个南国小镇历史的重要会议：选举新一任镇长。

本是一次换届的例会，但这回代表几万古镇人民的选举者们显得特别庄严和激动。因为出现在新镇长候选人的名单上，有一个让许多代表感到新鲜而异常的名字：吴润富。

关于吴润富这人，古镇多数代表并不陌生。问题是他不是“机关干部”——虽然他在这之前早已是古镇镇属某集团的总经理，但他并不是真正意义上的镇政府官员。一个连副镇长都没有干过的“老总”要当古镇镇的镇长，这不是新鲜是什么？是思想解放、超前意识？还是在胡闹前面还得加个“瞎”字？

“吴润富，36岁，中共党员，高中文化。先后在多个乡镇企业做负责人，对经济工作非常熟悉。尤其是该同志忠诚党的事业，体贴和关心群众，特别是有较强的驾驭全局的能力……”中山市委组织部领导一字一句地向代表们介绍着。

“吴润富”“吴润富”……选举表决开始。代表们一个个庄严而兴奋地举起手臂，口中和心中都在念着这个名字。

吴润富，年富力强，懂经济，又爱百姓……选他！

就选他！

古镇的历史又一次掀开新的一页：没有当过一天镇领导的吴润富从“老总”一跃成为古镇镇长，甚至跳过了副镇长这个台阶。古镇镇历史上没有先例。在中山市也属“鲜见”。

“当镇长开始半年，我还兼着原来集团公司经理一职，后来一去才发现这镇长其实跟集团公司老总很不一样。”现今早已是古镇镇党委书记的吴润富回忆起十多年前初入官道时，如此开怀笑言。

吴润富上任镇长，不像别的官，他是用管企业的“老总”目光去工作，去剥离那些无效和有害的东西，归并和重塑那些优良单位。

——先跑企业。

一圈跑下来，吴润富发现，古镇不大，但计划经济时期留下的各式各样的大店小厂却不算少，而且名存实亡、集体亏损个人富足的占绝大多数。

“我的意见是：必须尽快转制！最好集体的一个不留……”吴

润富上任的第一把火就来了个“超级资本主义”。好在这是在邓小平南方谈话之后，什么“姓资”“姓社”的问题已经不在人们争论的问题之内了，但将公有成分的企业“一个不留”地实行转制——说白了就是都卖掉，变成私有化为主体的新型企业形式，这在20世纪90年代初期，也是件非常敏感和超前的举动。

“镇党委政府想干什么？”改制必然使一部分人的利益受到触动，于是有人质疑这种决策到底是否在为全镇几万百姓的利益着想，这种质疑成了当时古镇的焦点。

“转制是在群众和相关专业部门的严格监督下进行的，多数是以公开拍卖的形式完成的，因此没有任何见不得人的事发生，更不用说我和镇政府其他官员是否在其中谋什么好处了。我的观点非常明确：集体企业办不好，企业只有私人办才能有活路。这个道理其实也简单：产权和利益转制后，办企业的人用的心就不一样了。公有制下的企业赔了是公家的，亏的是集体和国家，赚了是少数人的，更可气的是一些企业亏得很厉害，而少数人却口袋里鼓鼓的。我们是乡镇一级基层，除了用电用水等涉及百姓生活的行业政府需要控制外，再没有让一个企业还要由政府来背。所以我从一开始就认为：集体企业办不好，企业只有私人来办。我们古镇从1995年开始将集体的企业全部转制，用两年时间基本全部卖掉了。政府从此一身轻。”

“那么政府的作为在哪儿呢？”面对“卖掉”理论，笔者发问。

“作为的地方多啦！”似乎对这样的问题，吴润富书记格外提神。“我提出政府的责任，应该是服务好社会、管理好社会、发展好社会。具体怎么做？主要应体现在指导、服务和经营上。而上面这三者之间，经营是最重要的。”

“怎么讲？”

“因为任何一个政府，它不讲究经营是没有成效的政府，即使指导再好、服务再好，也是纸上谈兵和被动的政府。只有经营好了，才能使指导更具说服力，服务更到位。”这样的话，只有从事过经营工作的人才能有这种能力，看来组织推荐和群众选举“老总”出身的吴润富当古镇镇长就是不一样。他带给政府管理理念上的全新意识。

谈起“经营”，吴润富的脸上泛着光芒——

“干什么事，其实都得有经营的理念。经营，就是要学会算账。别小看一个几万人口、几十平方公里面积的乡镇，经营好坏，那出现的是完全不一样的社会！”吴润富激情挥动着双手，“我就跟你讲咱们古镇的土地这一块的经营情况吧。你们也许知道，这些年来，一些地方政府为发展经济，或者是考虑到政府一级的财政问题，把大量土地以各种名目给卖掉了。结果政府可能一时缓解了财政状况，但到头来，穷的是百姓，惨的是政府。道理很简单：你政府没有了给一方百姓创造幸福的资源了，百姓不买你的账，天天找你解决这解决那，你的日子不惨还会有其他景况吗？相反，我们古镇从一开始就提出了‘经营城镇’的理念。特别是抓了自然资源——土地这一块的经营。我们把所有的土地全部控制在政府手里，谁也没有权利随便出卖土地，只有政府一支笔审批。政府在经营土地时，首先抓的是规划。我们古镇从 20 世纪 90 年代中期就开始把灯饰产业的发展和古镇城镇的长远建设同步考虑，因此在古镇发展成今天的‘灯都’时，你们并没有看到我们的城乡建设与‘灯都’的发展实际相矛盾，而且总体来说是协调的。这就是早先的规划起了作用，当然规划是可以随时调整的，但最初的大规划必须科学合理和具有前瞻性。”

吴润富书记的话令我们的思绪出现了暂时的游离……那一天，当我们踏上气魄雄伟的古镇镇政府大楼台阶时，不由在仰视完耸立云天的“百年不失风采”的大楼后，回首远眺起古镇新城来——呵，那真的是一派欣欣向荣、生机万千的景象：宽阔整齐的街道，林立有序的楼宇，方正宏伟的区域构架，城区的绿地空间和花木簇拥下的厂区……所有的一切都搭配得如此和谐与自然。你置身在此，既可感受到大都市的繁华与时尚，又可享受田园农耕式的牧歌生活。这就是吴润富他们经营下的今日古镇。

“没规划的时候，我们这儿的土地是 6 万元一亩，现在最贵的已经超过了 600 万元一亩。工业用地也是这样，最初只有 1 万元一亩，现在则达到 60 多万元了！同样一块地，注入了经营理念和价值体现，那就一个天一个地。政府多了钱干什么，还不是实惠了百姓？现在咱们古镇的农民，人均年收入超过 10000 元。去年底全镇银行存款余额近 72 亿元。从这个数字上我们可以十分自豪地说，在古镇，百姓是富有的，企业主是有钱的，当干部的虽然钱比别人少一点，但受到的是敬重，因为我们的政府和干部是真正坚持了科学发展观和执政为民的理念，把经营好一个乡镇区域的经济与社会发展当作了头等大事和根本方向，始终如一地做到、做好。还用土地这一块来说事：古镇全镇的土地资源总共是 58000 亩，现在我们可以看到的中心区一块已经基本建成了比较现代化的‘中国灯都’规模和世界灯饰产业基地，但我们仍有 38000 亩的土地资源的可利用空间。这是我当镇长和镇党委书记十多年来最引以为自豪的一件事……”

呵，稍会算账的人都能明白，吴润富和他的镇领导班子在这十几年中运用经营理念，仅在土地资源这一块，其实就为古镇人民创下了巨大的现实财富和未来财富！在过去原址和新开发的 20000 亩土地上，建起了一个世界级的“灯都”新城，同时还保留了 38000 亩有更高利用价值的土地资源和生活空间。

“了不起”三个字不是随便可用。但在古镇和在吴润富一班人的身上充分地体现了出来。

什么是科学发展？什么是构建和谐社会？古镇的“经营城镇”理念和实践结果就是！

“老板”当政

他让我们下，换那些“老板”当村干部，这不等于把共产党的天下拱手让给资本家吗？

——某些村干部不满党委的“撤换”举动

在古镇采访的那些日子里，一个时常闪动在脑海里的问题总在叩问我们：为什么一个毫无地域优势和资源优势的南国边远小镇，能够在极其短暂的历史一瞬间，被建设成了声名显赫又富足天下的“灯都”呢？原来，是懂经营的吴润富和坚持“利益向下”的政府在起着根本和主导的作用。

我们到古镇采访所下榻的是代表古镇现代化都市水准的五星级“国贸大酒店”——小镇上拥有五星级酒店在中国乃至世界上并不多。这个投资近4亿元的酒店，集住宿、娱乐、商场、休闲等一体的建筑，开始建设时投资人曾胆怯过，他们担心亏本，所以在建设初期心有余悸。镇政府领导当即决策，政府入股，这意味着政府愿共同承担风险。而镇政府对其他投资者则加了一条承诺：一旦酒店出现盈利，政府即时退出。三年过去，当“国贸大酒店”随古镇“灯都”的迅猛发展，客流蜂拥而至，财源滚滚时，政府毫无条件地做出了退出股份的决定。这在所有古镇的投资者中传为佳话。

“灯都”古镇，就是从“经营人才”的理念之上迅速崛起的。它因此成长得如此健康、茁壮，如此富有活力和生机，甚至无可挑剔。

镇党委的“高招”并非仅在经营土地资源上，在人才和干部资源上的“经营”更大胆，更具开拓性。

我们需要把视线回到20世纪90年代中期——

几乎在“卖掉”集体企业的同时，镇党委通过对一个个村委会的调查发现：镇村级干部太老了！平均年龄在60岁以上，甚至相当一部分村主任、村支书已达70岁仍在位主政。

“原则上55岁以上的都应该下去！”这是镇党委班子的决定。

“为什么？”有人质问。

“这些干了几十年革命的老干部，他们有觉悟，有思想，可建设和发展新农村，尤其是搞现代化的经济建设，他们已经没有了体力，也缺乏搞经济建设的实践能力！今天我们搞经济建设，光有觉悟和思想是不够的，必须还得有体力！体力有时直接影响觉悟和思想所要实现的结果。所以镇党委决定把全镇所有村级55岁以上的老干部全部撤换下来。”吴润富这回说得更绝。

有人质疑镇党委：要撤换这么多人，但到哪里去找那么多人来接替他们呀？

镇党委认为，古镇这些年从地里“洗脚”上城里做生意的人多的是，找那些办企业和做生意成功的人！另外找那些自己办企业、做生意的有能力的人，同时有群众基础的、自己又心甘情愿为百姓服务的人。

好家伙，找那些“老板”来当村干部，这不是要闹个天翻地覆吗？

有人紧张得赶紧把镇政府的会议室大门关紧掩上：小声些，要不传出去我们还没有决议，人家就来砸党委和政府的门了！

为了统一意见，镇党委、政府专门召开了闭门会议。经过激烈的争论，终于通过了选举企业主（经济能人）担当村的支部书记、村委会主任。

会议开得十分激烈。最后仍是“一致通过”了提议。因为没有干扰，古镇各村老干部仍在岗位上吆喝着自己的农民兄弟。但几天后，他们开始大骂——

“党委想干什么？”

“让我们下，换那些‘老板’当村干部，这不等于把共产党的天下拱手给资本家吗？”

“古镇这回要完了！真完了……”有人叹气，有人跺脚。

“帽子”加气话，压得党委一班人有点喘不过气来。但，党委的决议已不能更改，撤换计划按既定方案实施。

几天后，全镇 47% 的村干部被撤换下来，一批经群众推荐、组织考察、自己又愿意放弃“金饭碗”回到村里捧“泥饭碗”的“老板”们走上了村主任、村支书的岗位。

“后来的情况怎么样？”对这精彩的历史转折，我们怎能不探究到底？

如今已坐在“灯都”古镇镇领导班子第一把交椅上的吴润富，万分自豪地告诉我们：古镇镇辖属的 12 个村，后来全部改成了由“老板”出身的人当村主任和村支书。多数是 1994 年、1995 年开始当选的，他们中有三分之一已经工作了十年以上。实践证明这些“老板”出身的干部，脑子聪明，又懂经济，年富力强。在人民群众给了他政治地位和权利后，他们能够严格要求自己，有崇高的信仰，有为百姓利益奉献的精神，加上我们平时经常组织他们学习、教育，特别是到先进的国家参观学习，同时增强他们的法制意识，严格规定了三点：一是当共产党的干部，得按共产党的规矩办事；二是你得拿出真本事让老百姓富裕起来；三是所有财务、政务要公开。因此，十多年过来，除一名村干部因超规定多发了奖金被组织处理外，其他的都成为带领农民奔小康和建设社会主义新农村的带头人。从这个层面讲，我们古镇能够在短短的十几年时间里，发展到今天这个样子，特别是我们成为“国家文明镇”“全国投资环境百强镇”“全国造林绿化百佳镇”“广东省教育强镇”“广东省农业现代化示范区”等，靠的都是这些基层村干部辛勤工作的结果。我们古镇2005年全镇村级集体收入达2.57亿元，平均每村2441万元。农民人均收入达10050元。现在村村农民都有医疗、教育和退休保证，在比较好的村农民退休金每月能达五六百元，除此还有集体经济所带来的每年几千元的年终“分红”收入……

这就是“老板”当村干部的结果！吴润富为古镇人民做了件开天辟地的创举，也为全中国建设有中国特色社会主义新农村树立了一个榜样。几年前，古镇镇党委让企业主当村干部的做法得到了中组部的肯定。

“你们可以到村里去听听农民的看法，也可以看看我们那些老板出身的村干部们是怎么干、怎么想的。”吴润富希望我们对此了解得更深入些。

于是，暂时告别喧哗和热闹的“灯都”，去花木飘香、田园牧歌的古镇农村走一走，成为我们采访的另一项行动。

古一、古二村的那些党员们

我们是共产党员，贡献再大，也是完成党和人民交付的任务，没有必要躺在功劳簿上自己给自己添负担。

——古二村原村支部书记林荣湛

“灯都”首富的古一村，距古镇中心区最近，他们占了“灯都”最佳的地理优势。这样的优势如果不是放在能人手里，或许会成为让百姓怨声载道的话柄。然而我们在古一村没有看到这种情况，相反，跃入我们眼帘的首先是那一栋栋连成片的风格各异的“洋房”别墅……这样高档的别墅，我们只在江苏华西村见过。古一村的农民也能住上这样的房子，足见他们的富足。

正在宅前荫凉处下棋的几位退休老农，听说我们是北京来的作家前来了解村里的变化时，不由喜形于色地介绍起来：古镇成了“灯都”，我们农民才有了芝麻开花节节高的好日子。这得感谢政府，感谢带领百姓致富奔小康的苏德添书记。

“苏书记是为我们村民累病的啊！作家同志，你们一定要写写这样的好干部，他自己不当亿万富翁，却为村里培养了好几个亿万富翁，最后自己得了重病……”一位上年岁的老大爷噙着热泪如此说。

苏书记？重病？我们听后不由心一紧。

“是，你们确实应该采访采访苏书记。”陪同我们的镇干部小崔对我们说。

那天上午，突然下起大雨，我们来到古一村的苏书记家。从这位身材魁梧的庄稼汉身上看得出曾经的风采。本来不想多打扰重病的他，可老苏一谈到村里的变化，情绪非常高昂。于是我们从他口中知道了他和古一村过去十几年的事——

老苏是镇党委提出让“老板”当村干部的第一批党员。1994年他从个体企业里回到村子，担任村支书。“当时我自己像做梦似的，有点不敢相信。”老苏回忆说：他在70年代当过生产队长，在改革开放后出来做生意，卖过鱼，办过塑料制品加工厂，生意不错。“假如干到现在当千万富翁不成问题。但回村当干部后，命运改变了……”

“后悔吗？”我们问。

“没有。我很高兴当初选择的路……”老苏坚定地摇头说：“我是一名党员，老实地说在做生意那些年里，整天钻在生意里，基本忘记了自己是一名为人民服务的共产党员了。我想不到镇党委、政府和村里的百姓，还能重新给我一个全心全意为人民服务的机会。入党时我曾经宣誓要终身为人民服务，可老实说，当了个体老板后，你不得不一门心思想着自己的事。后来发了些财，但心头常常有些空荡荡，尤其是看到村里的多数百姓还看不起病、供不起孩子上学时，我心里就更加空荡荡的。那时我能做的就是掏点钱给乡亲们，但解决不了根本……回村当村支书，是我做梦也想不到的事。我觉得这是组织对我的信任，更是父老乡亲们对我的信任。因此我十分珍惜它。所以回到村里，我把办村里的事跟自己以前办个体企业一样认真地来办。古镇这些年因灯业发展而发展，我们古一村挨得古镇中心区最近，能不能抓住发展机遇，关键要会算账，要会投资，要会管理。这些年我和村里其他干部一起，几乎把精力全部放在如何为村里的每一寸土地、每一个投资机会产生最佳、最好的效益上。我们从搞实业开始，把各种资源进行科学地整合，并重点放在发展物业这一块上。在重大决策时，充分体现党员和群众的意志，在决策每一个项目前，都做到公开向村民代表和党员征求意见。1994 年我上任时，村级年收入在 400 万元左右，现在全村每年的集体经济收入稳定在五六千万元，是过去的十几倍。村民到退休年龄后每人每月能拿到 600 元的退休金，还有作为“股民”的一份很可观的分红收入……”

“但是最让我感到欣慰的是：我刚当村支书时，全村 5000 来名村民中只有 80 个党员，现在已经有 130 多个党员了，其中有不少是年轻同志。他们多数是私营企业主，热爱党、热爱社会主义，对村民有爱心，对国家贡献也大。我们村上这十几年中，出了好几个亿万富翁！”

呵，老苏书记，一位身患重病的共产党员，当他滴着汗珠向我们讲述他村子里的这些变化时，我们内心油然升腾起一种崇高的敬意：这就是古镇选拔的那些“老板”村干部的精神境界！一批真正共产党员的本色！

林荣湛，古二村老书记，一个知名度很高的古镇人。因为他的“华星”企业在当地也算是塑料制品的“龙头老大”，生意做到全世界。土生土长的林荣湛当过4年兵，在部队由于“海外关系”而没能入党。复员回古镇后当年因表现积极被当时的大队党支部吸收成了一名党员。这位见过世面的农民，难得他有一颗立志在农村干番事业的心。“我生在农村，愿意在农村干出点名堂。”在“灯都”的一个工业园区，我们在一家规模很大的厂房里见到了林荣湛。他的开场白令我们产生敬意。

“……十一届三中全会后，我就办个体企业了，先是承包生产队的一个船队，赚了几千元后，又承包起公社的农机厂。1983年又拿了几万元钱上中山之外的地方去承包砖厂，一直干到1985年，我可能属于古镇比较早的一批‘先富起来’的农民之一。”依然保持一股军人作风的林荣湛，说起话来干脆爽快。“古镇在80年代初就开始有人办厂，我从外地承包回来后也办了一个建材机械厂。1993年，我们这儿的灯业市场开始热起来，我看准机会，拉着本村同族的四位亲戚，合股办起了‘华星塑料制品有限公司’，我们的生意很好，连我在内的五个股东，到那个时候就已经有了年收入人均100万元的利润。可以说在古二村甚至在古镇都挂上名了。就在这个时候，当时的镇党委领导来找我，希望我出任村支书。我没有犹豫，当即表示愿意回村当干部去。但由于我在‘华星’有20%的股份，而且是‘华星’的‘一把手’。如果我上村里当支书，就再不能参与企业管理了，我的角色和股份便成了一个问题。最后在镇组织部门的协调下，‘华星’接受了这样一个方案：我在‘华星’的股份不动，到村里所获的收入——工资奖金这一块，全部交回‘华星’，然后再由‘华星’给我发工资和执行原来的股份分配。有人戏称我是‘转会老板’，其实我知道组织上让我回村是要好好带领百姓脱贫致富、奔建设社会主义新农村富裕目标的。”

“我们古二村由于不像古一村那样离镇区中心那么近，村委和百姓的日子并不好过。我上任村支书的头天是开着自己的汽车进村委的。村民们有人好奇，也有人说这‘企业家’回来当我们的家，还不是用他管企业的那一套来管理吗？我听后很不是滋味，暗暗发誓，一定要用好经管企业的那一套管理好我们的村，绝对不能让我们古二村的父老乡亲们辛辛苦苦建设起来的家园变了色……”

林荣湛确实是个搞经济的能人。有人告诉我们：如果不是回村当十年村支书，他林荣湛经营自己的企业少说也能赚回几千万，甚至几个亿的钞票。然而林荣湛说自己是一名共产党员，当组织和村民需要自己为家乡出力流汗时，他心甘情愿舍去个人的企业。

古二村当时留给林荣湛的是个薄底子，村上仅有的一个小化工厂，名义上是合资企业，实际是外商跟他们玩了把假投资的戏法。

“立即停办！”林荣湛摸清这个小化工厂的底子后，当机立断。“即使现在赔点本，也比掉进别人事先掘好的大陷阱要强。”他让村民们明白这样一个道理。

能人的本领就是不一般。上任村支书的林荣湛，瞄准古镇灯饰产业大发展的机遇，决定率先在本村的土地上建立“灯都”的第一个大型工业园区，共占地 1200 亩。

“咱古二村远离镇中心区，如果没有商家来投资办厂，你林荣湛咋处理这 1200 亩地呀？”一些村民的担心不是没有道理。

个头不高的林荣湛，朝着古镇中心区的方向挥一挥有力的手臂，大声说：把通向古镇中心区的道路修好，你们再看结果！

宽阔的大道修好了。村民们站在村头眺望“凤凰落巢”。果真，不几日，第一只“凤凰”进村了。林荣湛笑呵呵地以每亩8万元的低价，租给了第一只落户古二村工业区的“凤凰”。

这么便宜啊！他林荣湛算的什么账嘛！部分村民怀疑林荣湛的能力了。

别着急。有了第一只金凤凰入巢，后面的凤凰就可以为我们村里源源不断地下金蛋了。村民们听着林荣湛不慌不乱的话语，半信半疑。

果不其然。工业园区进入第二年，每亩的租金就升值到15万元，而租期反而缩短了20年。又过三年，古二村的地又在每亩15万元的租金基础上翻了一番，达30万元，租期则仍为50年。

哈哈哈……真是绝了，坐地收金，财源滚滚而来，推也推不开哟！古二村的百姓喜得不知所措。

到2002年，原先规划的1200亩工业园区用地全部被灯饰企业主们抢走了。林荣湛当机立断，再增300亩扩大工业园区，又一次引进一批企业落户古二村。至此，村民们惊喜地发现：咱古二村不仅与古镇中心区连成了一片，而且初步形成的“中国灯都”竟然有相当大的面积就在古二村地盘上呀！哈哈哈，古二村的地值钱了，咱家家户户也可以将多余的房子租给那些想开店办厂或打工者了……钱！钱！钱！满袋子的钱也进了咱庄稼户啦！

“林书记，林书记呢？我们要谢谢林书记的英明决策！他、他上哪儿去了？”村民们找到村委会办公地，可村办公室的同志阴着脸，沉重地告诉他们：林书记上广州医院电疗去了……

啊！林书记得啥病了？

没事，没事。你们看，我不是挺好的嘛！一辆汽车急速地在村委会楼前停下，林荣湛吃力地从车厢内走出，强颜微笑地对乡亲们说。

林书记……村民们感动了。

林荣湛则向大家摆摆手，转身又进了会议室。

“同志们，今天我找大家来，是想一起研究一项投资5000多万的项目，即我们古二村准备买下古镇新建的目前最大的商业城的物业管理……”会议室里，林荣湛根本不像一个病人。

“那些日子很难忘，我们正在同镇上商榷签订两个投资大项目，偏偏我被医院查出患了重病。医生要求我到广州住院电疗，在这投资的节骨眼儿上，我哪有心思住院看病嘛！后来只好想了个办法：上午半天上广州去电疗，中午赶回村里上班。60天电疗，天天如此。为了不影响工作，我必须每天在清晨6点前往广州，然后中午前赶回来主持工作……1999年至2002年，是我们古二村工业区引资最紧张和最见成效的年份，我是村支书，许多重大决策得由我来敲定，我不干谁干？”林荣湛捋了一把头发，说：“有人说我显老，就是那几年忙的……”

古二村的百姓告诉我们，正是这位一心扑在村民利益上的村支书的苦心经营，古二村才从一个穷困村，变成了古镇最富裕的村之一。有一笔账记录了林荣湛的功绩：他刚当村支书时，全村的资产不足200万元，2002年他离开村支书岗位时，古二村的集体资产已达2.6亿元。

“听说你是在古二村实现富裕后才主动让贤的？”

林荣湛似乎对我们的问题早有准备。“是的。这个问题已经有不少记者问过了。其实很简单：当年镇党委、政府找我回村当干部，是为了让古二村富裕起来。现在古二村富裕了，今后的发展也有了保障，所以我在2002年底辞去了村支书职务，让给了比我年轻的同志。”林荣湛说得很平静，他把十年艰苦创业下的2亿多元巨额资产的交班，看作好像是一次车间里的日常交接。

“我们是共产党员，贡献再大，也是完成党和人民交付的任务，没有必要躺在功劳簿上自己给自己添负担。你们看我现在不是也挺好……”林荣湛告诉我们，他回到自己当年创办的企业后，为了不影响与原股东们的利益关系，自己提出重新办个新厂，白手起家。“你们看，这‘华劲塑料厂’，就是我现在的企业，用了三年时间，现在古镇也算是灯饰配件产业的塑料制品同行中排位‘老二’了。‘老大’是当年我创办的‘华星’……”林荣湛指着与“华劲”一路之隔的气势颇为宏伟的古镇著名企业“华星”厂区，颇为自豪。

林荣湛放弃做大老板当村干部、十年后又将创造的亿万财富主动让贤的事迹，在古镇被传为佳话。

毛泽东有句名言：政治路线确定之后，干部就是决定的因素。古镇党委、政府大胆启用“老板”当村主任、村支书的做法，直接带动了古镇这十余年从一个落后的农业小镇，朝着具有自己产业特色的灯饰产业王国的目标飞速而稳步地向前。

古镇模式，看似简单，却是中国共产党一级基层组织，在探索新的历史时期建设社会主义新农村的伟大实践中所创立的一种全新的执政举措与执政理念，它的意义无疑将是深刻而广泛的，只是我们或许还没有完全认识和理解而已。

呵，走出古一村、走出古二村……当我们折身返回古镇中心区的“灯都”时，正值西天落日，突然在夜幕与白昼交汇间，古镇大地亮起一片光明……那光映照半天，明亮通体地将整个古镇烘托成一个光芒万丈的、生根在大地之上的一轮新日，它淹没了城镇与乡村之间所有隔离的空间，也淹没了时间与岁月的轮回，一切的一切汇聚成光的海洋，光的世界，光的明与亮……

呵，这才是我们所要见的“灯都”！

这才是古镇共产党人拨亮的那盏世界上最亮的灯的璀璨……

第三章　小镇大世界

龙头产业

> 也有人劝我，大船不好调头，还是多个产业齐头并进稳当。我回答说：大船何必一定要调头，如果看准方向，乘风破浪，不是更快地到达理想的彼岸吗？
>
> ——吴润富

世界上有许多事无法用常规的思维去解释，但这并不影响某一事物或现象的存在与价值。南国小镇的中山古镇成为有世界影响的“灯都”、中国灯饰产业无须争辩的王国，就是这样一件用常规思维无法解释的事。

改革开放的中国大地上，正在和已经发生了无数令人难以置信的事情。古镇“灯都”便是特别耀眼的一例。

从工业革命的产业角度看，小镇开创大世界的先例并非鲜见。比如闻名世界的意大利瓷砖业，它居然高度集中在梭罗萨这样的小镇；德国印刷业闻名全球，而它也集中在欧伯瑟镇上……这说明，一个产业群的形成，具有“小镇大世界”的现象并不奇怪。问题是，像古镇这样既不具备“灯饰”产业先天条件和产业本身应有的个性特征，又不具备世界级商品市场必须有的销售与网络的地域优势，然而古镇就偏偏将中国灯饰产业之王的实质性荣誉搬到了自己的地盘上，并且让它生根开花又结出累累硕果。这就是古镇的神奇之处。

来到“灯都”古镇，几乎所有的外界人在为“灯都”惊叹之余，立即会发出一个问话：古镇人凭什么竟然把一个根本不起眼的地方变成了世界灯饰产业基地与庞大市场呀?

是啊，我们都有些弄不明白。

就说“古镇”这地名，先前我们一直以为它像山西的平遥、苏州的周庄、河南的开封等名镇那么具有悠久历史。古镇的古，其实与久远的历史无关，而是始于一二百年前两个姓古的家族在此安居立业，后慢慢形成了古镇这样一个小集镇而已。40 岁以上的人都还记得，二三十年前的古镇，仅是一支香烟的工夫便可以溜达完的一条小街。小镇街头除了一家卖些小百货的供销社和几个摆摊的小贩外，没有什么其他商市。但古镇人却从骨子里有经商传统，农民们除了种地以外，农闲时洗尽脚上的泥巴，拎只竹篮、背个口袋，到处捡破烂、拾废铜烂铁则是一贯传统。灯饰产业形成以前，邻近的小榄镇人开始以锁为业，大做生意时，古镇人则帮助镇里的小商小贩和小榄镇上的公私企业主，兼当远行千里之外的供销员。跑外勤的古镇供销员多时达千余人，这在中山一带颇有些名声。

供销员与纯粹的种地的农民相比，见识广了，脑子也显得聪明，经商意识必然强人一头。当袁达光等一批人弄出做灯的名堂后，古镇人——首先是那些跑外勤的供销员突然意识到做灯能赚钱，于是迅速调转船头，回到故里，你学我学，你干我也干，几乎是在一夜间把做灯赚大钱的意识，传遍了古镇的每一个角落，骚动了每一位原本就有经商意识的古镇人的心扉……袁达光他们做灯时，开始是合股的五个能人自己动手，包揽了一切工序和配件及市场经销，但后来生意做大了，原材料和配件再不可能单靠合股的几个人封闭式的拳打脚踢。于是，你做灯罩、我做灯座，你制玻璃、我铸螺丝……生意就这么越做越大。而 20 世纪 80 年代后，中国人民的生活迅速向小康水平迈进，家居建设似乎标志了多数国民奔小康的心态，无论在城市还是乡村，美丽的室内灯具装饰成为一种必需品，于是灯饰产业市场空前发展，势如破竹。袁达光们为古镇灯饰产业发展起了开拓性的作用，古镇“灯饰一条街”虽然在国内同行中也颇有名气，然而当时的浙江温州人做灯的水平和数量远在古镇之上，加之原有的如上海等国营大型灯具企业仍在主导主体市场，“中国灯饰市场”呈现多个烽火硝烟状态，谁是老大，谁来称霸，尚不明朗。

“讲什么都没有用，论长处，我们古镇现在的状况，无法跟别人相比。但我们有自己的强势，那就是我们想把灯饰产业做成全镇的龙头产业，这是影响和主宰全镇人民今天和未来的历史选择！”还是吴润富，他在新一年的施政报告中，几乎是用了“背水一战”这样充满火药味的誓言，向全镇发出铿锵有力的号召。

这是 1996 年的事。当镇政府基本完成对原有的集体企业转制工作后，摆在古镇镇党委和镇政府面前的任务是：如何确定古镇未来的发展方向。

当时的古镇镇有三大特色产业：一是花卉苗木种植。古镇农民有传统的种植花卉苗木技术，据说深圳市民消费的花卉苗木一半来自古镇人之手。二是塑料加工制品业。1996 年之前，古镇的工业产业比重中塑料加工产值名列第一。再就是新兴的灯饰业。

三足鼎立，何以单单选择了灯饰产业作为发展的龙头产业？凭什么？

“凭我们对市场前景的基本判断。”吴润富书记对我们的提问回答得很干脆。但这是他在 2006 年的口气。10 年前的时候，他可没有底气。那时他有的只是一种感觉，一种誓死要把灯饰“老大”的皇冠抢到自己手里的义无反顾的坚定信心。

“尽管当时我们决心很大，也看到了灯饰产业的前景，但毕竟要把全镇产业的所有‘鸡蛋’放进一个篮子，忧心显然是存在的。”吴润富书记袒露心扉道。“为此，在镇党委提出产业发展设想后，我们专门组织了班子成员和一批企业主到全国各地考察调研，结果是大家认为：国家发展迅猛，人民生活水平在不断提高，房地产业至少要持续10年、20年，居室中的灯饰产业肯定方兴未艾。古镇搞灯饰产业干定了！那次考察调研回来后，我们镇政府立即拍板古镇未来将全力发展灯饰产业！”

“有人当时提出疑问，说按照经典经济学家的观点，发展产业，就像鸡蛋不能放一个篮子里一样，免得一只篮子掉在地上，鸡蛋全部打碎了。也有人劝我，大船不好调头，还是多个产业齐头并进稳当。我回答说：大船何必一定要调头，如果看准方向，乘风破浪，不是更快地到达理想的彼岸吗？其实问题的根本并非是鸡蛋放一只篮子还是两只篮子的问题，也不是大船小船谁好调头的问题，关键是我们对某一产业认识和判断是否有准确的依据。当时中山市委、市政府提出‘一镇一品’战略，就是一个镇建立一个品牌产业的发展思路。这是很有远见和符合市场经济发展规律的。像我们古镇这样的小镇，放在全国、全球市场经济体系中看来，如沧海一粟。能够把一个产业做好、做大、做够，其市场空间和产业空间几乎永远是不成问题的，关键的关键是你能不能把这一品牌产业的主导权握在你手中……”吴润富10年前就在做“中国灯都”之梦。

他的理论是：世界上任何事物可能有个头，有个尾。但白天和黑夜则是永恒的。白天有太阳，我们不用愁，晚上就得有灯光。有黑夜，就有我们做灯人的事干，就有永远的市场让我们去赚钱。这一朴实而充满自然辩证法的“理论”，对坚定古镇人的信心起了至关重要的作用。有人可以怀疑生意的终极，但谁能怀疑黑夜会有一天突然消失？根本没有做灯历史的古镇人对灯饰产业的理解，就是从这朴实而不可逆转的自然规律中强化了自己的信心。

而他们的政府领导人则是发展这一产业最坚定的信仰者、支持者、鼓励者和领航者！

首届中国灯饰博览会

> 但我始料不及的是，当我将信将疑地来到古镇后，看到一个连一个的灯饰企业如雨后春笋般拔地而起，上规模、上档次的灯饰门市不胜枚举时，我被彻底地惊呆了：这就是古镇？
>
> ——中国照明电器协会原理事长曾耀章

吴润富的劲头十足。1998年，他就有个梦想——他要在自己的家乡办首届中国灯饰博览会。

“看看人家浙江义乌人是怎么搞市场的。他们能够成为中国最大的小商品市场，就是靠办博览会形成了强势。之后，没有人再敢与他们义乌竞争。我们古镇为什么不能搞灯饰博览会？”吴润富在会议上，拳头在桌子上敲得“咚咚”响。

“人家是义乌，我们是古镇，一个小镇也想办全国大博览会，传出去会不会让人笑歪了嘴？嘻……”有人窃笑。

“小镇为什么就不能搞大博览会？我们古镇要开这个先例！”吴润富很不服气。

“其他的先不说，论灯饰产业，目前温州和宁波那边比我们古镇的灯饰厂家和从业人员还要多，所以我们不算老大。这博览会一开，会不会让人笑话我们？”这个问题比较现实。如果博览会一开，人家多数专业灯饰人员和商家不往你这儿来，还真可能是一场笑话。

吴润富微微一笑，自信道："这个不用担心，我已经在温州和宁波灯饰主那儿了解实情，他们给我反馈的信息，更坚定我们古镇可以搞灯饰博览会的信心。"

"何以见得？"

"温州和宁波的灯饰商家向我透露了一个特别重要的信息：他们那儿的政府并不把灯饰放在当地重要的发展产业上，更没有像我们古镇镇政府能够倾全镇之力来支持和鼓励灯饰产业，所以我认为我们办博览会一定能成功！"

反对意见暂时平息。

"现在举手表决：同意镇政府今年筹办灯饰博览会的举手……"吴润富把决策建议亮在办公会议上。令他没有想到的是，他的意见没有被多数人通过。这是 1998 年的事。

"不着急。把准备工作和宣传工作再做扎实一些。争取明年办成功！"时任镇党委书记陈付松过来安慰他的搭档。

吴润富是个梦想主义者，他认准的目标一定要实现。"因为我的梦想是把古镇建成中国乃至世界的'灯都'，我要让古镇人扬眉吐气，让中国人扬眉吐气！"1999 年，吴润富再次将筹办首届中国灯饰博览会的提议交镇政府和党委成员及人大代表讨论时，顺利获得通过。

"举办全国性的博览会，不是我们想办就能办得了的呀！它是以国家行业部门的名义办的，所以必须人家批准你才能办。"吴润富又率领人马北上京城。

"古镇？古镇在哪个地方？倒是听过你们那儿做灯的人不少。不过要办全国性灯饰博览会，得在我们协会的专家调研合格基础上，经领导批准后才行。"国家轻工业联合会下属的中国照明电器协会工作人员这样对古镇人说。

对啊，去找老朋友、中国照明电器协会的会长陈燕生先生！

吴润富一拍脑袋，顿时兴奋起来。

功夫不负有心人。1998 年，吴润富想办博览会的事被拖下后，他并没有停止织梦。当时他听说中国照明电器协会正在广州召开理事会，便立即赶到会议现场。经人介绍，他见到了权威专家、中国照明电器协会的曾耀章、陈燕生、刘升平等有关领导。他们都是热心人，又见吴润富如此真诚，特别是被他对古镇灯饰产业发展的未来设想深深打动了。“那好吧，我们上你们古镇走一趟。”他们爽朗答应道。

吴润富简直快要掉眼泪了。想想，一个芝麻粒大的小镇产业，能把国家权威机构的专家和会长请去考察一番，这面子有多大?

中国照明电器协会的专家们此次古镇行，确实为日后古镇灯饰产业被国家权威部门认可，以及申报“中国灯都”和 1999 年举办首届中国灯饰博览会，都起到了关键性作用。

“那时候，我也是第一次听说古镇这个地方。”多少年后，曾耀章老先生这样回忆道：“被朋友从广州拉到古镇一路上，我就在想：一个小小的古镇，还真能生产出什么像样的灯饰产品来？那些生产厂家充其量也就是些规模小、档次低、不入流的小企业罢了。但我始料不及的是，当我将信将疑地来到古镇后，看到一个连一个的灯饰企业如雨后春笋般拔地而起，上规模、上档次的灯饰门市不胜枚举时，我被彻底惊呆了：这就是古镇？这就是我们还没有听说过的古镇灯饰市场？从此以后，古镇两个字就深深地刻在我的脑海里，尽管岁月流逝也永远无法抹去。回到广州后，我兴奋地把在古镇发现的‘新大陆’告诉了所有参加会议的理事单位和与会代表。他们听后也十分惊讶。会后很多人都跑到古镇来了。古镇的灯饰市场和名声便开始迅速在我们行业内传播，影响越来越大……”

北京之行，申办博览会的事宜顺利获得批准。现在就看古镇自己了！

“老实说，真把博览会的举办权拿到后，我的双手反而有些发抖。你想，如果一旦我们把博览会办砸了，或者办得不伦不类，那古镇的整个灯饰产业和市场可能从此再也抬不起头来，我怎么能对得起古镇的父老乡亲？怎能对得起全国几十万灯饰产业的朋友们？我们古镇的经济发展重新另开炉灶？我们真的没有退路，只有把博览会办好！”吴润富谈起当年举办博览会时，心潮仍然澎湃。

“那时我们的城镇建设都还在起步阶段。客人来了也没个饭店宾馆住，只能把客人安排到几十里外的中山市区和一江之隔的江门市，每天早出晚归地派专车接送；更没有博览会的主场馆，于是只好延用古镇的‘灯饰一条街’作为博览会的主会场进行。大街上办博览会，可能是我们古镇人的首创……”吴润富苦笑着对我们说。

“哪怎么办呢？”

“我们找了‘灯市一条街’上最好的地段，全长1.2公里，中间统一留出13米的通道，搭建临时展位，形如一条长龙。白天遮阳，晚上各种灯光一照，还挺壮观和美丽……”说到这儿，吴润富书记自个儿先笑了起来。“没法子，我们当时只有这样的水平和条件。对办博览会我们也没经验，为了办出点水准，我们特意从香港请了一位博览会总监。那人是个女的，又比较胖。有人就骂我，说吴润富不知要搞什么名堂，竟然还请了一位‘洋肥婆’！我是有嘴说不清，心想，现在没时间跟你们一件件事都细细解释，办好博览会才是真事。”

“虽然小镇办博览会，但我们是代表中国照明电器协会的，得有点像样的规模不是？于是我们准备了600多个参展摊位。其中给台湾商家留了160个位置。台湾灯饰在世界上有名气，我们古镇灯饰的许多工艺和技术就是受台商影响的。台商能参加博览会，代表了一种水准。哪知距博览会还有一个星期时，台商竟然一个都没来报到，我们当时非常紧张，觉得这太没面子了。中山市领导听说后也非常着急，说无论如何得想出个应急措施。到底怎么办？拉郎配也不是办法。我只好把古镇灯饰的企业主找来开临时紧急会议，请自己的灯饰企业帮助，大家还真挺帮忙，说愿意顶上那160个摊位。好了，一切准备就绪，只等拉开博览会帷幕……就在开幕式前两天，我们意外发现，那160个展位都被台商布满了五彩缤纷的灯饰产品！

“1999年10月15日，古镇有史以来最隆重和最伟大的时刻到来了。那天，古镇和海洲两个博览会场上人山人海……谁也没有想到会有这么多人来参加我们的灯饰博览盛会。当我看到那么多喜气洋洋的古镇人、中山人，还有从北京及全国各地、海内外来的领导、朋友和商家时，我知道我们古镇成功了！我们古镇的灯饰产业有希望了！那一刻，我有了一个新的更大的梦想……”吴润富激情满怀地向我们讲述着第一届有50余万人参加的古镇首届灯饰博览会的盛况。

“新梦想是什么？”

“我想我们古镇应该成为中国乃至世界的灯都！”吴润富的眼里闪闪发光。

灯都！多么诱人的名字！多么浪漫的遐想！多么美好的前景呵！我们今天站在已经成为“灯都”的古镇土地上，再去玩味当时吴润富的这个梦想时，虽然无法像他一样激情与浪漫，但我们知道这位古镇“灯都”的领航人，在带领全镇人民争取和建设这个伟大荣誉过程中所经历的所有酸甜苦辣……

历史总是在奋斗中创造着奇迹和推动着我们的认识。吴润富与古镇人正在不断开创诗一般的时代新篇章。

共产党人的风采就是在为人民的执政实践中闪烁光芒的。

灯都！古镇要建成“中国灯饰王国”“世界灯都”！这豪迈的宣言，拨动了古镇和古镇周边所有人的心弦……

是浪漫的畅想？是现实的梦幻？是浪漫和现实的交响乐？

是的。是一群共产党人站在历史与未来交汇的制高点上，引领自己的人民奔小康……发展强大国家的豪迈之气！

是的。是一个小镇人民联合整个产业的友人与商家们，吹响了在全球市场经济竞争浪潮的冲锋号角！

古镇人，从举办第一届全国灯饰博览会后，对“灯都”的渴望与追求已势在必得。

2500万元举办博览会，全部由政府投资……古镇镇党委和政府所做的一切，至今让古镇人民和中外灯饰业的人士们念念不忘。一个这样的党，一个这样的政府，能不被它的人民所拥护吗？

“让世界认识古镇，让古镇灯饰走向世界。”这是古镇首届灯饰博览会的主题口号。

“灯的艺术，灯的海洋。”这是2002年举办第二届灯饰博览会前吴润富又一次亲自想好的主题宣传语。

灯，是光之诗；灯，是艺术之光；灯，是人类组成诗一般生活的必需品。灯，作为商品时，它可以流淌出金钱的脆响声；灯，作为人们对事业的一种追求心理时，它泛动的则是激情与浪漫……呵，古镇人，是浪漫的现实商人；古镇人，又是现实的浪漫者。古镇人，注定要在灯与光的世界里，逍遥成充满现实主义情趣的浪漫诗人！

1999年之后的古镇灯饰的发展速度，超出了古镇人自己的想象。至2002年，古镇的灯饰年产销售额达60亿元，在全国灯饰市场上的占有量达60%以上，并在国际市场上显露实力。

古镇作为“中国灯都”的议题，已经不再是吴润富他们自己的梦想了。中国的权威们和全国灯饰市场的各路精英都将目光投向南国古镇——

2002年7月29日。古镇人有些紧张，又有些激动，因为这一天全国照明电器行业的100多位专家来到古镇，召开中国照明电器协会第四次理事会。再过3个多月，古镇举办的第二届中国灯饰博览会又将开幕。而此次博览会对古镇人非同一般——他们已经向国家轻工业联合会、中国照明电器协会提出了“中国灯饰之都”冠名的正式申请书了。国家级行业理事会在古镇的召开，其实就是一次“申冠”的检阅。成不成，几乎是在此一举！

会议那几日，古镇人始终在激动和紧张中度过着。100多位专家，虽然每天脸上都带着笑容和惊喜，但也时不时地闪动着挑剔的目光……他们看到的是振奋，听到的是豪迈，当然最想知道的还是实际的和现实的。

“各位专家、各位领导……我们古镇灯饰从初始到现在，已经走过了20年的历史。如今我们正在向‘中国灯饰之都’的道路上迈进。至少我们现在可以向诸位报告我们申请‘中国灯饰之都’冠名有如下理由：一、古镇灯饰在国内市场占有率达60%以上；二、在国内，古镇的客户资源最丰实，灯饰企业高度密集（仅古镇就有1800多家，成千上万个国内外专业买家不请自来）；三、古镇出口企业已达270多家，产品销往72个国家和地区；四、在国内灯饰行业中，古镇灯饰市场的硬件设施最完善；五、作为一个小镇，它居然拥有一份行业中影响力最大的专业报纸（《古镇灯饰报》）和一个点击率非常高、信息量非常丰富的专业网（“灯饰在线”）；六、拥有一个覆盖全国各大、中、小城市的物流网络；七、行业信息最集中；八、人居环境优越（古镇是全国文明城镇）；九、各类专业人才最集中；十、配套产业最完备……尊敬的各位专家、各位领导，我想上面的这十大理由还不至于完全概括目前古镇的优势，但它已足够说明古镇具有中国灯饰之都的魅力！”

“哗哗——”中国照明电器协会理事会会场，响起雷鸣般的掌声。当吴润富的眼睛再抬起时，他感觉自己的眼眶已经很湿很湿了……

“祝贺你！祝贺古镇人民！”2002年11月8日，第二届“中国·古镇国际灯饰博览会”如期在古镇开幕。那次博览会上，中国轻工业联合会正式授予古镇“中国灯饰之都”的匾牌。那一天，古镇沸腾了，所有人都沉浸在欢乐喜庆之中。只有吴润富——这位铁骨铮铮的汉子，几次消失在众人的视线之外。

他躲在不显眼的地方，拭着泪……那泪很热，甚至有些烫。

他比谁都清楚：“中国灯饰之都”名落古镇，这对古镇意味着什么！

它不只意味着金山银山，更多的是使命和责任，并且这种使命和责任不仅是古镇的，还是中山的、广东的、中国的，甚至是世界的……

第四章 “灯都”如此辉煌

如果说，1999年，第一届灯饰博览会的举办，使海内外第一次认识古镇镇的话，那么2002年第二届博览会期间获得国家授予的“中国灯饰之都”的冠名，则使古镇镇真正掀开了历史上的新篇章。

谁也不用怀疑古镇了，从参加第二届博览会的声势和阵营就可以看出：原先报名的参展企业达900余家，需求展位1000多个。而有限的场所，使古镇人不得不精选了400多家客商和742个展位来参展。而细心的人更会留意到，此次参展商中，除了大陆著名灯饰企业和重要客商全部到会外，台湾的商家参展成为一道格外亮丽的风景线。值得一提的是，像飞利浦、施华洛世奇、松下、松本、朗能等国际著名灯饰厂商也摆开空前的阵势，始终如一地参加了展会。6天展会期间，总成交量投资额达68亿元人民币，创下中国灯饰产业展会新纪录。

“灯都”已毋庸置疑，60余万的参观、参展人员就是对古镇现实和未来的一次大检阅。结论：古镇成为“中国灯都”当之无愧。

别以为小镇办不成大事。古镇人干得非常漂亮。与首届博览会相比，此时的小镇早已旧貌变新颜——26层的五星级“国贸大酒店”气势宏伟、金碧辉煌，使远道而来的中外宾客，有种置身国际大都市的感觉。那二十余万平方米的展览大厅，尽显国际博览会的高科技与星级式的服务；四通八达和热情周到的物流，让采购商从心底感受轻松与满意……再看看古镇新城，更是眼底尽收美景：那条号称“十里灯饰街”的新兴大道，如今又在原有基础上，加宽加长，延绵在古镇的城区与乡村之间，使得灯饰产业的空间更加绽放，更显异彩；与新兴大道遥相呼应的另两条新建大道——中兴路和东兴路，则使“十里灯饰街”向纵深和立体方向延伸，并与其他横串纵道的大街小巷相联结，勾出一个恰如巨型灯泡形的大“灯都”……

古镇“灯都”异彩纷呈，令人心潮澎湃，目不暇接。

到了“灯都”，你不看灯是种遗憾，但是，你看完这里的灯便不想再看天下的灯了。“灯都”的灯，将历史和未来、传统和时尚、中国和世界的灯，几乎一网打尽，各种灯饰尽在此间。

什么叫“灯都”？商人理解：那一定是汇总了天下各式各样、可以交易与贸易的灯；厂家理解：那一定是有你的我的和天下所有能工巧匠精心制作的、可以互相学习取经的灯；官员理解：那一定是代表当地与当代的时代背景、人文气息和民风民俗并体现执政主题的灯；美学家理解：那一定是注入了风格、个性、象形与欣赏、感悟、抽象、写实和其他美学元素的灯；文学家理解：那一定是语言、情愫、心态、结构和诗化的灯……呵，“灯都”，既然是灯的都市，就该具有天下所有人都能享受和获取的艺术、画面、景观和感觉、价值与愉悦……

古镇人做得到吗？那是一群以农民为主体的做灯人，他们能行吗？

这也许是我们这些已经生活习惯于大都市的、远道而来的访问者内心特别想探究的事。

“灯都”古镇，你经得起这样的拷问吗？

你必须经受这样的拷问。因为你是“灯都”——中国的灯都！

灯饰艺术的顶尖水平

因为我们是农民出身，所以迷恋自然和田园牧歌式的生活，灵感也由此而来……

——“开元灯饰”董事长区庚权

一个普通的中午时间。主人带来一位年轻的小伙子，介绍他是“开元灯饰”的老板，叫区庚权。

“姓区的多吗？”笔者问。

“多。我们古镇做灯的人中区姓占了相当部分。”小伙子回答说：“我是属于第三代古镇做灯人了。第一代在90年代前，第二代是2000年前的，我们是2000年以后开始从事灯饰生意的。”

“区庚权与我是同龄人，生意可是了不得啦！‘开元’在古镇和灯饰业中名气很大……”陪同的小崔说。

“小生意啦！我们仅仅是做点小生意而已。”区庚权说得很谦虚，表情上没有一点做作的样子。

“你祖上有人做过灯吗？”

“没有。祖辈是农民。”小伙子说：“我父亲是冈东村的老支书。他老人家在70年代养过鱼、种过花木，最多时承包过110亩地呢！后来古镇许多人做灯饰，我父亲也跟着改行做灯了……我中学毕业后，没上大学，出校门后看到大家都在做灯饰，就挤了进来。头几年给别人打工学艺。2000年开始自己做，起名‘开元’，意思是，新世纪到了，开创新纪元呗，图个吉利！”小伙子笑道。

“现在企业有多少人？”

“900多人。”

“年产能达多少？”

“1 亿来元。一半销国内，一半外销。民用灯为主，室内和户外灯都有。”

“有自己的品牌吗？”

“有。主要有两个：‘开元’和‘阿亚卡’。”

小伙子始终与笔者是一问一答，尽显谦和与低调。

“开元灯饰”到底如何？古镇人的制灯水平又到底如何？这是笔者在古镇时心头时常涌起的疑问。

必须破解。

机会来了——那天采访正好路过“灯市一条街”。“开元灯饰”十分醒目地跃入眼帘……“停停！我们上‘开元’看看！”

“好吧。”还是小崔陪同。

踏进“开元”那一瞬，我们的目光惊呆了：数百平方米的“开元灯饰”首层销售大厅，吊满了各式各样的水晶灯饰，有的大如冰树，遮天盖地；有的如银藤，攀岩登壁；有的似雪花飞流，仙女散花；有的似银树火花，光芒四射……总而言之，眼前一片晶莹剔透，光彩绚丽，尽显洁净、透明、耀眼、豪华、奢侈和美之感。笔者十多年前采访过我国著名的水晶之乡——江苏东海，故而对水晶制品略知一二。今天重新置身在水晶艺术世界，不由油然升起那熟悉而陌生的情愫来。于是特别挑出几例细品起来：哇，这里竟然也有来自奥地利施特劳斯系列水晶垂饰，那颗颗含苞欲滴的水晶珠，呈现的都是奥地利最著名的艺术大师施华洛世奇的原创意境，其特点是不但在水晶切割技术方面出类拔萃，而且这样的水晶珠一旦与光线完美的交融时，最能折射出光线的耀目光彩和高雅气质。“开元”对许多水晶灯饰采用的冷光灯光源是当下国际最新颖的透明或半透明的乳色防暴灯杯，于是还原水晶色彩的效果更好，使其景物更真实、更玲珑剔透、完美无瑕，让颗颗水晶在灯光的照明下，反射出自身的全部魅力，或似宇宙间颗颗小太阳，或似月亮边的繁星，或似与太阳和月亮争艳的少女，楚楚动人、婀娜多姿……

“欢迎欢迎”。见过面的区庚权小伙子，热情出面接待。

“这些都是你企业生产的？”笔者轻轻抚摸着一盏盏美轮美奂的水晶灯饰，迫不及待地问主人。

“都是。”小伙子还是轻易不多言一语。

“原料是国内的？”

“有一部分。但多数是进口的……”

“这么美的工艺都是你们自己制造的？”

“对。我们有比较先进的设备，还有一个专门的研发部门，他们都是一流的技术人员。另外，我们公司在质量管理方面也注意得比较早些，2001 年时就通过了国家的 ISO9000 质量体系的认证……”小伙子不经意的话，令笔者暗暗佩服，因为中国一些地区的产业虽然市场占有率很高，可假货次货问题始终让中国人抬不起头的事似乎是一个通病。古镇是否也存在这样的问题，同样是我们的心头疑虑。

“古镇从灯饰产业形成初级阶段时，我们就非常重视抓灯饰质量问题，而且可以说是下了血本。1996 年时，镇政府就专门成立了一个质检办公室，有 4 名专职人员。后来又抽出 20 个人，进行专业培训。这批人是古镇灯饰质量把关的专门队伍，他们的职责是及时监督灯饰市场上存在的问题，并以具体的管理条例加予处置。由于国家尚无对民用灯饰质量的检测管理标准，我们镇政府便率先吸收国内外专业技术，自定了一套符合国际水平的民用灯饰质量检测体系，把普及灯饰质量与普法教育一起在全镇灯饰从业人员中进行宣传教育，利用电视特设了每天播出的‘灯饰质量一分钟’节目。所有这些都由政府统一组织实施，定期检查，通报情况。对各企业业主，我们进行定期的培训，要求他们在自己的企业里设立质量检测专门人员。几年下来，古镇灯饰质量完全达到了国内外同行的先进水平。我们可以从近几年像意大利、西班牙等国际著名企业到古镇灯饰企业寻找‘贴牌’生产的趋势看出，古镇灯饰质量是过关的、硬气的……”镇长吴礼煊的落地有声的话语，突然回响在我们的耳边。

古镇灯饰质量过硬已是不争的客观事实！

“开元”老板让我们见识他的“国际产品展厅”时，我们所见到的产品彻底地将原先留存在心头的怀疑抛消了……

呵，这世界上竟然还有这样的灯饰！还有这样美的灯饰！还可以有这样美和多彩的灯饰！

你瞧，那一款出自意大利著名设计师之手的具有明显的18世纪欧洲文艺复兴时代艺术色彩的灯饰，无论从哪个角度看，都是独特而无可比拟的。它形如一条固定在半空的缎带，朴素无华的台灯营造出极简的美学。虽然灯臂和灯座简单如弯曲的线条，却丝毫不影响它的照明功能，低瓦的灯管使台灯不至于炙热，而红色的灯管也是设计的一部分。设计中也简化了灯座，使其不占空间，如此的一盏台灯，显然是设计者希望让购买这款灯饰的人享受一种回归数学的理性。从这一灯饰，我们感受到了什么叫世界级灯饰艺术的顶尖水平。

“开元”的区庚权介绍说：“意大利设计师素来自信是全世界最好的设计师，他们的设计理念简洁而富有新意，实现了功能、美感和环保的完美结合。‘开元灯饰’有一半销往国际市场，因此，学习和吸收世界顶级艺术设计是我们的一个基本目标。而由于我们‘开元’是中国的灯饰，所以我们除了注意吸收如意大利、西班牙等国家的著名灯饰设计大师的艺术风格外，还十分注重自主创新。因为我们充分认识到，中国灯饰要真正走向世界，必须有自己民族风格的自主设计产品。”

“你们准备怎么做？”

“我们不是准备怎么做，而是已经做了不少。请上楼参观——”小伙子带我们上了另一个灯饰展厅。

哈，这是灯？这真的是灯！古镇的灯！

我们又一次被眼前的奇妙的灯饰惊呆了——呆透了：这是个绿色的、粉色的、紫色的、黄色的……世界！我们仿佛走进了一个植物园——灯的植物园！这里有“菊花灯”“牡丹灯”“荷花灯”，有“西瓜灯”“香蕉灯”“桃灯”，还有“柳树灯”“棕树灯”“向日葵灯”……呵，这才叫作艺术！取自自然胜于自然的艺术！

“你们怎么会想得出这种创意？简直太绝了！”

主人笑笑，说：“因为我们是农民出身，所以迷恋自然和田园牧歌式的生活，灵感也由此而来……”

哈哈哈……绝妙的回答。可不，古镇灯饰人，多数是农民，但谁能说古镇农民不能创造人间奇迹？他们不是已经创造并且也被全世界证明了中国农民的伟大吗？

一个经典的灯饰作品，应该包含了很强的地域文化和民俗美学的成分，它是发挥创造力和想象力的一种方式，更是对人类美感经验的一种体现。“开元灯饰”系列，正是突破了传统灯具的设计理念，又将欧式与中式完美统一，在现代中透露出古典，将浪漫主义的朦胧风格发挥到极致，所以令人痴迷和陶醉。面对如此精美绝伦的灯饰艺术，我们不可能不畅想和诗化，也不可能不产生文学的感觉。

于是我们在想：在生活中，许多感官需要被满足。一个家庭中如果没有灯具，就像人没有了眼睛一样，没有了眼睛的家庭只能生活在黑暗中。所以灯，无论在室外还是在室内，它是我们人类生活必不可少的生活组成部分。如今人们将照明的灯具叫灯饰，从称谓上便可以看出，灯具不仅仅是照明，而且更多的是一种生活的点缀。而环境则对人的情结产生很大的影响。灯饰有时就像一曲舒缓的乐曲，有时如楚楚动情的少女，有时又如一首心灵的诗歌……灯，可以让我们的生活和人的价值观发生某些变化与更迭，也为推进这个世界文明进程产生一定作用。制造灯饰的人，因此需要商业意识，需要艺术创造，同时更多需要历史与人文的注入，这样的制品才会永恒。

在“开元”，我欣慰地看到了这一切。

古镇灯饰行业的“黄埔军校”

走过 20 多年的灯饰之路，尤其是我们古镇成为‘灯都’后，我们再不能简单地以产值和销量来衡定自我了。作为‘灯都’产业的龙头企业，我们的责任应该比别人多一份……

——“华艺灯饰”董事长区炳文

在古镇，不识“华艺”一定是个遗憾。

“华艺”代表着古镇灯饰人的创业精神与古镇灯饰的艺术灵魂。“华艺”的灯饰品牌在同行中影响非常大，古镇搞灯饰的对其无人不晓。但“华艺”的老板与“开元”的主人一样，很低调，这让我们对古镇人产生了一种心理上的好感——“只管干好自己的活，从不在嘴巴上抹油”。一个创造奇迹的地方，总有一种令人敬佩的文化。古镇也不例外。

老板也是区姓，与区庚权是同村人。属龙的区炳文说，他们区氏家族在古镇做灯饰有个行业品德，都不太愿宣扬。“你们是北京来的，政府又打电话来让我一定要接受采访，所以我不得不跟你们聊几句……”

这一聊，就是半天。最后区炳文自己都感到有些意外，笑说：“看来我们有缘。”

“华艺灯饰”在古镇算是第一代了。1986年10月13日，区炳文是被叔叔的一个儿子拉下“灯海”的。“这个日子我一直记着。因为当时心里很没数，你们不知道，在下灯海之前，我搞花木生意6年了，现在一下转行搞灯饰，心里有些发虚，压力很大。可既然干了，就不能吃回头草了。于是我叫上自己的弟弟区锦标及堂侄蔡健铭，3个人共集资5万元开了华艺灯饰电器厂……”区炳文说。

3个人凑出5万元而不是6万元，是因为区锦标拿不出2万元，所以股金只好5万元。开始都是小打小闹，再说谁也心里没底，这灯饰生意到底能做到什么样子。“我们开始根本也不会搞。买了一台照相机，跑到外面的商场和酒店，看哪种灯好就把它照下来，再印成照片，然而拿着照片跑到兰州等地去问人家要不要。如果有人看着照片说这个我要多少、那个你给我备货多少，我们就赶紧跟人家订份合同，再火速返回古镇做灯……”原来“灯饰大王”是这样起家的呀！

区炳文笑道：“那时所谓的灯也比较简单，就是一块玻璃，一根铜管，一只灯泡，你要是在玻璃上弄点花样，再把铜管拧个图案，或者在灯座上弄点新名堂，可能就是一款非常畅销的灯具了。”

“开张4个月，到第二年春节，我们已经赚了4万多元。加上本钱共有近10万元了，所以想做更大的生意。我们就在村里租下了农机维修站的300多平方米的厂房……生意不错。10个月下来，我们正在成都那边铺开销路，有一天一位朋友对我说：你假如要把生意做大，就得建立‘根’。我问啥叫‘根’，他说就是你得有自己的品牌产品。他的话对我启发很大，从那时开始，我们‘华艺’就走了一条与众不同的路——特别注意研制自己的产品。当时吸顶灯老百姓都很喜欢，而吸顶灯的灯罩式样是关键，于是我们花血本买了台吸塑机。有了吸塑机，就能抽出各式各样的吸顶灯罩。生意果然不一样。第二年，我们把头年赚的钱全部用来买设备，一下又进了11台吸塑机。这在当时的古镇，算是少有的。同时为了接待各地的客户，我们正式在古镇街上开了一家灯饰店。这也是古镇比较像样的第一家灯饰门市。这下不要紧，我们的店一开，古镇人都知道做灯能赚大钱，后来就呼啦全上了。古镇灯饰行业就这么一下起来了，直至今天这个样……”

早听人说“华艺”是古镇灯饰业的“黄埔军校”，从区炳文嘴里我们得到了证实。“这不奇怪。当时我们办厂比较早，后来赚了钱，所以厂子里有一些头脑精明点的员工就自己另开炉灶……好事。如果没有这些人跟着我们做，古镇的灯饰市场就做不大，单靠我们‘华艺’一家也撑不起来。”区炳文对此引以为自豪，并无任何压力。“即使到了现在，古镇灯饰产业要发展，也必须依靠你追我赶的激烈的市场竞争，才有好戏看，否则一潭死水成不了潮汐，一枝独秀成不了春色。”

“华艺”之后的战略，是向外扩张。他们以其强大的实力和品牌，在全国各地建立办事处、连锁店和专卖店，多时达1000余家。“但是我们也走过弯路。”早已稳居古镇灯饰“老大”的区炳文先生是个十分坦诚的经营家，他说古镇灯业发展到今天，走过的道路也有曲折的时候，让外人和后人知道这些情况，对古镇未来发展是有好处的。“钱赚多赚少只是个数字，但经验和教训才是经商的真金。我们华艺也有一个低潮的时候，20世纪90年代，古镇正处大发展时，我们华艺的主场则在古镇之外。后来我们及时将战线从外面拉回古镇本土，可由于投资策略上一次重大失误，结果丧失了一次黄金发展期。好在后来我们及时纠正发展的战略方向，重新将企业发展重心回到灯饰。同时依靠相当强劲的经济实力和技术优势，把产品转向节能灯饰，又建立了自己的包装、配件和外贸体系，使得华艺能以灯饰‘航母’的阵营，乘风破浪杀回市场。特别是借助与专业配套产品企业的强强联合，以及大力开发有自己知识产权和质量保障体系的品牌产品，使‘华艺’在很短时间内，重振雄威。”

似乎必问的一个话题：“‘华艺’的年销额现在达多少？”

区炳文笑笑，淡淡地回答：“四五个亿吧！”

我们的内心有种敬佩：“实在不能小看古镇人！”

“走过20多年的灯饰之路，尤其是我们古镇成为‘灯都’后，我们再不能简单地以产值和销量来衡定自我了。作为‘灯都’产业的龙头企业，我们的责任应该比别人多一份，这就是如何维护和推进这个产业的更大化、更具竞争力。文化和素质，便是今天古镇所有灯饰从业人员与企业的生命线。一种文化的产生，需要点滴积累。企业文化的形成，关键在指导思想。灯饰之都的文化形成，则需要整个产业的从业人员特别是起着领航示范作用的企业主们，加强学习，不断学习。吴润富书记提出‘学习、学习再学习’的理念，非常英明。他的一句名言，值得我们所有古镇人品味：搞灯饰的人不来古镇是他自己的错，但来了古镇再不来则是古镇的错。一个‘灯都’领导有这样的意识，就是一种含意非常深刻的文化。‘华艺’能够从一个‘兄弟合股小厂’，发展到可以与国际著名灯饰企业竞争的国际化集团企业，我们遵循的正是一种始终从自身找问题和不足的文化意识。这是一种内动力。就像古镇当年力争‘灯都’冠名面临的考验一样，没有把自己的事情做好、做细致的内动力，再好的市场、再好的机遇，也只能如一阵凉风从身边吹过一样，你不能获得真正的凉意……”区炳文品着香茶，侃侃而谈，似乎根本不像在接受采访，而像古镇灯都的一位“教父”在传授着播智除愚的真谛。

我们似乎开始明白古镇为什么能够成为“灯都”了。

“华艺”现在的总部在古镇“灯饰”繁华的地段，拥有30余亩大的面积。“太小了！越发觉得束手束脚了！”区炳文在我们告别时透露：他已经买下170亩土地，投资几亿元的新厂区即将开工。“可我最得意的不是这个，而是这些年里，从我们‘华艺’走出去的人中，至少有50人成为老板，其中不少人已经成为年产亿元的大企业主……”区炳文认为，这是他对古镇最大的贡献之处。

难道不是？

我们又一次重新认识古镇人。

筑巢引凤

古镇不只属于我们古镇人自己的，而今天的古镇属于来自五湖四海的那些热爱古镇、专注灯饰，并为繁荣古镇灯饰产业奉献聪明才智的所有新古镇人。

——古镇镇曹一村党支书区群松

漫步在琳琅满目、光华琉璃的“灯都”。像“华艺”“开元”这样的品牌企业，如繁星般众多——

“东方”“华达”“松本”“巨人”“中意”“华裕”“迪安”“奥本”“华泰”“一铭”……

“赛迪斯”“罗浮宫”“欧利斯”“雅诺斯”“太平洋”“澳诗宝”“金苹果”“普斯特”“威特丽”……

它们中间的故事，每一个都很精彩。

“做生意与做人一个道理。要想做好生意，先必须把做人的道理弄明白。”“巨人”的老板区超鸿给自己的企业定位是：诚实做人，诚信做事。做好自己的产品，做好自己的工作，拿出手的东西必须让人叫好。

“巨人”之舟这样开启远航——
再回首
一条艰辛而辉煌的道路
迎面
清新的海风已送来爽朗的潮声
蔚蓝色的海面上
虽有风浪和惊涛
但汹涌着无尽的内涵与力量
这就是走向世界的“松普”照明
这就是走向国际的“松普人”

——“松普人”以一首诗来开篇介绍自己的企业与主人，表明了他们拥有顽强而坚定的自信，气吞山河与海纳百川的胸怀。

“你是一个消费者，你必定在选择商品时，首先考虑的是是否中意。你是一个企业，你必须把自己的产品打磨得你自己先中意。中意是内心的一杆秤，它一头连着消费者，一头连着你自己……”一个才20岁出头的姑娘，她把经商的真谛摸得如此透彻，她的事业不“中意”才怪。

虞圆媛撑着“中意”之舟，演绎着小镇巾帼不让须眉的传奇。

“我是古镇人，我为自己是古镇人而自豪。但今天的古镇意义和‘古镇人’的概念完全不同了。古镇不只属于我们古镇人自己的，而今天的古镇人属于来自五湖四海的那些热爱古镇、专注灯饰，并为繁荣古镇灯饰产业奉献聪明才智的所有新古镇人。”这段话，出自古镇镇曹一村党支书区群松之口。

“只要你看一眼我们这个远离古镇中心的农村今天的景象，

你就会理解我的话。”那天到曹一村采访，村支书老区就这样对我们说。

于是我们推开他的办公室，朝向窗外举目远眺：眼前是一个楼宇林立、街道纵横、车水马龙的完全的城市！其规模、其水准，可以同任何一个内地的中小型城市媲美。

“统计过在你村里现在居住着多少人？”

“本村居民是5600来人，但外来常住人口和每天的流动人口无法统计，到底多少谁也没有真正说对过。因为我们曹一村现在是古镇灯饰市场的物流中心，每天来往全国各地的车辆和人员多数经过这里，你能数得清来来往往的人吗？但有一个数字我可以告诉你们：2000年时，我们村干部们在研究本村经济发展时，看准了古镇中心区灯饰市场蓬勃发展的前景，想通过本村的地理空间优势，搞一些与古镇中心区配套的房产出租业和物流生意。第一次投资2000多万元盖了三栋楼，开始大伙很担心会不会有人来租。后来不仅很快有人来求租，而且不断有人来问有没有新的房源，于是我们村就不断盖房，5年下来，我们不知盖了多少房子，甚至连自己都记不住……百姓也跟着一次次翻新自己的住宅，扩大自己的厂房。这小乡村转眼间便与城市连在一起……”当兵出身的老区，依然保留了一些军人的豪爽性格。他也是当年从“老板”走向村干部的“红色资本家”之一。一个很有经济头脑的村支书。

“古镇发展，单靠古镇人并不能有大发展。古镇人必须把巢筑好，才能引来四海的金凤凰，才能带动古镇腾飞。”区群松说他的这套理念是基于本村的发展经验。他介绍说，自从古镇举办第一次灯饰博览会后，全镇上下都在大发展，可作为远离镇中心区的曹一村如何发展成为摆在他们村班子成员面前的一个头等重要的思考题。没有别的出路，只有膀着“灯都”这只大船一起航行，曹一村才可能“有吃有喝”，否则孤舟搏浪，随时有覆至海底的危险。怎么办？举兵进军镇中心区与人争夺市场？不能。那是人家的地盘，你曹一村在那里既无资金实力又无土地资源，空凭一股激情和勇气，与阿Q没什么两样。“筑巢引凤”“滚球战术”！区群松在村委会上亮出自己的观点，并将数月实地调查下来的一条条理由向村干部和村民代表们亮相，同时把具体实施方案一一掏出。

“群松啊，你的账算得在理，可要是房子盖了，没人来租咋办？”几位老村干部问区群松。

“那就得把房子盖得比古镇上的房子都要好！”区群松回答说。

“筑巢引凤”战略启动。第一批造房子三栋，总投资达2100多万元，倾全村之力……区群松带领干部群众没黑没夜地战斗数月，气派非凡的三栋写字大楼在田园花木丛中巍然崛起，独领古镇风骚。

“我们要了！”东莞一家在古镇的贸易公司当下以百万元的年租金要下其中一栋，随即又有数家大小公司租下另一栋……哈哈哈，房子还是我们的，一年净收200万元租金！赚大了！“我宣布，从今天开始，全村所有退休老人的养老金都有着落了！并且在原有基础上每人每月再涨100元！月月领取！”村民大会上，区群松的腰板从未如此硬朗过。

“天大好事！”

“群松，你能不能再盖几栋大楼呀？”

村民大会上，那些老村民满脸笑哈哈地冲区支书嚷嚷道。

“只要大伙儿支持，我们还要盖更多更多的大楼！”

“好，盖吧！你们放手盖吧！我们支持没说的！”

干群一条心，登天也有梯。曹一村的房子后来越盖越多，一直盖到今天这个样——如镇如城，又连镇连城，成了“灯都”的一部分。有人说今日的曹一村是“灯都”古镇的后花园。因为它是四周由田园簇拥的新城新镇，又是新城新镇连片的田园……

“当我们的曹一村成为古镇‘灯都’的后花园时，如何让生活在这一片土地上的外来从商人员把根留住，成为我们的一种义不容辞的责任和使命。”区群松说，这几年，村里从物业获得的集体收益中，拿出相当大的数目用于改造道路，改善教育条件和居民环境。“不是吹的，曹一村的学校、曹一村的道路、曹一村的环境，敢同古镇上任何一个地方相比！我们不比第一，但比最好。”区群松书记底气十足地这样说。

“走，咱们去看看刚建好的‘天宏物流市场’！”区群松一定要让我们开开眼界。

穿过一片崭新的街道，我们的眼前是一栋气势宏伟的建筑，那造型是中西结合物，而更多的是古罗马式的风格。

“这么好的地方，做什么用？”

“物流。古镇现在是‘中国灯都’，每天从这里发往全国各地和海外的货物几千车次，物流产业必不可少。我们这里就承担了这一任务。”区书记的解释让我们终于明白过来。

“不就是车来车往，用得着建这么好的建筑？”

“那不对。古镇既然是‘灯都’，它的所有配套设施都必须符合‘灯都’的要求和水平。让所有来到我们古镇的外地宾客，哪怕他只停一天、留一宿，我们都要让他有种回家的感觉……”想不到古镇农民已有如此好的“都市意识”！

古镇不只是属于我们自己的，古镇是属于中国的，甚至是世界的。这样的话我们不仅随处可听，而且随处感受。

温州人的第二故乡

温州人与古镇人越来越融合在一起，成为一家人。

我们在商海中，发挥各自优势，并合力缔造古镇灯都，前景无限美好。

——中山市温州商会会长董承聪

没有人比温州人更深切体会古镇人的这句话的内涵与意义。

素有“东方犹太人”之称的温州人，非常了不起。他们在中国走向市场经济的历史发展进程中起了不可替代的作用。

古镇“灯都”，同样不可抹去温州人的功绩。

温州人比古镇人干灯饰要早，而且即使在古镇人雄心勃勃称霸灯饰天下时，温州人的力量仍然不比古镇人逊色。但温州人以“温和”的性格“投降”了古镇人——他们在无奈中举家迁移到了第二故乡——古镇。

温州人从商的伟大和不屈精神值得我们学习。

新都酒店 3 楼。中山温州商会就设在此。

温州人做生意的满世界都有。他们虽然各奔前程，但却普遍有组织严密的同乡商会。中山市的温州商会竟然在古镇，可见温州人在中山的生意人主要集中在古镇。一问会长董承聪，答案更加明了：温州人在中山市的生意人，百分之九十以上在古镇做灯饰生意。

吴润富书记也不止一次对我们讲过：古镇之所以能成为“中国灯都”、产业发展到如此之大，温州人功不可没!

温州人在古镇的贡献无论从他们所参与的人数，还是他们给这个“灯都”留下的财富，都是巨大而不可替代的。

“目前在古镇的温州人大约有 18000 人，占古镇灯饰从业人员的近三分之一。”董会长还告诉我们这样一个数字：“十多年前，灯饰产业曾经是温州四大产业之一，并列于皮鞋、服装和五金产业。但十年以后 95% 的温州灯饰老板都跑到古镇来了。现在温州本地的灯饰企业已经消亡，只有个别主要不是靠灯饰产业活着的企业，没有人再相信温州灯饰还有多少生命力。”

“为什么温州灯饰由老大最后变成了古镇的‘臣民’？”

“主要原因是古镇的政府对这一产业的全力支持起了关键作用，相反温州地区的政府从一开始就没有给予这个已经发展很好的产业以政策上的支持。市场经济就是这么残酷，竞争嘛！但任何一种产业，要具备规模和强大的竞争力，当地政府不给予支持和扶植，终究会消失优势的。”

“你们不埋怨温州政府？不记恨古镇政府？”

“不。相反，我们非常感激古镇政府。因为是他们使我们这些温州灯商有了越来越大的生意做，我说的完全是实话。”董会长一再这样解释：“温州灯饰在1995年前比古镇这边要强，做灯的人也多。但温州的产业基本上都是靠个体私营业主自然发展，得不到政府更多的扶植和支持。而90年代中期以后，国内和国际灯饰市场出现新的产业变化。作为重要的全球灯饰产业重要地区的台湾灯饰产业商们开始到大陆寻找廉价的劳动力资源，他们首选了广东，选择了古镇。由于台湾灯饰业具有国际灯饰产业的先进管理理念与先进设备和生产技术工艺，古镇的灯饰从这个时候逢到了两个大好机遇：一是台商把大量的先进技术与设备带进来，二是政府倾力支持这一产业，比如像古镇办第一届灯饰博览会，政府掏出2500万元来为发展这个产业做‘赔本’生意。这样的举措恐怕只有古镇能做得到。温州灯饰业失败于古镇是一种必然。温州灯饰业没有这些好事，从温州灯饰产业的结构而言必然输给古镇，因为过去我们主要做低档产品。80年代、90年代初期中国人的生活水平低时，我们生产低档灯饰，市场还不错，但到了90年代中后期，中国人的生活水平提高了，大家装修房子、配套家居也向中高档看齐了，以中高档产品为主的古镇灯饰便超过了我们温州灯饰……”

“有人说，1999 年古镇灯饰举办首届灯饰博览会是古镇灯饰与温州灯饰竞争的分水线，你同意这个看法吗？”

“这是事实。但我想即便古镇不开这个博览会，古镇灯饰早晚也会战胜温州灯饰的。这是内部和外部两个因素在起作用。古镇在这两个方面都优势于我们温州商。”

“你们现在服输了吗？”

“我们早就服输了，而且今天的温州灯商以自己能融入古镇灯饰业和成为古镇‘灯都’的一员而感到自豪。”

“为什么？”

“很简单的道理：近十年中特别是新世纪后的这些年里，温州灯商绝大多数迁移到了古镇来，今天大家的生意多数是越做越好，这在温州本地上几乎是不可能的事。做生意是为了赚钱，不赚钱就是死路，温州人做生意也不是所有的人都是成功者，更不是干什么产业那个产业就兴旺的。从这个意义上讲，我们温州灯商从心底里真的非常感激古镇。是古镇灯饰产业的发展让我们温州灯商有了新的发展希望和生存空间。但我想特别告诉你们的是：由于古镇人民和政府对我们温州灯商的包容与政策上的关怀，我们今天的温州灯商，已经更多的是自愿做古镇人。其实我们现在已经是名副其实的古镇人了！”董承聪会长告诉我，早在前几年就把户口从温州迁到了古镇。“乐观地讲，我们在古镇从商的 10000 多温州人，至少有一半已经实质上成了古镇人。我的一家是其中之一，我的大孩子是在古镇这边考上大学的，现在在广州读大学，小儿子也在这里上学，他们不可能再回温州了。我们温州灯商的第二代基本上都会把根留在古镇、留在中山。因为这里有我们的生意和事业可做，温州人的个性是，愿意把自己的命运与生意连在一起。”

“感觉这里有什么不适合你们的地方吗？比如习惯、比如本土人有没有排外行为与心理？”

董会长使劲摇头：“没有。至少我来这么多年没有这种感觉。中山市和古镇这里有个传统，他们有包容心，对人博爱。我们温州人来到这里后，他们完全没有把我们当作是外地人，在经商和生活方面，一视同仁。相反，在许多方面比对本地百姓还要照顾我们，甚至连政治方面都是这样。我个人就是个例证：我是中山市的政协委员和中山市工商联常委。我们不少温州籍的新古镇人中，有好几个是市和镇级政协、工商、人大的代表与委员，我们与本土人享受着同样的政治权利。”

“温州人作为新古镇人，你们的优势是否还能存在和发扬呢？”

“当然。不仅存在，而且发扬得很好。”董会长谈这个话题似乎特别起劲。他说：“温州人的优势在于勤劳、不怕苦，而且从市场网络这个角度，我们比哪个地方的经商者都要强势。即使是现在的以古镇为中心的全国灯饰市场上，温州灯商的网络优势仍无人可比。我们温州人做生意比较早，并且都是依靠亲戚朋友建立起的网络，非常可靠牢固。还有一个情况是：温州人到古镇来做生意，多数是带着资金来办厂办店。有人做过统计，古镇目前的灯饰市场产业中，温州人投资额占了相当大的比例，甚至有半壁江山。我还可以告诉你一件事：当我们成为新的古镇人、新的中山人后，我们把建设美好的古镇和美好的中山也当作了自己的一份责任。我们商会积极要求会员们都起来为新的家乡贡献力量，大家都来为新家乡招商引资。最近我们商会就为古镇近邻东升镇引进了一个置地1600亩、投资6亿多人民币的大项目。投资人是我们温州人，牵线搭桥的也是我们温州籍人。”

“温州人与古镇人越来越融合在一起，成为一家人。我们在商海中，发挥各自优势，并合力缔造古镇灯都，前景无限美好。”董会长激情满怀，他说你们应该去采访一些在这里干得非常漂亮的温州灯商，“他们比我的体会更深切。”

自然的事。

说温州灯商，离不开“欧普”。说“欧普”，先要说王耀海。

在古镇，王耀海是个传奇。他所缔造的“欧普”是灯饰界的一个神话。王耀海是浙江丽水人，不是真正的温州人，但他自己归从温州人。王耀海是大学毕业生——古镇灯饰界现在大学生已经不少。初到古镇时，他给别人打工、当管理人员。有人不理解，说温州人都愿意自己做老板，只有他王耀海“傻”。王耀海笑笑，不理会别人怎么说他，只管干好自己的那份工作。几年下来，王耀海摸清了灯饰业的全部生产、经销和管理等等环节的门道，1997 年自己开店办厂，第一个品牌是“绿明”。这家伙后发制人，一进灯饰产业，就成了一匹雄风四起的“黑马”——如今他的“欧普”在温州灯商里是“老大”，在古镇灯饰界是第一方阵，在国际行业里同样名声显赫，威震全球。

有人说，王耀海智商太高，学不了他。但像王耀海一样在古镇创造奇迹的温州籍灯商人士，则非王耀海一人。

“爱的华”总经理华云光算是一个。小华年岁不大，但做灯的时间却不算短。1991 年他看到自己的家乡那儿的灯饰市场特别红火，便与年轻的妻子商量后开起了一个“夫妻店”。但后来生意不是做得那么好。一直到 2000 年他到古镇后，命运就发生了改变。古镇的火爆灯饰市场，使小华下定“要不就别做灯，做灯就必须到古镇来”的决心。父亲和妻子都支持他到古镇来。于是小华带着 7 个技术人员、100 余万元资金，在古镇灯市旺地租下铺面，又在海洲建了生产基地，开始了他在“第二故乡”的创业……弹指一挥间，5 年过来了，“爱的华”如今在古镇灯饰界到处可见其影，成为品牌。

温州籍新古镇人有一大批在灯饰界驰骋风云，而同时他们又默默无闻，埋头苦干。董承聪会长介绍过，有个“大志一川灯饰”，或许连古镇人都很少有人听说过，但这个企业做得相当棒，国际市场上“老外”都认“大志一川”产品。“大志一川”的老板是纯粹的温州人，他在温州时的企业名称叫“大志灯饰”，后来到古镇办厂重新注册时出现了重名的问题，于是老板灵机一动，把儿子“一川”的名字加在原来的企业名字上，国外有人以为他的产品是日本人的。“大志一川”老板响当当地告诉人家：“我是中国人，是中国古镇灯商！”

古镇“灯都”里还有众多四川人、贵州人、辽宁人、台湾人……还有意大利人、新加坡人……古镇属于中山，属于中国，属于全球的灯饰业界的心中圣地。

古镇“灯都”，已经照耀整个世界。

尾声 期待“灯王”出世

这个“灯王”，是我们灯都的标志性建筑。我们要让所有来到古镇的人，一见“灯王”就有一种激动、一种向望、一种享受、一种不想走的感觉……

——古镇镇党委书记吴润富

古镇“灯都”属于中国。“中国灯都”应该向世界和人类展示何种风采，何种标志，何种未来？每个古镇人心中对此都有一种理解和梦想——它应该是非常壮丽的、伟大的、精美的、气魄的，并且具有一定的霸气、一的风格、一定的诗意、一定的自豪感……

“灯都”到底是什么样，当然是由古镇人说算了，因为“灯都”在古镇，是他们建立了“灯都”，缔造了世界“灯都王国”。他们因此有权利按照自己的梦想去建设未来更美好的“灯都”。

“未来的古镇灯都，将通过灯、灯市场、灯饰产业基地的吸引、拉动半径 30 至 50 平方公里范围的人流、物流、资金流的聚集。”

——这是吴润富书记向我们描绘的第一个“世界灯都”的轮廓。听后，我们的面前仿佛看到一个比大上海和美国纽约更具激情的城市……

“未来的灯都，不仅仅是卖灯、做灯，我们要在 5 年之内，举办世界首届灯光展……要让人们感受真正的灯光艺术与灯光生活，让灯光展成为一种节日，一种充满诗意的中国人的狂欢节！”

——这是吴润富书记向我们描绘的第一种“世界灯都”文化。听后，我们的每一个细胞在激剧膨胀，热血在沸腾……恨不得这一天马上到来！

“我们已经用了5年时间论证和设计，要在古镇建一座高303米、里面有12000平方米的灯饰博物馆和观光台，酒店餐厅等设施一应俱全、造价5亿元左右、总占地1000亩的‘世界灯王’！这个‘灯王’，是我们灯都的标志性建筑，也将成为世界著名的人类标志性建筑之一。我们要让所有来到古镇的人，一见‘灯王’就有一种激动、一种向望、一种享受、一种不想走的感觉……”

——这是吴润富书记向我们描绘的最震撼人心的“世界灯都”形象。听后，我们已经有了蠢蠢欲动的期待……真的有些不想走了！想想，谁见过如此伟大和壮丽的灯王？有谁不想亲眼见证“世界灯王”的诞生？

史无前例。举世瞩目。空前绝后！

呵，“灯王”，在我们所见所闻的古镇每个角落，我们到处都在听人传说它的名字。“灯王”如今是古镇人的一个梦想，也是所有全世界灯饰人心中的梦想——街头，我们见到几个正在古镇洽谈生意的高鼻子的欧洲“老外”——

“灯王！OK，我们知道，古镇了不起！我们都想看灯王！”

是的，古镇要建世界上前所未有的、最大的、最漂亮的“灯王”！

让我们都来期待和祝福“灯王”的诞生吧！

捕鱼捉蟹趣

我小时在苏南老家长大，那儿是水乡。现在满街卖的“阳澄湖大闸蟹”就是我家那儿出的。童年的生活总让人记忆一辈子，实在是那个时候有许多珍贵有趣的事留在脑海里太深了。比如小时候我们江南的小桥流水、满田金黄色的油菜和碧绿碧绿的麦地之景，是那样令人心旷神怡……我的少年时期是在农村度过的，所以我记忆中最美的时光正是这一段。而在这段时光中我印象中最深的要算是在江南水乡的捕鱼捉蟹趣了。

童年时我家乡的小河与湖池都是清澈见底，朝夕退涨的潮水则会把各种鱼儿虾食从长江中带到我们生栖的那些小河与湖泊之中，这也使得江南河湖中的鱼蟹一类的生物长得特别快，也特别多。水乡人养鱼吃鱼是生活中的一大乐事，那时的鱼多数是野生的，我们很少吃人工养殖的鱼类。通常我们苏南人家都是靠河湖而居，所以鱼儿其实一直与我们生活在一起。清晨我们在河边洗涮，就会见得穿梭在脚跟前的鱼儿在你眼前戏嬉，傍晚我们放学回家在河水中洗脚擦脸时，鱼儿会从水中跃起，飞旋到你的腿肚上，似乎想告诉你它这一天里玩得多么开心……

鱼儿是我幼年时的朋友。有一天清晨上学时，出家门一看河水因一夜大雨而涨至岸路，行人走路几乎只能赤脚。我背着小书包上学，走着走着，突然似乎有人猛地在我腰间一捅，可奇怪的是我回头时却没有发现是谁，只有河水淹漫下时隐时露的田埂……

“叮呤呤——”上课的钟声响起，我和同学们赶忙将手伸向书包，准备课本和要交的作业。

“哎哟！”当我的手伸进书包时，我不由大叫起来。原来，我的手触到了一个滑溜溜的、活蹦乱跳的什么东西……再将这东西拎出书包：啊，怎么是条鱼啊？

同学们见到我的窘境，哈哈大笑。有人还过来帮我一起逮鱼，那活蹦乱跳的鱼儿像成心要取乐我们似的，噌地一挺身子，“啪啪啪”地在地上乱蹦，整个课堂乱作一片，同学们欢呼着逮鱼……

我紧张地看着老师，心想今天闯的祸肯定要被狠狠剋一顿。果真，下课后老师拎走了鱼儿，回头专门对我说一句：“中午上我办公室。”

整个上午，我的心七上八下地想着中午如何接受老师的批评。中午，我垂着头，小心翼翼地走进老师办公室，轻声地报告道：“老师，我来了……”

老师一见我来，异常热情地拉我进屋，然后指着一桌上的一只瓷碗，笑盈盈地说：“今天中午你和同学们可以美餐一顿了，快拿到教室让大家尝尝我的手艺如何。”说着，掀开瓷碗盖，一股清香的鱼味扑鼻而来。

“老师，这是……？”我不明白老师什么意思。

老师笑了：“是你早晨书包里的那条鱼呀！我把它煮了，味道还不错，你快拿去让同学们一起尝尝。”

我愣了，还是不明白老师的意思，一心想着我自己做错的事：“老师，是我错了，以后保证不在书包里带鱼来了……”

老师听完我的话，跟着一愣，然后哈哈大笑起来，说：“你有啥错？鱼儿是自己跳进你书包的。告诉你吧，我像你那么小的时候也遇到过鱼儿蹦进书包里的趣事。快把鱼碗给同学们端过去吧！”我一听，如释重负。“哎哎，以后走路小心点，把书包口撑大一点！”老师见我出门时，朝我做了个鬼脸。

“嗯，知道了。”我心里好高兴，老师没有批评我，反倒希望我以后再能“逮”到鱼儿……

但也很怪，以后每逢下大雨后，我总在上学放学时把书包口撑得大大的，但就是没有鱼儿蹦进来。可我知道，班上的同学中有很多人是捕鱼高手，他们最大的本事就是等天下大雨后，水沟里涨满水后就或用书包，或用竹篮，在河沟里捣鼓几下便能逮住一筐筐鱼儿。我羡慕极了，可就是没有同学的本事，总是空手而归。同学们为此经常嘲笑我。

可我也有一个绝活：捉蟹。

北方人很惧怕螃蟹，它长得利腿横行霸道，尤其是那双大螯，像钳子一样，稍不留心，会钳得你疼痛不堪。螃蟹因此被称为“关公大将”。但再厉害的螃蟹到我手上，也会老老实实，这与我童年时练的一手捉蟹本领有直接关系。螃蟹一般都藏在洞穴之中，白天通常躲在洞内，晚上出来觅食。尤其是清晨，这是螃蟹活动最频繁的时候。抓螃蟹最好的时机就是清晨，那会儿螃蟹多数在外面，它的行踪容易被掌握。童年时的江南，水是清的，渠是畅的，稻田里很少有剧毒农药，所以螃蟹几乎到处可见。特别是在渠道内，螃蟹总喜欢在渠壁两侧打洞，并在洞穴中生栖繁殖。我的本事就是专门逮捉这里躲藏在洞穴中的“关公大将”。

那洞穴里的螃蟹可不是那么好逮的哟，因为不是所有洞穴都是螃蟹的窝。有一回我见洞口布满螃蟹脚印的洞穴，好不高兴——我有经验：新踩下的脚印，螃蟹就肯定在其中。这种情形下，剩下的本事就是“乘胜追击”，将胳膊一直伸向洞穴内，直到逮住螃蟹。这回我以为又能逮住一只“关公大将”了，可伸进去的手突然碰上一条软乎乎的东西……怎么不像螃蟹了呢？我又不舍得放，便慢慢地将那软软乎乎的东西往外拽，“妈呀——！”当我的胳膊从洞穴抽出那一刻，我惊恐万分地大叫一声，“噌”地将手中的软乎乎东西甩得几丈之外。知道那是什么吗？

原来是条水蛇！

为这可怕的一幕，我停止了很久没有再敢抓螃蟹去了。可因为那时我们在农村生活的桌席上的佳肴多数是靠“自已动手”获得的，所以第二个夏天到来时，我又手痒痒起来。每天上学之前，我总愿意用一个来小时，在水渠里与螃蟹展开一次次妙趣横生的“肉搏战”。

别看螃蟹横着走路，其实机灵着呢！有时你明明看着它就在洞穴内，但就是逮不到它。原来它会掘对穿洞——即两边都是口的洞穴，你在这边使劲挖掘，它早已在另一洞口“秘密转移”了。后来我知道它的这一把戏后，就在逮它时，先侦察一下一米左右见方的地方，看看有没有洞穴，如果有的话就得警惕把守。哈哈，战术提高了，逮螃蟹的胜数也随之增倍，一个“早工”下来，我总能满载而归，几十只螃蟹不在话下。

我怀念儿时的生活，因为那时的水是清的、天是蓝的。河湖里的鱼儿和螃蟹我们信手可逮，而且怎么逮也逮不完，越逮越多……这是自然和谐下留给我们人类最好的生活景象，它现在还有吗?

邵氏方器　绝艺入典

有的人一生攀登也只能成为工匠，有的人一生拼搏也仅为当个师傅。虽然艺术是才艺和技术的结合体，但最后被人称为艺术家的总是极少数。在当代宜兴紫砂工艺界，英才辈出，满目皆杰，然而真正能够走到高峰，被正式承认是“国家级大师”的依然稀见。邵顺生是有数的几位杰出艺术家之一，且依我之见，他在这“有数”的艺术家中属于名列前茅的佼佼者。

邵顺生与我同代，又是两处炊烟连一线的近邻。他的经历简单：生于宜兴乡村，活伴宜兴风云，一个人生“甲子”岁月，皆在那块顺风顺水的江南福地，父母为其取名“顺生”，似乎命里注定他最初选择的“手艺活”就顺风顺水。在我们苏南水乡，叫“顺生”的几乎村村社社皆有，这名字听起来很俗，俗到家，但不是有这样的话嘛：大俗即雅。

现在我们再看“顺生”这名放在一位宜兴紫砂村本土工艺大师身上，你是否才真正明白何为大俗即雅了！

艺术绝对不是那些所谓的“艺术家”脑子里天生出来的虚无之物，它生长于丰厚的生活之中，植根于深刻的思想底部。我十分清楚 20 世纪 70 年代初，那些回乡年轻知青的命运：他们最好的选择或进刚刚兴办的社队企业，或去做个手艺匠——诸如瓦匠、木匠、裁缝匠。邵顺生起初当了个木工工艺模具厂的土技术员，一般农村高中生能进这样的社队办企业后努力一把都可以当上一名技术员。后来名扬四海的“苏南乡镇企业”就是在这个时候悄然在我和邵顺生家乡蓬勃兴起，并成为一股不可压抑之火，迅速在江南大地上燃烧，最后成了中国改革开放走在最前列的一个阶段的县以下经济体的“龙头”产业。我正是在那个时候由于不愿吃“百家饭”而离开故乡到了部队，从此“远走高飞”，一直至现在……邵顺生没有走，而且他那挽着裤腿的双脚直接踩进了他故乡的泥土——制壶的紫砂土里。

顺生，顺势而生，这大概是邵顺生父母期待自己的儿子如此人生的一种情愫。但我相信，作为宜兴一方紫砂制壶世家的邵家，自然从一开始就期待儿子能够把邵家祖传的制壶手艺传下去。现今的年轻人不知，在20世纪五六十年代交际时，当时的中国社会有一次很大的“下乡”潮，即许多城镇手工艺师、小商小贩全被“下放”到了周边的乡村，成为农民。多数人从此手艺失传，彻彻底底当了耕地的农民。但在我们苏南，这些手艺人和小商小贩，则成了乡镇社队企业的骨干，是这些人托起了当时的苏南繁荣经济大厦，也可以说他们是今日之中国东部现代化摩天楼的基石。邵顺生的父母便是如今红红火火的宜兴紫砂业之基石。从小受父母影响和熏陶，高中毕业后的邵顺生便进了当地的一家模具厂。尽管不是制壶专业，却让他有机会发挥和继承家族传下的制作手艺。改革开放春风吹拂苏南大地，传统的宜兴紫砂制造开始复兴，邵顺生顺势而行，进了当地一家有名的陶瓷厂，当了技术厂长。几年后，当宜兴紫砂制壶风起云动、节节攀高时，邵顺生又出任宜兴紫砂三厂的技术科长。别小看了这技术科长，现今闻名于世的许多宜兴紫砂壶大师，在当时连个普通技术员的名份都够不上，可见年轻时的邵顺生已处宜兴制壶界的技术高峰。但这仅仅是基础和底子，更值得关注和称道的是，他邵顺生不仅集当地集体企业时占据的技术权威，自身又是清代制壶名家邵大亨的传人。后来他拜中国工艺美术大师顾绍培为师，出道后又潜心30余年苦钻拼搏，集宜兴千年紫砂制壶技术于一身，形成了鲜明的邵氏“挺劲阳刚气、浑厚大度势”的方器艺术。

然而在我看来，这种形容其实并没有很准确地解释好邵顺生的艺术境意。我们知道，艺术是靠艺术形象支撑而成的，它通常是艺术家把每个具体的艺术形象以个别具体而感性形式呈现出来的，是作者把生活中的人、事、物、景和情，通过每一具象体现出来，并且一定是有声有色、活灵活现的真实感，它是艺术家对生活的经验、艺术的感觉和灵感的创造融合于一体之物的倾力奉献。是他全部审美的心血与辛勤汗水的结晶，是一个艺术家的魂灵外溢。顺着这个艺术本质思想，再去看邵顺生一把把经典杰作，你就会发现，他的作品，与其说是壶，倒不如说是邵顺生先生的灵魂展示和思想的凝固体。

在宜兴的紫砂壶中，圆（椭圆）型体是主流，我祖祖辈辈的父老乡亲也习惯和钟爱这样的圆润之物，这是南国庶人的传统文化和性格所致，椭圆型茶壶在紫砂制业艺术中可以说实现了登峰造极的地步，而一般的大师之功力也尽在圆润的境界里尽展风采。邵顺生作为当代宜兴紫砂制造的技术领军人物之一，自然在制壶的圆润造型界属于捷足先登于“珠峰”的大将，但邵氏最卓越的贡献，在于他别具一格地突破了传统宜兴紫砂艺人的“圆壶”艺术，采用几何三角力学理念及科技元素，独创出一套融传统与时代特征于一体的“方壶”紫砂制造艺术。

宜兴紫砂壶之所以成为中外艺界瑰宝，就是因为它具有中华传统文化中最核心的中庸思想——圆润与包容之精神，圆壶配以温性的茶水，组成了中国人淡雅情怡的情趣，宜兴紫砂壶也由此经久不衰、日益升辉。然而，任何一种艺术，在一定历史阶段必须有所突破和超越，才能永葆长青与发展之生命。宜兴紫砂壶同样面临这一命运。

作为当代紫砂壶艺术大师，邵顺生不同寻常的艺术创新，便是他并非将力气花在一味重复和更加完美先人的各式各样的圆型壶艺上，而是从更为宽广和深刻的中华传统建筑艺术世界里寻找紫砂壶的新颖款式与突破点，大胆吸收和运用中式建筑中的三角、线条等几何美学理念于制壶之上。经过几十年的实践和探索，成功设计出了一大批经典作品，令世人耳目一新，大开眼界，一改以往宜兴紫砂壶单调的椭圆型器，创造出一系列力量和雄健具美的方体壶造型艺术，使得传统宜兴紫砂壶不仅具有万种风情的柔性之美，也有了千姿百态的阳刚之美。

一举之献，为邵顺生登顶中国宜兴紫砂艺术“珠峰”奠定了宗师的地位。

在中国的传统造型艺术里，包含了许多自然知识和深奥的哲学思想。尤其是中国的传统建筑造型，它以基、座、柱、墙、壁、顶为主体架构，配瓦、砖、窗等装饰元素，几何线条，始终是它美学的基调，而且这种几何线条与方块形状中，总是融合和体现了人们对天与地的崇拜，追求的是“四平八稳”“四通八达”“基固擎天”“顶天立地”“左右逢源”“雄浑敦实”等古朴哲学思想，即使在科学技术高度现代化的今天，这样的“中式”建筑依然在人类建筑造型艺术领域独占高峰，放射着不朽的异彩。我为邵顺生这位乡贤能把如此美妙的东方建筑造型艺术理念，竟然如此娴熟地运用于紫砂制壶艺术中而感到欣喜。凡看过他的方器作品，谁都会惊叹不已——

你看他的“玉宇”和“琼楼”二壶，其型体乃典型的唐代建筑风格，线条、棱型加砌垒，有型有状，敦实平稳，可抵四季风袭，左冲右撞。壶盖也是典型的中式房顶造型，其壶嘴，则引用的是传统院庭常用的青砖砌造的方型水道型，仿佛一眼就能听得潺潺流水声。整个壶型，呈现顶天立地之势，美观大方，气壮山河。

你看他的“隋唐钱柜”和“千禧龙方”，更是活灵活现地搬出了中国唐朝时宫廷皇室“原模”，高贵华雍，气度非凡。尤其是角、线、框、扣，清朗而精致，再之壶体正面的回龙纹图案，细密而吉祥，尽显皇家气派，真可谓：一壶在手，犹得天下。

你再看他的“在水一方”和“世界之窗”，前者不由令我联想到北京的奥运水立方体育馆外型，同时壶体又似一个标准的游泳池，特别是壶顶与壶底部着意用细白点珠缀出的水珠状，更显

“水方”“池浴”之感，可谓绝艺映物，形象逼真。那“世界之窗”的透空“窗口”，更是引用了中式建筑中常用的透空的造型，明透而眺远，显尽大气、敦实和傲视八方的意境，令人叫绝。

不过邵顺生的制作方器才艺，似乎在“中国人”“中国馆”和“开壶”等作品中，才获得了淋漓尽致的展现。瞧那一个夸张的“中国人”，意气风发，斗志昂扬地迈着坚实的大步，走向未来。其双脚组成的壶基，采用的是唐式建筑，“身子”则是一面巨壁，印着五星红旗，庄严而神圣，“头”盖上标着的英文字母“CHN”，说明今天的“中国人”正以前所未有的自信走向世界。整个“中国人”器型，很自然地让人想起秦始皇兵马俑那穿甲戴盔之威武形象，越看越拍案叫绝。以上海世博会上的“中国馆”原形“搬”来的紫砂“中国馆”壶，则是邵顺生将中式造型艺术在紫砂壶制作艺术推到了登峰造极的境界，甚至不可思议的地步！我们知道，现实中的中式建筑，靠砖、木、柱、框等基本结构材料可以“搭”架起如方塔一样的建筑，但紫砂壶是泥做成的，而且中间必须盛水泡茶，盈水区和倒茶嘴口绝对是不能少的，否则再美的器型也不是壶了。“中国馆”造型引用到紫砂壶制作艺术上，事实上是非常难的一次艺术移植，我并没有向邵顺生先生讨教他是如何突破那些难关的，可当我看到如此精美的“中国馆”壶型器时，却情不自禁地由衷地感叹了一声：此乃真大师也！

是的，真正的大师是靠他的艺术作品来证明的，是靠他的艺术理论来支撑的。近半个世纪的实践与探索，使邵顺生完成了从一名紫砂壶匠艺者，到紫砂壶制作艺术大师的过渡。这中间的道路是漫长的，艺术磨砺同样曲折而艰辛。我知道，宜兴紫砂壶制作史已经有千年历史，曾几度辉煌，尤其在现当代，再度奇热起来。伴着一股股汹涌而来的收藏发烧友的捧高，宜兴紫砂壶的价位已经到了天文数字。众多“大师”也被频频抬出，弄得真假难辨。然而像邵顺生这样既有制壶世家背景，又拜名师多位，且毕生在宜兴制壶业耕耘、几十年领军当地制壶艺人者，实则寥寥无几。在非物质文化遗产领域，传艺界十分讲究“脉”，“脉”通者方可入行。邵顺生属于宜兴千年紫砂壶艺史中正宗的“脉”通者，而且由此顺生顺水一辈子，所以他的技艺既有传统的宜兴制壶之纯粹，又有现代风格品质，特别是他的方器艺术，为中国紫砂壶艺术制作开辟了一个全新的天地。在中国的传统文化里，十分追求阴阳八卦、方圆融合的意境，在传统的宜兴紫砂壶器以椭圆型体走过千年后的今天，以邵顺生为代表的方器紫砂壶的出现，一改以往宜兴紫砂壶的单一审美，托举出今日紫砂壶“方—圆”合璧共辉的艺术新高度，着实令人欣喜！我们言称一个“大师”，其实并非他一定是特别的特别，而是他用自己的眼睛去看别人看过的东西，在别人司空见惯的东西里发现美。邵顺生的方器艺术就是在大家都知道、都见过的中式传统建筑艺术中发现了可以运用到制壶艺术中的那份美，并且让这份建筑传统美在壶器艺术美中获得了全新的发挥与张扬。这就是他的可贵之处，也是他的艺术贡献。

我为什么要特别强调“邵氏方器”具有绝艺入典的意义，因为任何一种艺术，都必须在革新中进步、在突破中寻求新的生命，宜兴紫砂壶艺术同样不是一成不变的，而在谁的手上“变”，“变”向何方，则是时代的造化，艺术人的造化。邵顺生的艺术贡献在于他一生潜心钻研和不断实践与拼搏的结果，又是他善于吸取中华传统文化的优秀品质、大胆创新的结果，更是他情到、心到，才有了最后的艺术抵达高峰的结果。

顺生幸运，邵艺超然。紫砂旧器，方者雄起。一代大师，入典列故。

丙申春于北京

留心留情于大地

《中国环境报》举办“大地文心——首届生态文学作品征文活动”，自开始之日，便引起全国文友们的热烈关注。报社同仁倾心倾力为此次征文活动忙前忙后，收获了“一箩筐”好作品，叫人欣喜。在获奖作家中看到了许多熟悉的名字：徐刚、梁衡、从维熙、叶梅、哲夫、查干、郭雪波、李青松、梅洁、张仲全……这些都是文学界响当当的人物，他们的出场，意味着一种影响力和水准。

我忍不住一篇篇翻阅，认认真真的，而且后来发现，完全自觉自愿地“进入”了其中……

看好极了：徐刚开启的“森林之门”，竟然领我着实细微翔实地“观察”了一通蚯蚓的奇功！莫名其妙。妙不可言！小时候在南方生活，一下雨后，满地蚯蚓“翻滚”，愤怒时举起锄头，“断”它七八断！你可不知，它根本不在乎，照样不死！这是我对蚯蚓的最初认识和最终认识。但徐刚先生的“蚯蚓论”，让我感叹自己以往的无知。现在我明白了：蚯蚓对大地而言，是彻彻底底的“劳动人民”，离开了它们的劳作，我们脚踩的大地或许板结得任何草木皆无法生长。那种情形下，人类怎活？

有趣极了：李青松老弟笔下的梁衡老哥，竟然还是个爱松惜木的多情人！都知梁衡先生散文写得好，却并不多人知其爱草木花松如命也。我去过梁舍一次，印象不深，那次我俩忙于交流文坛那点儿“破事”，竟然没有让我像青松那样多情地欣赏梁衡老哥的那份不舍的爱木惜花之情呵！绝对是一种遗憾，比起对自然界的爱与憎，人间世故的那些“破事”算得了什么！现在想想，那天梁衡老哥规劝我“少跟文人们较劲”，实在是肺腑之言。绿，包围着梁衡先生的身心，于是也就有了他一颗与自然融合坦荡的情怀，于是也有了他对“震柳”的那份特殊感悟。本来就是如此：最高境界的哲学原理，其实来自最朴实的大地生存学中。

美呆了：叶梅将我们带到了“神农架”……丹增活佛与猴为伍的感慨发自身心，叫人落泪：“那猴子或许是我的祖先，又或许是我前世的恋人。”我想对丹增活佛说：您说的一点都没错，猴子就是您前世的恋人，它忠诚与倾情于您——因为我属猴，我知道我们大家对您丹增活佛是怎么的感情！嘻嘻嘻。从维熙老师对自然生态的认识，就是一种哲学家和思想家的锐利目光，他从自然的表象挖到了人类的心魂的美丑，你无法不敬佩一位饱经岁月磨难的长者的思辩。这是一种思想之美，叫你灵魂出窍。曾书祥平时不太爱说话，我们是多年战友，了解他的个性像了解我自己一样。但他又是一个多情善感之人，塔里木河我也去过，去过的人不一定都像曾书祥一样多情善感。曾书祥的多情善感源于那塔里木河水的清澈与独情。是的，沙漠里的水，本来就如金子一般，而塔里木河的水却比金子还要珍贵与坚硬——柔情与刚毅，是塔里木河水的本质与特性，那种巨大反差集中于一身的美，才是骇灵摄魂的。

呵，这就是自然之美，生态之美，召之我们灵魂发生美的力量。“大地文心”的走笔，是一种极好的形式，它让我们一同迈步于自然界的人，或者没有机会去“游山玩水”者，同样有一种深切难忘的感动与感受。

自然之美，可赏心悦目。文章述美，可传递赏心悦目的自然之美。从这层意义讲，此次中国环境报举办的征文活动，完全达到了高旭国先生所提的期待：大地文心永驻，人间生态长存。

难道不是吗?

相信下次“大地文心”活动，会有更多人参加，会有更多佳作呈现。

2017年春于北京

燃烧的诗意

——石油诗评家犁痕印象记

我以前对石油了解不多，但因为最近参加了一次石油诗人犁痕的作品讨论会，所以有了对石油的一些新认识。这时我才发现：世上有一种物质能改变我们的生存条件的同时，也能改变我们的价值观，能影响人类文明进程同时也能颠覆整个世界秩序，这就石油。

关于石油的话题，人类在 20 世纪没有将它歌颂和诅咒结束，又将它带到了 21 世纪。石油就像一个妖艳的女人，让我们又爱又憎。这就是它的魅力。

如果你是作家，你假如没有写过石油你就可能至少是个不太懂得世界的作家；如果你是诗人，你假如没有写过石油你就可能至少是个缺少激情的诗人。的确，中国的作家们和诗人们对石油的感情超出了对任何一个工业行业和产业的情意。

写石油，最应当是石油战线的人。中国的石油人令我一生敬佩，因为他们的贡献和精神境界远远超出了我们的想象。犁痕是一生与石油打交道的石油作家、石油战线的文学评论家。他的诗和他的作品里渗透了对石油的感情，这份情感既自然又超越了一般作家和诗人的那份热度。犁痕在评论别的诗人时这样说道：“石油人的内心是一个五彩缤纷的世界：痛苦和欢乐，希望和失望，悲哀与憧憬，理想与爱情，甚至孤独和寂寞……”其实犁痕他自己的内心就是这样一个人。这样的人因此在血脉里就涌动着一股积发而喷涌的激情与豪气，细腻与奔放，思想与深刻。

石油是一种物质，但在作家和诗人的眼里，它又是一种精神与灵魂，一种信仰与奋斗目标，甚至是人生的一种坐标。我因此以为，犁痕的文学讨论，尤其是他对石油诗和石油诗人的评说，正是介于这三种意识的另一种创造与创新思想，是一种提炼式的思想凝集和品质升华。石油人和石油文学评论人，对待他们所描述的对象有一种天然的东西在催发他们的感情，那种天然的东西就是辽阔的天空、荒凉的野地、冷峻的钻塔，甚至是死亡的威胁和风暴的袭击，当然更多的是燃烧的石油和石油的燃烧景象……石油作家和石油诗人甚至是石油的文学批评家就是在这种天然物质的影响下完成着他们自身的精神升华和思想凝集过程和净化过程。

如果说石油人的激情来自对石油本身的忠诚与热爱，那么石油诗人和石油诗评家们的激情则同样来自本身对诗的激情的忠诚与热爱。犁痕本人就是个诗人，而且又是一个多年创办诗刊和培养石油诗人的编辑家。他的经历足以说明他对石油的深厚底蕴和在石油产业的文学影响力，他所在的大庆油田是我国工业的圣地，是新中国石油的母亲。这块土地对他的滋养和哺育，决定了他对石油的特殊感情和特殊认知，这是任何一个石油与大庆之外的人都难以超越的。正如早有学者对犁痕的评价所说，他是一个向往崇高和美的人。诗人李小雨对他的评价非常准确，认为犁痕的文学评论，“都是从思想和哲理的高度去切入，更多的是关心诗歌作品中对于人类主体性的关注”，是“对于自然本真的回归”。也就是说，犁痕的文字本身所集中体现的是一种对自己“家园般”的赞美，这种家园般的赞美，侧重在对石油、对石油人、石油环境的感叹与精神实质的领悟与思索。但犁痕的文字不仅仅停留在对自己家园的简单的赞美与爱，而是始终保持着一种清醒的感悟。正如他在大庆时的一次文学会上所言，“当我们站在世纪的山顶回望的时候，我对过去的辉煌无比激动和兴奋。可是当转身去的时候，我们看到了什么？那是另一座山峰，还是深不可测的悬崖沟壑，或许一片评论之花会让我们的视野忽然一亮。”这是他作为一个评论家的对家园的另一种情感，这种情感中包含了更深刻的家园之恋，是一种负责任的更深刻的爱。

我记得我的文学导师邢军纪教授说过，一个作家的情感在于能够从细节中放大。中国石油带给诗人的情感难道就不是在他所感悟的某些敏感的细节中得到放大吗？中国的石油事业和石油产业有过辉煌的百年历史，新中国的石油事业更成为影响现代化中国进程的一个产业。然而我们应当更清醒地认识到，中国的石油事业仍然存在着巨大的风险和勃发的机会，世界的发展和人类的进步还在激荡之中，石油仍然是21世纪最为敏感的一种物质甚至是武器在不断冲击着我们的日常生活。关于石油的文学作品包括石油诗在内，我们的作家和诗人们对其的认识和描述还远远不够，更不用说已经进入到什么境界，我们对石油只是一个处在基本的和初步的认识阶段，同样石油文学和石油诗作，还处在简单而朴素的冲动与成长期。关于石油文学评论，更需要更多的像犁痕这样的熟悉而又对石油本质非常理解的学人。期待犁痕有更多如石油一样滚烫的文字问世。

守望的力量

看一部作品是否具有撼动人心的力量，并非仅是语言和故事本身有多么精彩，情感也应该有一定的冲击力。报告文学《生命的守望者》是作者牛海坤饱含深情对爱的诠释，对亲情与忠孝的朴素抒写。选择以炽热的情感或苦难的历程去展现人间的浩荡深情，彰显亲情的伟大和无私，是由作者的精神向度所致，从而也直接呈现出对生命及人性的审美。

《生命的守望者》是以普通煤矿工人朱清章31年为唤醒成为植物人的养母坎坷而传奇的一生为主线，语言生动，情感朴实，情节跌宕又暗藏震撼人心的深重力量。文中大量的情景式描述，使得作品呈现出一种“背景”的苍劲之美。正如开篇所描述的：“在‘V’形的青山深处，穿过世纪的烟尘，他披着霞光、星光和曙光，从雾霭、冰雪的裹挟中走来……”全文底色寒凉，意境深邃而忧伤，故事意蕴深远。

1974年，故事的主人公朱清章，一个只有24岁的采煤工人。在那个冬天，寒冷已不能抑制住心底的激动和兴奋，他感到美好生活已触手可及，幸福的日子在不断向他走近，他就要结婚了……然而一个突然的电话使一切美好戛然而止，母亲不小心把几年攒下来给他娶媳妇的1300元钱全烧光了。他赶到家里时，父亲浑身抽搐瘫坐在火炉旁，母亲已处于半昏迷状态，嘴角一直在动，想说话却说不出来。故事发生的时间跨度并不久远，作品几乎没有对时代背景进行直白的交待。但读者仍能从隐匿于语言节奏的深处，清晰触摸到属于那个年代的独有印迹。主人公朱清章悲惨命运的大幕便由此拉开。母亲最终成了植物人，这对于当时每个月只有几十元收入的普通煤矿工人家庭来讲，母亲晴天霹雳般地病倒，使操劳多年的劳模父亲再也承受不住生活对他的磨难与打击，从此失去了生活自理能力，生活的重担全压到了朱清章一个人的肩上，父亲不忍心老两口连累未婚的儿子，甚至几度想携老伴自杀。读到文中此情此景，不禁簌然泪奔，让人久久难以释怀。

善良而纯朴的朱清章，主动与将要结婚的女友提出了分手，他不想连累别人。几年下来，虽然也有好心人先后介绍有二十个姑娘了，却都因朱清章家庭太贫困而无人肯嫁。文中有这样一段描述：“孤独是世界上最可怕的痛苦，不管面对多么强大的恐怖，只要有人相伴就能忍受，然而，当时只有二十几岁的朱清章几乎没有一天不深陷孤独这座精神的坟墓，他甚至蔑视自已的生命和无能，可又能奈何？他已经到了成家立业的年龄，可是与他相亲的女孩一看到他家的境况，都纷纷退却了，他不怪她们，他甚至还理解她们，但他还是绝望了，对爱情绝望，爱情之于他，是奢侈品。”

主人公面对命运所给予的疼痛表现得从容而坚强。作者牛海坤并没以过多的笔墨去渲染或刻画主人公内心的情感起伏，也没有绞尽脑汁进行酣畅淋漓的主观抒情和细腻描述，而是将情感表达把握得冷静而克制，满含泪水仍然微笑，濒临绝望仍然希翼，覆藏于笔端下的恰恰是一种巨大的情感张力，这表现出了一个作家所深谙的收放自如的叙述品质，也是作者精神力量成熟与完整性的彰显。更符合非虚构写作所提倡的作家的使命和责任，要扎入最深处的痛，要贴近灵魂，体贴底层，直面现实并尽可能真实地还原人生的真相与情感的真实表达。而这也正是非虚构文体写作的魅力所在。

文中主人公命运绝望与希望的跌宕起伏构成了此文悲喜交替的节奏与氛围。在 1979 年的一天，第 21 个天使，一位叫张凤英的河南妹子，在朱清章最为落寞的时候走进了他的生活，爱是一切生命力量的源泉。“她是与我相亲的第 21 个姑娘，是上帝派来的天使。”朱清章一直这样说。作品对情感的悲喜转换，自如地以一个朴素的姿态，唤起了读者心中的百转柔肠。1994 年朱清章生病多年的父亲去世不久，常年操劳的妻子张凤英接着又查出胃癌晚期，命运再一次将朱清章重重推入人生的深渊。人间自古至今再深的苦难恐怕也不过如此了吧。然而，生活的苦痛命运的无情，依然没能将朱清章这位坚强的蒙古族汉子击倒，苍天不负有心人，在他不离不弃的精心照顾下，昏迷已几十年的植物人母亲却在某一天奇迹般醒来。读到此，主人公朱清章善良、正直、纯朴的人性美以及有血性的面对苦难铁肩担当的性格美和他孝老、敬老、爱老的美好形象亦在牛海坤平静而有力的笔触下如雕像般蔚然树立。

2015 年央视春晚直播现场，朱清章携 89 岁的老母亲出现在亿万电视观众的视野里。他 31 年如一日照顾植物人养母直至其苏醒的孝心故事瞬间感动了数亿中国观众。

掩卷后深思，作者牛海坤之所以能在短时间内抓住了这样一个题材并饱含深情地完成了书写，且通过对主人公命运的追溯，折射出人性深处所共有的温暖光亮。那些光亮，正是读者得以深刻认知到这部作品内在的精神关怀、认识一个伟大民族孝老、敬老、爱老的传统精神品格，并传递出华夏民族特有的文明气蕴，文化内核。由此推动社会道德力量进一步发扬与建设，这就是“守望”所产生的巨大力量，这就是一个普通人可以迸发出的巨大精神能量。人性可以教化人们趋向善良，情感则把善良化作爱的暖流，从而让我们的世界变得更加温馨与美好。这应是作者所要表达的意义所在。

2016 年 3 月

书不该有房

其实书是不该有房的！那些夸耀自己书房的人，是在夸耀自己的财富还是自己的知识？书与房从本质上讲是一对矛盾体，试问世界上哪有矛与盾两样截然不同的武器能够合为一体？能融合为一体的绝不是矛与盾。恋书房者其实自己在开自己的玩笑。

书本来就是一个开放的世界，一个开放的世界怎能用木与框将其“规格”起来？“规格”起来的东西只能是封闭的产物。书需要阳光与空气，阳光与空气对知识的更新与成长至关重要。因此我认为那些热衷把书放进房子里的人其实是一种自我封闭的开始。

书本来就是一块无垠的原野，一块无垠的原野怎么用钢筋和水泥砌垒？砌垒起来的东西只能是死亡的碉堡与牢狱。书需要风和霜的吹拂，风与霜是原野冬天与春天的季节生命，没有季节生命的原野是枯竭的死亡之海。因此我认为那些把书放进房子里的人其实是在萌生没落的念头。

书本来就是一面透视的镜子，一面透视的镜子怎能摆在没有光亮的房子里？书需要光亮下环境，光亮的环境是书能够照耀万物尤其是照耀灵魂的必要条件。失去条件的镜子只能是玻璃一块，从此不再透视事物的真相、灵魂的本质。

我没有书房，我把书放在每天的步履之间。走一步我翻开一页书，翻开一页书我明白了新的一步。书在我的步子中厚实起来，我的步子也因书的厚实而稳健；

我没有书房，我把书放在生活的点滴之中，吃自己劳动得来的饭，我感到犹如读了一本《钢铁是怎样炼成的》；如果依靠别人卑微的恩赐下度日，我感到比当《吝啬鬼》更难受。

我没有书房，我把书放在工作的时间表里，上紧发条之后的思想可以探求真理与谬误之间的差异。这一刻的书变得特别有意思：虚伪的骗子和丑陋的恶棍暴露得体无完肤。哈哈，这样的书才是真正的好书！

让书从房子里走出来吧！

走出来的书才是黄金之路。

走出来的书才是思想之剑。

走出来的书才是光明之灯。

走出来的书才是灵魂之镜。

我倒是有个愿望：有一天当我离开这个世界时，如果我的朋友能够伸出友谊之手，那么请将我亲手写出的一本本书砌作我坟墓的砖墙，而我的灵魂也会在这样的书房中得到彻底的安宁……

天使为什么一直帮助我们拯救和洗涤灵魂

——读杨义堂《抗战救护队》

人类文明进入越发达时候，人的功利变得越发庸俗与市侩。其实，活在这个世道上的我们这些人，内心多少有龌龊的地方，只是没有到关键时刻，或者危及自己生命的之时。战争是检验每一个人的灵魂的分水岭。有人恐惧死亡和痛苦，便当了逃亡者甚至是背叛，也说“汉奸”。贪生与怕死是人的本质，但人的本质里还有更崇高的品质，那就是超越了人对死亡与痛苦的恐惧外，还有一种力量便来自于精神与内心的信仰追求、品质追求、职业追求。

我们说到优秀的文艺作品时，会将其称为“崇高的灵魂之作”。同样，我们对那些拯救我们生命的医生，总喜欢用“白衣天使”来赞美他们。天使是神圣、纯洁和美丽的。天使为什么能荡涤我们的灵魂，战争又是一面特别清朗的镜子。它让那些胆怯的贪生怕死者的灵魂变得无比丑陋，又让那些高尚者的灵魂光芒四射……在纪念世界反法西战争胜利七十周年之际，海量的抗战题材的作品一部又一部地呈现在我们面前。然后真正能让我们拍案叫好、永久留下来的好作品其实少之又少，而这也符合文学艺术本身的规律。好作品少才显可贵。可贵的东西才让我们珍惜，珍惜的东西才属于精品，精品是可以流传下去的，能流传下去的便是经典。虽然杨义堂的《抗战救护队》这部书的书名并不令人特别满意，但这部书是我所阅过的今年抗战题材作品中可以称为优秀的上佳之作。难得的好作品！也可以肯定地这样结论：是本年度中国报告文学（纪实文学）中的上乘之作，值得赞赏，值得隆重推荐。

我很少用这样的语气来评价一部书和一部作品。与杨义堂见过几次面，他的作品则第一次读，读的开始，我一直在怀疑他笔下的人物到底是“真实”的还是虚构的、到底是严肃的报告文学叙述还是添油加醋的小说叙述的问题，一直盘旋在我脑海之中……看着看着，一直看到最后一行字，我自己答出了结论：是一部报告文学作品，所述的人和事是真实的。但仍然内心有些怀疑某些情节，于是不得不打了个长途电话给作者本人——直接听他自己怎么解释有些我关切的人物及其故事细节，他告诉了我，从他告诉我的言语中我能判断到底他的作品属于“虚构”还是“非虚构”。我的结论很快出来：非虚构。

是优秀的非虚构作品。是优秀的抗战题材中难得的优秀的非虚构作品。我愿意推荐的理由可以有十条，但归结起来其实只有两条，而这两条就足够了。它们分别是：一、伟大的抗日战争，波澜壮阔，唯没有一部完整的反映中国医疗救护人员们的故事，现在我们终于看到了。这里面有太多值得思考的问题。二、作品的文体艺术本身基本没有明显的瑕疵。精彩、生动、传奇、感人，还有流畅、自然，人物饱满，故事完整。为今日报告文学创作树立了一个优质文本。

中国人不知道林可胜这个人和林可胜在抗战时期所做的贡献，是一个悲哀。所以当我看完杨义堂先生写的这部作品后，我第一个反应便是这样的一个思考。为什么？因为林可胜了不得，十分伟大。他与林巧稚一样也是“协和人”，而且是早期协和医院的执行院长，是中国现代生理学的奠基者，并且是在国际上有着极其重要影响的人物，可以说，他在专业和国际影响力上，远远超过林巧稚。看了他在抗战时期带领中国救护队出生入死战斗在“淞沪大战”时的上海滩上、腥风血雨的南京城保卫战的严酷现场，以及台儿庄大捷时的战地医院，还有冒政治风险来到新四军、八路军战场，在延安与毛泽东等中共领导人一起畅怀抗战情结的一幕幕情景，谁不为中国有林可胜这样的抗战英雄所感动呢？林可胜是原居住在新加坡的华侨，他的父亲也是著名的华侨领袖，出任过厦门大学校长，他的母亲是孙中山的同盟会黄乃裳之女，林可胜家族里，多数是著名的医学专家。他本人在 8 岁时就被送到欧洲名校学习，大学毕业后一直从事医疗科研。一战爆发时，林可胜就在战场上当救护医生，积累了宝贵的战地医护经验。他是名牌大学的“双料博士”，又是协和医院第一位中国籍教授和执行院长，当时只有30岁。抗战爆发，他主动要求带救护队到前线。为了专心工作，他把妻儿送到新加坡，自己则带领年轻的中国救护人员开赴到抗战最前线，抗战期间，林可胜和他带领的救护队伍（最多时的救护队人数达3000多人），在各个战场抢救了数以万计的伤病员，可谓立下汗马功劳。可贵的是他以医务工作者的人道精神，顶住包括来自蒋介石等要人和政府的种种压力，帮助新四军、八路军和延安中共总部，进行医学知识传授和战场救护工作。他甚至不惜辛苦与风险，动员和直接到美国去为中国抗战救护募捐善款，连美国老总统都出阵为其摇旗呐喊。尤为令人震撼的是，日本人在没有可能拉拢他为其侵略中国服务之后，竟然派兵专门到新加坡将其妻儿处死、迫其父亲出卖灵魂，林可胜依然把个人与家庭悲剧放之脑后，全身心投入战场救护，这种精神，这种境界非常人所能！毛泽东赞赏他，蒋介石既恨他又还敬重他，全国人民爱戴他，世界上所有爱好和平的人士为他在战场的救护艰辛担忧与鼓舞……即使在谁都不敢去的缅甸死亡战役里，林可胜依然挺身而出，随中国远征军赴缅战斗到最后时刻。抗战胜利后，蒋介石让他出任政府卫生部长，林可胜一身傲骨，断然拒绝。后来移居美国，专心从事医学研究，创造了多项世界级医学成就。1969年7月8日，林可胜患食道癌病逝于牙买加的京士敦，终年72岁。

如此一位杰出的医学家和抗战英雄与功臣，我们为什么不知道，无非有两个原因：一是林可胜领导的抗战救护队是当时的中国红十字会领导下的组织，有些当时的政府色彩，因此他的抗战功绩，显然一直被列在“旧政府”名下，所以长期以来不能被宣传和赞颂；其二，林可胜后半生没有在中国生活，而是在美国，因此有了“不爱国”嫌疑。我言可悲也在这上面的两点上。我以为：一者是我们受“左”的影响太多太深，抗日战争是全民族的事，站在哪个阵营并不重要，重要的是你在那场民族危亡之时能不能挺身而出。再者，人的出生和年代及其环境是不能选择的，林可胜身为华侨、大医学家，他在协和医院当教授、院长，他能主动要求组织救护队到前线，还有比这更爱国的吗？他后来的所有表现，还有哪点比不上白求恩、张思德的吗？他不是共产党员，但他帮助了共产党无数事情和拯救了无数八路军、新四军，甚至延安的“头把刀”的好医生也是他派去的——此人受到毛泽东的高度好评。他受敌人的威迫是常人所少有的，但他坚定地义无反顾地站在中华民族抗战的一边，并照样不顾一切地冒着枪林弹雨在战场上抢救伤员……这是什么精神？这是什么人才有可能做得到的？毫无疑问，这是天使精神！这是天使一般的医务工作者才能做得到的。

天使以如此伟大而纯洁的行为，难道不是对我们这样的灵魂深处包藏着许多庸俗和肮脏的人是一种无情的鞭打与洗涤吗？那些阻止和有意毁损林可胜这样的抗战英雄的人与机构，是不是感到了脸红和良心上的某些自我谴责呢？如果是，很好，证明这样的人还有救。如果不是，那就另说了，历史会对这样的人说：丑恶！

杨义堂的这部作品从文学艺术的角度讲，属于上乘之作，是近年报告文学创作中的一个并不多见的好作品，尤其是抗战题材的作品。他的叙述的流畅和完整性，具备了艺术的高水准；他的语言和文字的优美性与节奏感，达到了自然之美，见不到生硬和不舒服的地方，这是最了不起的，对纪实类作品而言，能够像读小说一样不动声色中把精彩和生动呈现出来，就是最精美的作品了。这是非常不容易的，因为纪实作品的人物和故事不是虚构小说一样把一切

“精彩”想好了再呈现的，而是天生的客观的东西放在那里，像就自然界的一块玉石，如果你不经工艺就看到了它的完整之美，这种玉石是很少有的，但优秀的纪实作品就是这样的天然精美的玉石。杨义堂先生的这部作品属于这样的“天然玉石”。

凭上述两条理由，杨义堂的这部书谁不读，谁就有一种不可弥补的遗憾。我在很繁忙的时间里，为这部书义务劳动了两天——阅读和写上面的这些文字，这对我来说，也是少有的。感谢杨义堂。但真正要感谢的是本书的主人公林可胜和他的那群出生入死的中国救护队员们，他们和她们的身影将永远留在历史的画面里，并且一直帮助我们洗涤和拯救自己的灵魂……

2015 年 7 月 31 日

为文学站好后台

——《中国作家》创刊 30 周年有感

在浮躁的当代，几乎再没有人愿为他人站后台了，这也使得今天的社会格外有些肤浅和乏力。但有一个职业你必须站在别人的后台，否则这个世界就会更加灰暗无光，大概文学编辑就是这样的永远站在后台的人。

2014年末，王山先生出任新一任《中国作家》主编，正值我曾经工作了近十年、又分管了八九年《中国作家》杂志创刊30周年之际，新主编希望我这个老主编写篇“纪念类”文章，我想了半天，觉得对办文学刊物的人而言，恐怕没有比端正为文学、为作家“站好后台”的态度更重要的事了。文学是作家的事，首先有作家们自我的耕耘，然后是编辑们的功夫，再进入出版与发表阶段。我们这些“传统型”作家都有深切的体会，那就是：自己的一部好作品问世，几乎渗透了两个人的共同劳作，先是自我，再是编辑。现在的“写手”据说不用编辑就在网上发表自己的作品了，所以大家都在议论这样的“作品”很多是垃圾。可见，没有编辑环节的文学，是难以成立或难以成功的。再看看今天的许多纸介的文学作品之粗劣，也与编辑不认真对待有直接关系，因为“电子版”使得不少编辑偷懒得很，“扫一眼”成了某些编辑的“编辑”，固而习近平同志在文艺座谈会上指出的存在于文艺方面的那些问题变得普遍。自然人们所期待的“精品力作”也不易看到。有高原而没有高峰的原因之一，跟编辑们的功夫失落同样有根本性的关系。因为编辑通常是“质量检验员”和“劣质产品”的挡道人。现在谈文学现象问题时，基本注意了两个方面的人，一是作家，二是理论批评，其实还有一个特别重要的环节就是文学编辑人员的素质问题。

时下文学编辑的问题，笔者认为有三：首先是责任心问题。许多编辑现在心思不正，觉得为他人“做嫁衣”亏得很，作家们一直在前台风风光光，而当编辑的总是默默无闻，加之收入又低，渐渐产生消极和怠慢本职工作；其二是功夫与能力缺失。尤其是基本功的缺失，怕是当代文学编辑们的通病。文字功夫和文学功力不足是当前文学编辑队伍中的一个突出现象。再者是相关部门包括文学管理部门及领导者对文学编辑的重视很不够，甚至严重不够重视。我们平时很少听到谈文学发展和问题时，把文学编辑列入其中，这与过去年代相比差得太多。欲改进文学现状和问题，不提改进文学编辑队伍建设是一大缺陷。

《中国作家》创刊30年，历经冯牧、陈荒煤、何建明、艾克拜尔·米吉提和现今的王山，共五任主编，中间还有几个阶段的“常务副主编”主持工作年份。刊物本身也从最初的双月刊，到后来的月刊、半月刊，到现下的一月三本，堪称文学期刊之最。相比之下，《中国作家》在容量上办到如今极不易。毫无疑问，编辑是支撑这本大刊的关键和根本。在过去的30年里，我亲身感受和经历的那些年份中，有三位“大编”应当被称作“为文学站后台”做得最杰出的人，他们是章仲愕、杨志广和肖立军。章仲愕先生有“京城四大编”之称，经他之手，走上今天中国文坛的大家，可以列出一长串大名：王蒙、铁凝、邓友梅、蒋子龙、张承志、柯云路、王朔、徐坤……章仲愕先生的全部人生辉煌点就是他“抓作品”“抓文字”的功夫堪称一绝，没有哪个文学家不称道他，也没有哪个文学大家在他面前不俯首听命。他是真正意义上的“文学大编”，他因此可以同诸多文学大作家并列在当代大学史上。杨志广则是当代中青年作家的“搭台人”，没有杨志广，就没有《中国作家》在90年代中后期及新世纪前几年的卓越成就。张炜、迟之建、赵玫、关仁山、肖克凡、欧阳黔森、石树清、郭文斌、雪漠……如今中国文坛的顶梁柱有哪个不是与杨志广的编辑慧眼联在一起的？肖立军的功夫有些“另类”，他的眼很独特，也很“毒”，所以使得《中国作家》出了不少很作品，比如莫言刚出道的一系列中短篇小说，比如赵瑜的《马家军调查》等。当然在漫漫 30 年的岁月里，《中国作家》还有一大批优秀编辑家，像张凤珠、高洪波、艾克拜尔、杨匡满等，他们各有所长，各尽其责，均有建树。

中国文学的新时代已经由习近平总书记吹响了起步的号角，我们没有理由不意气风发、鼓足干劲地胸怀深情、倾注全力为之努力贡献。我期待编辑朋友们更好地端正态度、掌握好本领，树立一生甘当“文学后台人”的无名英雄，为我们共同的事业，将你们的感情和汗水，浇洒在每一篇稿子、每一行文字上。《中国作家》希望依旧，辉煌更加。

2014 年末

为我们心目中的敬仰者立传的意义

——代《袁隆平传》序

“既然地球上最高贵的生命总是人的生命，因此那些有关人的生平的文学必然是最高贵的文学。既然个别人的生平必然总是具有不属于任何人类团体的独特性和趣味性，因此传记必然总是具有任何其他种类的历史无可匹敌的魅力。”英国学者菲力浦斯·布鲁克斯在 1886 年时这样论述有关传记文学时如此说。不难看出，有关对那些“个别独特人”的生平的传记写作，是一种属于具有特殊魅力的“高贵文学”。

其实，真正高贵的是传记的对象——那些具有超越于一般人的“个别人”，他们的生命事实就是与众不同，异常高贵，值得人们敬仰。比如拿破仑、普希金、毛泽东等，当然还有一部分人则像孔子、爱因斯坦等。遥远的历史里有无数闪烁光芒的星星一直在温暖我们的理想与精神，这样的人的身上所具备的无可匹敌的魅力，总是在鼓舞和影响着我们的人生。而就在我们眼前的那些“个别人”，其实对我们的影响可能更大。比如像我们中国这样一个 13 亿人口的大国，吃饭问题是第一位的大问题，谁能解决这么多人的吃饭问题，谁就是最伟大和最了不起的人。五千年的中国文明史几乎都绕着一个“吃饭”问题。新中国成功后，毛泽东想的最多的事也是如何解决自己几亿百姓的吃饭问题。改革开放后的几十年里，中央的“一号文件”也是为了解决与“吃饭”问题相关的人和事。可见，“吃饭问题”多么重要！对中国如此，对世界也是如此。我记得自己小时，就是没有饭吃而饥饿，许多成年人和与我一样的孩子饿死了。在我能够劳动的时候，因为多打粮，全国“农业学大寨”，把那些本来覆盖在山上地上的绿化森林都砍了，变成了梯田、稻田，最后害得今天我们不得不饱受环境污染之苦。然而现在似乎我们再不用为粮食发愁了，因为有一个人做出了伟大贡献，他因此也在我们中国人心目中与大科学家钱学森一样特别受到尊敬，这人便是杂交水稻专家袁隆平。不知大家是不是认同我的这个说法：国家怎么奖励袁隆平，我们都服气，就是奖他几十个亿，我们照样觉得给少了！他就是这样一个人，让我们全中国百姓和全世界人都感到骄傲的了不起的人。

说他好话，赞美他的人生，为其作传，我们服气，而且是必需的！

现在，我的手上就有一本《袁隆平传》。读着它，我很激动和感动，因为袁隆平这个人是我和许多人特别尊敬的当代伟人平民式的伟人，知识分子中的伟人，父亲一般亲近的伟人！

我知道有关袁隆平的“传记”和书籍已经不少了，想写他和他“被写”的很多，估计有的连袁隆平本人都不知道。但现在我手上的这本很特别，很正式，很庄重。因为作者是个七十余岁的老学者、老教授、老作家。这样的人为袁隆平先生写传记，我很放心，因为他不会“乱来”——现在有的所谓“传记”有点乱来，就是胡写，连传主本人都不知道。那种“传记”只能算广告，而且有的连廉价的广告都不如。

真正的传记，是从人类纪念前辈、怀念英雄、实现自我的天性中产生的最古老的文体之一。它是人类用笔为自己建造辉煌的纪念碑。这话是《袁隆平传》作者郭久麟先生说的，是他的学术传著《传记文学写作与鉴赏》一书开头的第一句话。郭久麟先生作为中国当代传记文学研究为数不多的几位有影响的专家之一，他自 20 世纪 60 年代开始就致力于传记文学的理想研究和创作实践，著有多部学术著作和有影响的传记作品。我很敬重他，他在 2015 年我主持召开的全国报告文学创作会上把这部《袁隆平传》书稿送到我手上，并希望为之写个序言。老实说，当时我内心有个夙愿：学一学袁隆平先生的人生，学一学郭久麟先生的传记写作。于是我答应了郭教授。

这是一次精神很爽的学习旅程——对我所敬仰的袁隆平先生平

生的学习，它让我享受了一个中国知识分子的不懈追求与崇高精神境界。对我所尊重的郭久麟先生有关传记文学的研究与学识及其他个人的创作实践的了解和认识，这也是一次很有意义的学习。

关于袁隆平先生，其实我十几年多前到海南三亚为当地写一部书时，就认识和与他面对面聊过。那一次我才知道其实袁隆平先生的事业“大本营”是在那个一年四季如夏的三亚！他的试验田、他的工作室、他发现杂交成功秘密的那棵“野种”，都在三亚，太了不起了！当时我就很冲动：如果有一天为这样的人写一部传记是我的荣幸。但后来没有实现。看，机会有了：我们的同行、袁隆平先生的校友郭久麟先生现在写出了《袁隆平传》！我由衷地感到一样兴奋。

中国人对袁隆平先生的感情是出于对粮食的感情，中国人对粮食的感情便是对自己生命的感情，所以我估计，现在的中国人能骂所有的人，则很少有人会骂袁隆平。

袁隆平伟大就伟大在此，人人敬重和敬仰他，因为他给予了我们中国太多太多，给予了我们今天的人类太多太多。民以食为天，没有食，等于就没有生命。生命诚可贵，皆因有粮食。袁隆平先生靠个人的科学天分与精神，以他的团队力量，给予了我们无数生命得于生存的可能，还有比这更伟大的吗？

为这样的人立传，自然是作家的天职，文学的责任，历史的使然。郭久麟先生以他年至七十有余的高龄完成了如此一部巨著和对一位当代大科学家的抒写，我认为是件特别有意义的事。首先它的意义在于为袁隆平这样的人写传，传扬的是一种中华民族精神，这种精神饱含了对国家、对人民和对自己的深厚感情；其次是这种精神里有一个科学家的“中国梦”的强烈色彩，袁隆平追求杂交稻的成功之路，正是这种完美的中国梦的实现过程；更重要的是袁隆平的人生境界里，包含了正直、执着、无私、奉公、坦荡等美德，而这正是“传记文学”所要表现的对象的那种“最高贵的生命”的光芒所在。郭久麟先生选择的立传对象与立意和境界，令人敬佩。

郭久麟先生是当代中国传记作家中的老资格者，早在1976年时他就开始动笔从事传记创作。40多年来，他笔耕不辍，勤奋努力，为周恩来、陈毅、吴玉章、罗世文及柯岩、雁翼、梁泉等名人名家写过传。他是大学文科教授，他致力传记文学的理论研究与著书，出版过多部传记学术著作，是我们熟悉和有影响的传记理论家。令我敬佩的是，他在古稀之年，竟然多次远赴三亚、长沙，不辞辛苦，去追寻袁隆平先生的足迹，探访袁氏的祖辈与同事，认认真真做写作前的功课，这一点值得许多年轻传记作家学习。文学是人学，为人立传之作，是人学中的杰出人学，因此写作者的态度决定着作品的高远与质量。郭久麟先生的精神为《袁隆平传》打好了基石。后读其作，果不其然，是部好作品，是众多“袁隆平传”的一部可以留下来让读者回味和感动的正传。

写一位大家熟悉的科学家，并非是件容易的事，人人都知道的人物要写出点新鲜东西和写得真实生动，其实是件非常难的事。然而郭久麟先生的《袁隆平传》我看得津津有味，首先是它把袁隆平一生展现得清晰清楚，生动感人；其次是把袁隆平先生的精神世界展现得彻骨、入木三分。尤其让我感兴趣的是，郭久麟先生的此部传记形文角度很独特，是以对话式的第二人称来叙述袁隆平的人生与经历，读来很新鲜、亲近、入耳。这是他的创新，值得我们学习。其次他的细腻，洋洋几十万字，把袁隆平一生的东西都“挖”得很极致。这不容易，是高难度。其实作为一个人的传记，需要这样的材料和细节，不然就不是真正的传记了。但郭久麟先生的《袁隆平传》不仅有这些，更多的是他作品中对袁隆平这个人一生的矛盾冲突、爱情心理、官场抗争等所碰到的

“凡人琐事”、人情世故，一点儿不回避，这也使得这个“袁隆平”很真、很亲，也就更可爱、更可敬了。郭久麟先生的传记理论功底放在这儿，自然他“实践”的作品，让我们真切地看到了这种理论功底的延伸功力。相信读者和我一样，会特别喜爱这部《袁隆平传》，因为它比任何其他的“袁隆平”更真更精彩。

是为序。

2016年元月大寒于北京

家国情的典范

我相信许多人与我一样，以为自己很了解中国，其实我们知之甚少；我也相信许多人与我一样，以为自己很了解中国的历史，其实我们同样知之甚少。

过去人们对中共领袖的家史了解更少，尤其是像杨尚昆（原国家主席）等领袖们的家族史的了解知道得少之又少。读完张渝扬先生创作的这部长篇纪实作品《杨氏家国梦》，不由令我对杨尚昆、杨白冰两位当代中国共产党的领袖人物、我们的老首长（本人 15 年的军旅生涯时杨尚昆、杨白冰都是军委首长）产生前所未有的敬意！其实，所有的中国人民都应当对他们怀有深深的敬意，因为他们不仅把自己的一生贡献给了中国人民的解放事业和伟大的社会主义建设事业，而且他们的家人也为中华民族的翻身与崛起做出了巨大牺牲与贡献。

张渝扬的作品并不是专门写杨尚昆和杨白冰的，而是写的“杨家兄弟”的父亲与兄长等杨氏家族人物的历史传奇与革命故事。读完这部作品后，我的第一感受是：在中共历史上，能像杨尚昆这样的父亲和兄长为了中国革命所做的贡献和牺牲的家族不多，或说独此一家！因为我们过去不知道，像我这样原以为给重庆写过三本书的人多少了解些这块热土上的革命历史和革命历史人物，其实不然。过去我也听说过我党早期的领袖人物杨闇公的大名，尤其熟悉他所培养出来的革命烈士、中共地下党四川省委书记罗世文这样的奇才。

杨闇公同志牺牲于 1927 年 4 月 6 日，那时他就是中共四川省委第一任书记和军委书记。杨闇公的伟大贡献在于他是在中国共产党幼年时期最早将武装斗争付诸实践并为之牺牲的革命家。1926 年，正当“北伐战争”风起云动、以蒋介石为代表的新军阀开始显露其反革命野心之时，以杨闇公为第一书记和军委书记的中共四川省委决定举行了“泸顺起义”。这是在著名的南昌起义之前的一次我党领导的武装起义，为此杨闇公同志将远在德国留学的朱德召回国，将正在北京的陈毅也秘密调回四川，派刘伯承和吴玉章到四川军阀部队做策反工作……“泸顺起义”烽火四川大地，威震整个中国，给当时蒋介石和反动军阀们以沉重的一击，更重要的是它为不久由中共领导的“南昌起义”提供了经验和输送了一批杰出的军事指挥员，除因“泸顺起义”而被敌人残害的杨闇公外，朱德、刘伯承、陈毅、吴玉章等都成了南昌起义的主要领导者和军事指挥员。杨闇公一手策划制订和领导的时达167天的“泸顺起义”，有力地支持和策应了北伐战争，实现了中国共产党在四川播种革命种子和扩大政治与军事影响力的目标，为共和国输送了三位元帅，这足以说明它对中国人民解放事业所做出的伟大贡献。

杨闇公是杨尚昆的四哥，是杨尚昆、杨白冰等多位“杨家革命兄弟姐妹”的引路人。杨闇公因叛徒告密而被捕的。在监狱里他大义凛然，无数次拒绝蒋介石等军阀的诱劝，牺牲时极为惨烈：敌人不敢公开枪杀，借黑夜在一个悬崖边，先打断他的双腿，再割其舌头，后又挖掉双眼，又砍断双手，再朝脑胸腹连开三枪……看到此处，我等今天生活在甜水里的十三亿中国人民谁人还有对杨家不敬之举?

杨氏一家可谓忠烈满门，浩气盖天!

这得感激哺育杨闇公、杨尚昆、杨白冰等革命领袖人物的杨淮清先生，他是他们的父亲，又是他们的人生导师。

杨淮清先生是中共领袖们的父亲中我认为最了不起的一位了。首先是杨淮清先生一生养育了19位子女，虽然其中有4位夭折了，但其余15位则个个长大成人，并各有建树，尤其令我们敬佩的是杨淮清先生一家有12个子女参加了革命，且中间有杨闇公、杨尚昆、杨白冰等中共领袖级人物，此乃中共史上独一无二。

过去属四川、而今归隶重庆的“双江”这个小镇，便是杨家所在地。双江镇是历史文化名镇，镇上的“杨家大院”支撑着这个名镇的骨架和美誉着这个小镇的肌肉。双江始建于清乾隆初年，位于绿波荡漾的涪江河南岸，因镇内流经两条小河而得名。远处望去，雄峙双江左右的金龙、银龙二山峰巍然挺立，傲视尘世，别有洞天，好像自然的风水早已给后人提示了些什么。双江的“杨家”太了不得，他们的祖上能逆至唐王杨氏裔族。后分支入川，各奔前程，到杨淮清这一代已经在双江小镇有一二百年历史了。杨淮清的祖父，也就是杨尚昆的曾祖父杨世绥建立了双江镇“杨氏家庭”的固若金汤的绝对至高无上的地位。杨淮清是杨世绥后代的“房”，也就是辈份最小一门的根系，其他门户可以分得5000亩地，他杨淮清仅能分得1000亩薄地，显然是家族中不被看重的“小弟弟”。然而杨淮清以其“清白做人”“凡事后退一步”的治家与处世，使他渐入人生佳境，尤其是他对自己的子女以育远大志向和救国本领而著称，才有了后来12位子女前赴后继参加革命、为共产主义事业英勇献身的可歌可泣的史话。共和国第五任国家主席杨尚昆在家里排行“老五”，在他小时候时，父亲给他起了个“诚五”的小名。杨淮清对杨尚昆说：“诚五，你要记住，我杨家的处世为人是讲诚实、守本分。我给你取名‘诚五’，就是希望你做个诚实守信、报效家国的人。”杨尚昆一生受父亲的这一“诚实守信”思想影响极大，因此他也成为中共元老中最忠诚厚道之人，从遵义会议时，他杨尚昆就是“秘书长”一级的人物，解放后他一直是毛泽东身边的“中办主任”，后几十年又同邓小平等革命家一起开启改革开放新时代，成为卓越的中共领袖人物。

《杨氏国家梦》一书，无疑是一部难得的革命传统教育好教材，它所记录的是以杨淮清为代表的杨氏一家的传统文化思想和积极向上、富有仁爱和理想的家国情怀，值得国人好好学习和领悟，并以此为榜样。我相信“什么样的土壤种出什么种子”，“什么样的雨露阳光哺育和温暖出什么样的花朵”这样朴实而正确的道理。杨家出了那么多大人物，出了像杨闇公那样了不起的革命者，出了那么多各行各业精英，全撑着杨淮清这个“家长”的健康开明和进步与富有追求思想的根深叶茂。

看此书，我更加敬重杨闇公、杨尚昆、杨白冰等“杨家将”，尤其更加爱戴甚至羡慕像杨淮清这样的“家长”。中国多一些杨淮清这样的家长，也许我们的国家早比现在更强大了。中华民族要复兴，家长的作用必不可少。杨淮清这样的家长是我们每个时代都特别需要的。

这就是《杨氏家国梦》给予我们的根本启示。

2015 年 10 月 25 日于北京

马凯的『诗言志』

——读《心声集》

在新中国的领袖和开国元勋中，有许多人不仅是为人民打天下、谋幸福的政治家，而且也是极富才华的诗人，比如毛泽东、周恩来、朱德、叶剑英、陈毅、董必武……他们的诗作中有相当多的篇章早已脍炙人口，并成为中华民族文化的瑰宝而广为流传，滋润着一代又一代人。其实，据我所知在当代的政治家和领袖中，也有相当数量的人是赋诗作词的高手，只是他们的作品很少成书和发表，所以并不为广大读者所知晓。

早听行内人士介绍，现任国务院副总理的马凯是一位填词作赋的能手，同时又是位作品颇丰的诗人。有幸，他的第三部诗作——《心声集》到了作家出版社出版，这让我有可能成为马凯诗作的忠实读者。

古人曰：诗者，言志乎。诗言志是中国诗人和中国诗章成长与发展的根本动力与茂盛不衰的源泉。由于种种原因，现今在人们的心目中政治家的内心世界总是非常神秘，他们给人感觉总也“深藏不露”，难见喜怒哀乐的真实表情。其实不然，政治家和领袖们也是人，而且从某种意义上讲，由于他们经历的事要比普通人更加起伏跌宕，故而其感情世界也比一般人复杂和多重及更加出彩。

马凯便是其中之一。

“大地抖，腥风虐；川改道，山崩裂。泥流石瀑从天泻，广厦顿失烟灰灭。千镇万村呼无应，断桥残路飞难越。疮痍满目家何处？唯听废墟声声咽。父老乡亲你在哪？十三亿人心滴血。”这是作为国家领导人的马凯在“5 · 12”汶川大地震时随温家宝总理在地震一线指挥抗震救灾时所作的组诗《抗震十首》中的第一组诗作，一句“父老乡亲你在哪，十三亿人心滴血”，使一位心系百姓的国家领导人爱民如子的形象顿跃在我们面前。“请挺住，别远走；祖国在，坚相守。”“笛地摊回荡向鸣，生命至尊民为贵。”“多难兴邦缘何在，临危万众共一心”……这样的诗句折射的是一位在抗震现场指挥千军万马的大将那种临危不惧、与民同生共死的气壮山河之形象。“面对死，怎做人；灾难后，悟可深？失去方觉生宝贵，幸存当会懂知恩。虚名浮利原无谓，博爱亲情乃至珍。应信平凡出伟大，从来烈火铸真金。来时去也何牵累，奉献无私自在身。”这是诗人作为一名政治家和国家领导人在经历大震劫难和参与指挥抗震救灾之后的一首“人生感悟”诗篇，读后好不感叹：原来政治家和百姓的心贴得何等的亲近！

人是要真实的，不管他是帝皇臣吏还是黎民百姓，不管是叱咤风云、驰骋疆场的英雄，还是穿针引线的一介妇道人家，都有其真实的一面，尤其是政治家和领袖人物，如果将真实的一面给予他的人民，那么他的人民一定会宽容和爱戴他。

“诗人首先应该是一个真正的人”这话是马凯说的，一个政治家和国家领导又兼为诗人的人理当成为“真正的人”。而做一个“真正的人”无论对谁都不太容易，尤其是对一个政治家而言。真正的人需要有感情，需要有原则，需要有行动，需要有属于自己性格的喜怒哀乐的真实表情，这些都是考验一位政治家胸襟与品质的外在与内在的基本要素，能做到这一点并不容易，而我们的人民其实非常期待自己的政治领袖们能够成为这样的“真正的人”。

马凯同志在介绍自己的《抗震十首》创作过程时有这样一段话：“四川汶川历史罕见的特大地震发生后，我随温家宝总理在震后几小时就飞抵现场，以后又五次赴灾区。在那些惊天动地、刻骨铭心的日日夜夜里，我为灾区人民承受的不可言状的创伤而流泪，为我们伟大人民不屈不挠、大仁大爱的民族精神而震撼，为我国社会主义制度的优越性而自豪。我真有种不吐不快的感觉。那时，白天，奔波在抗震救灾第一线。晚上，在火车上参加抗震救灾总指挥部会议。会后，组织工作人员起草会议纪要和向中央报告的文件等；后半夜，从工作人员起草文件到由我初审这之间空闲的几小时，便成为我构思、草拟诗稿的时间。最后几经修改，草就了组诗《抗震十首》，我愿用诗去见证这场伟大的斗争，讴歌我们伟大的人民。”

读这样一段话时，我的泪水顿时噙在眼眶中……这就是诗人！这就是让人民受到感动的中国政治家身份的诗人！我知道马凯的诗篇很多都是在这种特殊环境下产生的。

> 气候乱，南国寒；冰封地，雪漫天。皑皑一片都不见。惟有冰凌挂满山。电塔八千接踵落，车流百里滞行艰，禾苗亿亩多僵死，灯火万家已黯然。父老乡亲心切切，中南海里夜难眠……

这是诗人《抗雪十首》组诗中的篇章。2008 年初，我国南方部分地区经受了一场百年不遇的雨雪冰冻灾害，作为一个大国的国务院“大管家”的马凯，当时他按照中央的要求，负责联合 30 多个部门组成了国务院煤电油运和抢险救灾应急中心指挥中心，日夜吃住在办公室，我们可以想象他的工作压力和繁忙程度，而就是在这种情形下，作为国家领导人的他一边在指挥千军万马应急关联到数亿人生命的抢险救灾大战，一边在别人起草文件、等待和部署一场场新的战斗之的片刻间隙时，他作为诗人因心切受灾人民的安危和被“一方有难、八方支援”的祖国的伟大而感动得不能入眠，浮想联翩，奋笔抒怀的情景，令人不能不动颜。

诗言志，人民政治家的诗言来自对人民、对国家的热爱与赤诚。马凯的诗作中洋溢和激荡着这样的高亢与磅礴气概。

《心声集》一书中，收集了马凯为中华人民共和国成立六十周年而作的《满江红·漫漫复兴路三首》，便是他这样的精彩言志：

新生：

汩水滔滔，听天问，几曾停歇。文景治，贞观昌盛，康乾威烈。无奈辉煌随落日，更悲硝雾遮明月。仰苍穹、渺渺路何方，心头切。

恨，谁能雪；辛亥梦，缘重灭。幸南湖破晓，日升云缺。社稷岂容倭寇侮，红旗不负先驱血。倒三山、众手扭乾坤，得天阙。

奠基：

旭日东升，待收拾，天昏残垣断壁。开伟业，有人欢喜，有人抽泣。大雪压枝梅更俏，西风掠地旗难移。共弯弓、壮志换新天，穿云镝。

穷思变，移山易；负受辱，兴邦迫。望蘑菇云起，扬威今夕。国误十年风雨乱，党除四害春雷激。但拨正、巨艘驭风行，谁能敌。

腾飞：

大地回春，天解冻，江河蓄势。洪流涌，樊篱冲破，千帆争驶。绝处逢生更旧法，审时适变开新制。再启程、直上九重霄，凭天翅。

百年耻，从此逝；成真梦，于今始。铸民康国富，和谐新世。未敢忘圆三步曲，更难永续千秋史。全赖有、别样路通天，旌旗赤。

马凯作为集经济学家和领导干部于一身的诗人，他的诗作中的那种大气、那种高仰、那种穿梭于历史与现实的时空感是显而易见的，关于他的诗品赋质也被行内人士所赞誉。政治家自有政治家的抒情方式和情感高度。这一点，在马凯的作品中有十分明显的彰显。二十多年前，在毛泽东逝世一周年时，马凯就深情地填写过一首《沁园春》：“才断天梁，又殒巨星，犹在梦中。见嫦娥舒袖，泪盈寰宇；吴刚棒酒，情满苍穹。马思起身，列斯炙手，周引朱接上九重。携杨柳，众导师相聚，共论大同……”二十六年后，正值毛泽东诞辰110周年时，马凯难抑内心对革命伟人的缅怀之情，又填写了三首《蝶恋花》：“九曲大江奔未了。日斑何损光辉照。”“功过是非争未了，人民自是情难老。”充分体现了一位共产党人对革命领袖的那种成熟冷静、公正执着的追随感。2001年，作者在彼得堡参观著名的冬宫，写了七言长律《冬宫感怀》，在赞赏这座伟大建筑的辉煌和讴歌十月革命与世界上第一个社会主义国家的盖世功勋后，笔锋一转，进入了一位中国政治家的深思：“昔时风范今安在？一夜分崩荡不存。元气自伤风瑟瑟，雄姿再展路沉沉。扶栏犹记兴衰史，国固中坚道至尊。”此作体现了作者驾驭格律诗的功力令同行们数度敬言，也更让国人读到了自己的国家领导人的那份对民族前途的崇高使命感。

我知道，现实生活中的马凯同志，无论作为国家领导人，还是学者，尤其是作为诗人，他一向谦和，常把自己称为“只不过是中华诗词的一个业余爱好者，或者说是一个诗词‘票友’”，是“一只脚在门外，一只脚正在向门里迈，还没有落地”。其实，马凯在诗词创作的实践和理论上都有非常高端和独立的艺术主张，并且被行内人士和专家们肯定。比如对于古体诗的继承与创新问题上，他有过一段十分精辟的论述：“既然要作格律诗，就要符合基本格律，不讲格律，就不是格律诗，但在这个前提下也要与时俱进。比如在‘音韵’上，有主张严守‘平水韵’的，也有主张用‘新声韵’的。我赞成中华诗词学会主张的‘知古倡今’。‘平水韵’至今已七八百年了，七百八年来语音已发生了很在的变化，普通话已成主流。如果一味固守‘平水韵’，有些诗词用‘平水韵’读朗朗上口，但用普通话读会很拗口，中华诗词就会失去众多读者。随着语音变化倡导‘新声韵’有其必然性，但又必须‘知古’。如果不懂得‘平水韵’，就不能很好地欣赏中华古典诗词之美。”在“平仄格式”问题上，诗人主张“求正容变”，并指出：“所谓‘求正’，就是要尽可能严格地按照包括平仄、对仗等格律规则创作诗词。”他强调“因为这些是前人经过千锤百炼，充分发挥了汉字的特有功能而提炼出的，是一个‘黄金’格律，不能把美好的东西丢掉。但也应‘容变’，即在基本守律的前提下允许有‘变格’。”总之，诗人认为，“在音韵上要‘知古倡今’，在格式上要‘求正容变’”，只有这样的与时俱进，“中华诗词必须也能够反映时代的精神风貌，反映当世人的情感和生活。”

诗人的这些主张，对中华诗词的创作与发展有着十分宝贵的启示意义。

作为一名普通读者，我对马凯《心声集》中那些关于他与友人和家人之间以及他个人的内心独白时所流露的感情，异常欣赏和偏爱，因为这使我们有机会直接地体味到一位国家领导人的内心世界和真实情感——诗化了感情可以体察出一个“真正的人”的情怀……

一首《至友》言及：“少小相识在校园，轻舟学海奋当先。心中大道同求索，脚底崎岖共苦甘。淡若泉流堪致远，意由神会岂须言。逢事难处凭谁问，又是彻谈到日悬。”足见与朋友交情交心的真切。

一首《花甲祝福赠夫人》：“举酒相凝视，未言心已知。依依琴共瑟，结发梦觉迟。”写出了一对恩爱夫妻的那种令人羡慕和陶醉的心心相映。

一首《听小女胎音》：“怀子初闻喜半疑，忽传耳麦响雷激。缘何心鼓催飞马，道是爷耳濡目染欲见急。”这样的诗情诗意，怎不叫人仿佛如同身临其境地看着一位充满柔情的父亲小心翼翼地贴在爱女的身上聆听孙儿的胎音时那番喜悦之情的场景是何等的生动和壮观？

透露一个小秘密：在共和国国务院副总理的大办公室里，我看到的唯一的一个像框竟然放在窗台边——那是诗人最喜爱的他的小外孙的照片。娃儿可爱极了，我相信这张照片是诗人劳顿时最解乏的精神良剂，由此我相信这样的人一定是“真正的人”，一定是出诗的人，一定是人民喜欢的领导人，因为他有感情！

《心声集》中有很多诗人的“心声”，那些心声十分可贵和真切——

比如关于《淡泊人生》：“显贵浮云去，虚名逐浪沉。淡泊心守静，抱璞我归真。”

比如关于《气节赞》：“梅碾香犹在，丹磨赤自存。石焚洁似雪，玉碎质还在。”

比如关于《学诗》：“水淡能收月，毫柔也纵龙。真情流笔下，大气溢胸中。”

比如关于《学书》：“谋篇在胸，蓄势贯笔。点画裕如，提按惬意。折转酣畅，往收俊逸。大小错落，长短交替。粗细适宜，疏密得体。虚实相生，黑白互济。断连呼应，首尾一气。法而不拘，功到自器。”

云云，这是诗人做人、行事的心声与道学。而这，难道不是我们所有正直的众生做人、行事的“格律”吗？

上将作家 厚德传人

——周克玉将军逝世周年祭

今年3月25日，是我军杰出的政治工作领导者和高级指挥员，解放军原总政治部常务副主任、总后勤部政委周克玉上将的逝世周年日。时间过得太快啊！我不觉有一年了，因为周政委（我一直这样称呼他）的离去似乎仍是昨天的事，而且我一直认为他还好好的活在我们身边。其实好人是不会离开我们的，我们所有活着的人始终不会忘却他们。周克玉政委就是这样一个人，永远活在他的战友、他的挚友心中……

作为曾经的部队政治宣传战线的职别很低的一名军官，我内心常怀这般感叹：为什么就没有早点认识周克玉政委呢？瞧王宏甲多幸运，他在写出《无极之路》后就被周克玉政委认识并“一纸”将宏甲兄从地方调到了部队。这样的特招兵，对许多人来说是天降巨福，可以改变一个人甚至一个家族的命运。王宏甲近四十岁时穿军装，且后来一直在部队熔炉里挥笔驰骋，好不福气。不只是宏甲受恩于周克玉政委，还有军族作家周大新、咏康等当今文坛有影响的著名作家们。“天意君须会，人间要好书。”这是周克玉政委给一位部队作家写的一句勉励诗话，其实他始终就是这样一位爱才如命的我军高级领导者。他曾经这样对我说：建明同志，如果我们早些年认识，我一定再度把你调回部队，让你专心搞创作。“不过那样的话，你可能当不上中国作协副主席，但你完全可能冲刺诺贝尔文学奖，为我军文学事业添上厚重的一个篇章。”周政委的话并非玩笑，他是个极其平易近人，又十分实在的高级将领。

与周政委相识，要感谢另一位将军作家贺捷生大姐的牵线搭桥。不想从此我和周政委成了忘年之交。大概是因为三个原因：一是我们是江苏老乡的缘故；二是他对所有文友都特别友善；三是我当了他两本书的出版人。现在社会上似乎把领导为他人办事便看成一种“不正之风”，其实是很大程度上的误解。在老一代无产阶级革命家那里，帮人办事也是常见之举，因为他们都是办的正经事，爱才的事。比如我知道，当今部队的诸多大作家，都受恩于总政治部老领导余秋里、周克玉等首长，我知道余秋里主任在位时，正值“文革”结束不久，军队文艺战线人才馈乏，是余秋里将军把一大批长期没有得到重用的文艺人才引进了部队。而周克玉将军进总政任副主任、常务副主任，也正是余秋里的一力推荐。周克玉将军在任总政副主任、常务副主任期间，对军队文艺建设起了鼎纲之作用，今天部队文艺人才辈出，与周克玉将军的爱才惜才直接有关。他到总后当政委的那些岁月里，几乎每一位在总后工作过的文学艺术人才都受过他的恩泽。他是这样一位高级首长：平时管理部队精道而有方法，见了有才华的人则倾情厚道地甘为人梯，若闻有人创作出了精品力作，似乎比自己写一首好诗还要兴奋！

“将军本色是诗人”。这是当代文化人对周克玉将军的一致评价。他确实是位诗人，生活中的他就是一位充满激情和感情细腻、丰沛的诗人。他的诗作常常见于各种权威性报刊，尤其是古体诗词，别有韵味，造诣非凡。他生前对《中华诗词》杂志的帮助被同仁敬佩。他和一群诗友还创办了《野草诗苑》，成为诗界一方可圈可点的园地。中国作家协会的诸多会员都熟悉周克玉将军，因为大家都把他当作是“作家”同行，而非视他是什么大首长。这般友情在文人中能够认可并不容易，周克玉政委是例外。

中纪委书记王岐山前不久批评现在的一些高级干部：“正楷还没有练好，就直奔草书。”周克玉将军则是位“草书”已精而见了文友便恭恭敬敬“练正楷”的谦逊的领导者。许多人不知，周克玉上将是位纯粹的“草根”出身的我军高级将领，而他在部队数十载勤奋刻苦的学习精神，有口皆碑。那年我任《中国作家》主编，到他家请教文事，不想上将拿出他几十年前的几大本日记，使我方知周政委在当新四军和抗美援朝志愿军时便一直坚持写“战地日记”。后来我有幸为他出版了《战地雪泥——抗美援朝记事》和《军政委日记》两本书。尤其是后一本《军政委日记》，可以说是开辟了军事文史之先河，因为我查阅了一下军队书籍，还没有哪位将领出版过这样的著作。《军政委日记》记录了周克玉将军时任67集团军政委时的那段岁月中的工作与心理历程。因为是“军人加文化人”的军政委，所以他的日记很好看，也很教育人，不回避矛盾，不回避他个人的喜好，故外人读了也震撼灵魂、回味无穷。我记得最早的“军政委日记”是在《中国作家》上连刊五期，引发读者热议，影响颇大。

周政委最难得的是他的为人平和德厚。每每他自己出版一部书、一篇得意之作，还是听说他的好友出了啥作品——许多人的职阶很低，周政委都要让秘书通知大家到他家或他自己掏腰包请上一顿饭。桌席上，周政委总是异常兴奋，谈笑风生，既显长辈之慈祥，又显友人之亲密，丝毫不见大将军大首长的架子，令我等感叹不已，感动终身。周政委是真情真人，从不虚假，从不虚伪，实实在在，心如菩萨，德厚泰山。与其交往，他的脸上总含笑；与其倾诉，他的神情总露真挚；与其同事，无须敬畏，无须掩饰。人生一世，我们或许平民弱辈，或许毫无成就，或许误被贬斥，但在周克玉将军那里，你得到的是真正的温暖，真正的友情，真正的善良和真正的才知。

“史册记，时代转折。看闪烁阳光，纪元新拓。万里长江，滚滚向东遏。”这是周克玉政委的词句，我想也是我们对这位上将作家、文人之友的记惦之词。他的希望，正是我们今后努力之方向。

将军虽逝，德魂永存。戎武一生，美德传人。

威风将军威风歌

——读张宝光诗集《将风吟》

战士自有战士的性格，将军自有将军的威风。这是我们这些曾经在部队工作过的同志，共同的一种军人风骚。是男人，在需要时扛枪保国，不惜抛头颅洒鲜血，这是我们的钢铁信念。是男人，应当面对敌人，我们视死如归。男人，当然还应当面对爱情和亲人时，该歌当歌，该泪即泪。

男人就该有男人的威风。

将军的威风是什么？将军的威风在战争年代是我们所看到的是手持望远镜、挥舞着战刀、驰骋在疆场，叱咤风云的威风凛凛的人物。和平时代，将军又是什么样的人？ 一般人似乎并不太清楚了，只知道他们的肩膀上扛着闪闪发光的将星，威风得很。其实我知道，和平时期的将军不那么好当，因为将军仅是百万官兵中的凤毛麟角，而将军的成长背后的故事和成为将军之后所做的事，则是年轻人和军界之外的人所关注和好奇的。

张宝光将军是个什么样的人？他是怎样从士兵到将军的？自然只有熟悉他的人才知道。宝光兄年长我几岁，并曾在一个军校里工作过，所以可称为战友。当然，宝光在部队比我干得强，一路威风凛凛，一路官衔加升。回忆当年我们同在一所军校里的日子，我虽非有先天之见，但那时就感觉宝光是一个一生献给国防事业的军人，他的一生离不开军队，不像我们半路回到了地方。宝光性格稳健，一表人才，在我们同一所军校时，他是教官。后来各奔前程数年后，没想到他成了卓建战功的真正军人——真正军人必须是建立战功的人，而宝光做到了，他在和平时期指挥部队歼灭顽敌匪帮，经历了血与火的洗礼。谁说和平时期没有战斗？和平时期军人同样需要用生命和鲜血换得人民的安宁。这就是军人的职责。宝光在与我们分手之后，只身到了海南省武警总队任参谋长、总队长等职。期间，他数次亲自带部队围剿成匪的暴徒和气焰嚣张的黑恶势力。那样的战斗绝不亚于我们电影上看到的惊险，而他作为战斗的总指挥，也曾设计打入敌匪内部的“杨子荣”计划等。宝光是因剿匪扫黑和带部队有方，并建立功勋而成为将军的。他的战绩曾轰动一时，他的英名也留在了海南那片热土上……后来他因健康原因回到北京，在武警交通指挥部任职，直至现在。这是我所了解的一些关于宝光作为战将的一面。然而过去我并不了解宝光还是一位舞文弄墨的儒将，所以读他送我的诗作时，我有些吃惊。而读着读着后的这种吃惊，渐渐变成了我由衷的欣喜和敬畏。我为自己能有这样的兄长将军而感到骄傲。

当将军非凡人。能杀敌建功又能写诗舞墨的将军更非等闲之辈。我军中的著名将领中能写诗的不是很多，当然有朱德总司令、陈毅元帅、叶剑英元帅等。我以为他们都是了不起的人物，尤其是陈毅元帅的诗，甚至超过了他指挥千军万马的英气。

将军的诗总是透着一股气壮山河的精气神儿。将军的诗总是把人带进那种刀声霍霍、硝烟迷漫的战场烽火和一片嚎啼、天地颤动的诗画中。宝光的诗也不例外，他的诗里透着一种将军的威风和成长为将军的将风之吟！

将风之吟是什么？我以为一种风骨，一种革命军人的风骨，一种岳飞式的当代革命军人的风骨。这风骨体现了一个将军对祖国、对民族、对部队官兵、对自己的事业和家庭及亲人的那份充满爱与情的风骨。“壮我中华心底志，万里卫疆不觉愁。千锤万铸倚天剑，青山忠骨拼到休”。宝光用自己的诗完成了他“将风吟”的诠释：“将威如山楷如峰，将兵如子严如冰。将博如海通天地，将临如危处不惊。将令如山动如风，将崩如前勇如龙。将谋如天肩社稷，将儒如雅德大忠。”

诗言志，大概说的就是这层意思。军人杀敌威猛，为国不怕流血牺牲，这既是一种职责，更多的是军人对自己职责的理解和信仰的执着。宝光出身革命家庭，父亲是位老军人。因而宝光的血脉里流淌着的是中国军人滚烫的热血。“自小家教为民忧，精忠报国记心头。”将之风骨，是有遗传因子的，宝光能够在当年我们许多战友回京与家人团聚并可在地方上一展身手时，他则选择了留在部队，并且到了刚组建的情况比较复杂、条件艰苦的海南武警部队。当时战友们并不太理解，但现在大家都从心底里清楚——他宝光是块职业军人的料，他的人生道路上如果不是军人的职业，相信他会失去很多激情，他也不会干得惊天动地，也不会在他因病惜别海南时写出“遥望天涯志未死，惟闻鼓角心中翻”这样壮美的诗句。

有道是：男儿铁骨铮铮在战场，其实无论是战时的军人，还是和平时的军人，他们最懂情，最有情，而这也只有成为了军人的人，才有此体会。军人的职业决定了他必须离家远行，决定了他必须割舍儿女情长，决定了他必须不能孝敬父母，也决定了他必须放弃自己的个人习性与某种爱好。军人的情只能在默默的刺刀尖上闪动，只能在笑别亲人后的回头那一瞬擦拭泪花，只能在放弃中放弃……

军人，尤其是将军，要想把自己铸造成威风凛凛的形象，心骨的磨练非一日之功。宝光的诗集正好以特有的诗之语言，非常到位和精致地向我们叙述了他的这份“将军之旅”。因而我认为，这本诗集的出版，无论从读者阅读一个将军的成长史看，还是从读者欣赏将军诗人的诗风讲，都有特殊的意义。

宝光将军的人生，就像他的名字一样宝光威风；

宝光战友的诗篇，就像他的容貌一样宝光激情……

2007 年五一于北京

出版说明

何建明先生是中国文坛著名作家，长年坚守在报告文学一线。“非典”、汶川地震、天津大爆炸、利比亚撤侨等重大事件发生时，何建明先生都尽可能出现在第一时间、第一现场，将第一手材料及时地呈现给读者，将中国故事讲深、讲透、讲生动、讲精彩。他强烈的责任感和使命感让人感动，其直面真相、忠于现实的精神令人钦佩，是中国当代报告文学界极有影响力的领军人物。

有感于斯，我社特收录何建明先生近40年创作的报告文学作品，结集为《何建明文集》三十卷出版。这些作品是对时代、社会、自然和人文的记录、呈现与见证，是作者响应时代的召唤，置小我于大我之中，循着时代背景和社会需求而创作的，完整、真实地表现了社会各个层面人物的喜怒哀乐，代表了当代中国纪实文学、非虚构创作的高峰水平，大气磅礴、激情豪迈，极具胸怀和气量。其中多部作品获得鲁迅文学奖、国家图书奖、“五个一工程”奖、徐迟报告文学奖等。

每个时代都有自己的特征，每部作品都有自己的特点。为了全面展示何建明先生历时40年创作内容、使用语言和文学风格的变化，本文集对何先生已发表的所有作品原则上不做修饰和润色，除特殊情况外也不做大的删节和修改，以保证今天的结集出版，仍不失当年作品的激情和味道。